366 days of World Heritage

1日1ページでたどる 地球と人類の奇跡

366日の世界遺産

はじめに

1978年に12か所が登録されて以来、世界遺産の登録数は毎年20〜30か所も増え続け、ついに1000件を超えました。2019年現在で1121件に達しています。

一生かけたとしても実際に現地を全部回ることは、時間的にも金銭的にも不可能に近いでしょう。

国内外の世界遺産を旅行で訪れるのは自分の目で絶対に見たい場所だけにとどめ、残りは動画や美しいカラー写真で世界遺産の片鱗を楽しむというのが現実的な世界遺産の攻略法です。

本書は1年366日の毎日ひとつずつ、世界中の一度は行ってみたい世界遺産を紹介しています。1年かけて世界遺産にまつわるユニークなエピソードを知ることができるようになっているというわけです。

タージ・マハル（インド）

本日のテーマとして、曜日ごとに、「歴史を知る！」「伝説に浸る！」「謎と不思議を愉しむ！」「自然の不思議と驚異の技術を学ぶ！」「ドラマを味わう！」「ゆかりの人物に出会う！」「暮らし・文化に触れる！」の7つを設定し、世界遺産の風景を楽しむとともに、地球の躍動と人類の叡智が刻まれた世界遺産にまつわるさまざまな知識と教養を身につけることができます。

誌面が限られているので、ひとつひとつを詳しくは紹介できませんが、興味を持たれた世界遺産に出会ったら、検索したり、その世界遺産に関した書籍を読んだりすることで、その世界遺産の魅力をさらに掘り下げてみてください。

日本やアジア、アフリカ、ヨーロッパ、アメリカ、オセアニアの5大陸の世界遺産を巡る366日の誌面旅行の始まりです。

小林克己

本書の読み方

曜日ごとに設定した7つのテーマ（「歴史を知る！」「伝説に浸る！」「謎と不思議を愉しむ！」「自然の不思議と驚異の技術を学ぶ！」「ドラマを味わう！」「ゆかりの人物に出会う！」「暮らし・文化に触れる！」）のうち、その日の解説テーマを示したもの。各テーマの概要は5ページをご参照ください。

世界遺産の所在地と登録基準。登録基準の詳細は下段を参照ください。

その場にいるかのような、世界遺産の美しい写真！

世界遺産にまつわる知識と教養が身につく、深くてわかりやすい解説文。

さらに教養を深めたい人のための情報。

本日のテーマ　ドラマを味わう！

1月26日

アルベロベッロのトゥルッリ

026

所在地　イタリア共和国プーリア州

登録基準　文化遺産／1996年／③④⑤

トゥルッリの屋根には、十字や月、星などさまざまな紋様が白く描かれているものもあります。これには呪術的な意味があると言われます。

封建領主の課税に対抗して解体しやすいように造られた屋根群

南イタリアのアルベロベッロの街には、まるでおとぎの国のような一帯があります。あたりの住居は、どれも丸いとんがり屋根に白い壁で、450㎡ほどの一帯に、こうした家が1000軒以上も密集しているのです。

屋根は部屋ごとにかけられ、隣の部屋とはゆるやかな曲線でつながっています。トゥルッリとはラテン語の「小さな塔」の複数形です。驚くべきことにこの屋根は、平らな灰色の石灰岩をただ積み上げているだけ。漆喰もモルタルも使っておらず、内部には梁などの支えもありません。それでも崩れないのは、石灰岩の面を密着させて重さと摩擦力を生かしているからで、世界でもここでしか見られない工法です。

この不思議な建物の建築が始まったのは16世紀ですが、のどかな外観には似合わない逸話が伝えられています。ナポリ王国では、家々の屋根ごとに税金をかけていたため、役人が来るときは屋根を一時的に崩して「これは家ではない」と誤魔化し、役人が帰ったらまた積み上げて、税を逃れていたと言うのです。

もっと知りたい！　とんがり屋根のてっぺんには、「球形」「円盤形」「十字架の形」をした飾りが取り付けられています。表面にも、「十字」「星」「月」のほか、不思議なマークが白い漆喰で描かれている屋根もあります。これらは、魔除けのおまじないか、何かの宗教的意味があると考えられているのですが、はっきりしたことはわかっていません。

33

世界遺産の登録基準

■文化遺産

顕著な普遍的価値を有する記念物、建造物群、遺跡、文化的景観など。

①人間の創造的才能を表す傑作である。

②建築、科学技術、記念碑、都市計画、景観設計の発展に重要な影響を与えた、ある期間にわたる価値観の交流又はある文化圏内での価値観の交流を示すものである。

③現存するか消滅しているかにかかわらず、ある文化的伝統又は文明の存在を伝承する物証として無二の存在（少なくとも希有な存在）である。

④歴史上の重要な段階を物語る建築物、その集合体、科学技術の集合体、あるいは景観を代表する顕著な見本である。

⑤あるひとつの文化（または複数の文化）を特徴づけるような伝統的居住形態若しくは陸上・海上の土地利用形態を代表する顕著な見本である。又は、人類と環境とのふれあいを代表する顕著な見本である（特に不可逆的な変化によりその存続が危ぶまれているもの）。

⑥顕著な普遍的価値を有する出来事（行事）、生きた伝統、思想、信仰、芸術的作品、あるいは文学的作品と直接または実質的関連がある（この基準は他の基準とあわせて用いられることが望ましい）。

■自然遺産

顕著な普遍的価値を有する地形や地質、生態系、景観、絶滅の恐れのある動植物の棲息、棲息地などを含む地域。

⑦最上級の自然現象、又は、類まれな自然美・美的価値を有する地域を包含する。

⑧生命進化の記録や、地形形成における重要な進行中の地質学的過程、あるいは重要な地形学的又は自然地理学的特徴といった、地球の歴史の主要な段階を代表する顕著な見本である。

⑨陸上・淡水域・沿岸・海洋の生態系や動植物群集の進化、発展において、重要な進行中の生態学的過程又は生物学的過程を代表する顕著な見本である。

⑩学術上又は保全上顕著な普遍的価値を有する絶滅のおそれのある種の生息地など、生物多様性の生息域内保全にとって最も重要な自然の生息地を包含する。

■複合遺産

文化遺産と自然遺産の両方の価値を兼ね備えたもの。

本書の7つのテーマ

本書では、世界遺産を7つのテーマで紹介しています。1日1テーマ、つまり1週間で7つのテーマを学ぶことができます。

たとえば、2020年の場合、1月1日は水曜日になりますので、1年を通じて、水曜日は「歴史を知る！」、木曜日は「伝説に浸る！」、金曜日は「謎と不思議を愉しむ！」、土曜日は「自然の不思議と驚異の技術を学ぶ！」、日曜日は「ドラマを味わう！」、月曜日は「ゆかりの人物に出会う！」、火曜日は「暮らし・文化に触れる！」となります。

下記の空欄に、曜日を書き込んでから、本書を読み始めてください。

曜日　**歴史を知る!**

人類発祥から現代まで、歴史上のエポックに深くかかわってきた世界遺産を紹介。世界史の流れを同時に学びます。

曜日　**伝説に浸る!**

世界遺産のなかでも、神話や民間伝承など、神秘的な言い伝えに彩られた世界遺産を紹介。人々の想像の世界に触れていきます。

曜日　**謎と不思議を愉しむ!**

一体、誰が何のために造ったのか？　どうやってこの風景は生まれたのか？　科学をもってしても解明されない謎に満ちた世界遺産を紹介します。

曜日　**自然の不思議との驚異の技術を学ぶ!**

自然の営み、人類の技術は時として驚異の造形を生み出します。世界遺産に秘められた驚きの世界に迫ります。

曜日　**ドラマを味わう!**

巨大建築を建てた人々の想い、旧跡に隠された意外な逸話など、名もなき人々が世界遺産とともに紡いできたドラマを紹介します。

曜日　**ゆかりの人物に出会う!**

壮大な記念物を築いた権力者、画家、建築家……。世界遺産にかかわりの深い、歴史上の有名人とともに世界遺産を巡ります。

曜日　**暮らし・文化に触れる!**

聖人の墓や神殿、都市遺跡など、人類の生活と密接に結びついてきた世界遺産から、過去に生きた人々の生活と信仰をひもときます。

地球と人類の叡智に出合う
366日の旅へ——。

Bon Voyage!

モン・サン・ミシェルとその湾（フランス）

本日のテーマ 歴史を知る！

1月1日

トゥルカナ湖国立公園群

001

所在地 ケニア共和国北部

登録基準 自然遺産／1997年、2001年／⑧⑩

夕映えのトゥルカナ湖に佇む現地少数民族の男性。

ホモ・エレクトスの少年の化石発見地

トゥルカナ湖はケニア北部のアフリカ大地溝帯中にある南北249km、東西44km、面積6405㎢、深さ30mの構造湖です。湖と周辺には東岸にシビロイ国立公園、湖の火山島にセントラル・アイランド国立公園とサウス・アイランド国立公園の3つの国立公園があり、トゥルカナ湖国立公園群として世界遺産に登録されました。

美しい緑色から「翡翠の湖」とも呼ばれるトゥルカナ湖には、渡り鳥やフラミンゴなどの鳥類、ナイルワニやカバなどが生息。貴重な動物の宝庫として知られます。

トゥルカナ湖は人類史においても重要な地です。1980年代に約160万年前のものとみられるホモ・エレクトスの少年の化石が発見され、「トゥルカナ・ボーイ」と命名されました。ホモ・エレクトスは現生人類とほぼ同じ身体つきで、脳の容積が現生人類の7割に達していた人類種です。少年は推定9歳でありながら身長は160cmに達しており、恵まれた体格であったことがわかります。このほかにも周辺から多くの猿人骨や化石が見つかっており、トゥルカナ湖は「人類ゆりかごの地」とも言われています。

もっと知りたい！ 現地のトゥルカナ族から「黒い水」と呼ばれているトゥルカナ湖は、別名「ルドルフ湖」とも呼ばれています。これは1888年に湖を発見したオーストリアのテレキ伯爵が、当時のオーストリア皇太子・ルドルフにちなんで命名したもの。のちに現地住民にちなんでトゥルカナ湖に改名されました。

本日のテーマ　伝説に浸る！

1月2日

モン・サン・ミシェルとその湾

所在地　フランス共和国アヴランシュ郡

登録基準　文化遺産／1979年、2007年／①③⑥

モン・サン・ミシェル。天使ミカエルの降臨伝説にちなんで、修道院尖塔の先端部や教会の装飾など、随所にミカエル像があしらわれています。

大天使ミカエルが建設場所を告げたと伝わる要塞修道院

フランス北西部のノルマンディー地方、海に囲まれた孤島の岩山にそびえ立つモン・サン・ミシェル修道院。伝承によれば、708年、アヴランシュに住む司教オベールが、大天使ミカエルから「あの岩山に聖堂を建てなさい」とのお告げを受けたことが建立の発端。渋るオベールでしたが、3度目のお告げの際に額に穴を空けられたことで、ようやく岩盤を掘って円形の礼拝堂を建てました。するとその夜、大波が押し寄せて周囲が海に沈み、岩山は島になったと伝えられます。以来、この岩山は大天使ミカエルの降臨地とされ、「モン・サン・ミシェル（聖ミカエルの山）」と呼ばれるようになりました。

ちなみに、オベールの修道院は、10世紀後半にノルマンディー公によって地下礼拝堂に建て替えられています。

モン・サン・ミシェルは、12世紀頃に修道院に付属する聖堂が建てられ、ヨーロッパ中からの巡礼者で賑わいましたが、満潮時に海上に孤立するという環境から、百年戦争では修道院が要塞として、またフランス革命期には監獄として利用されるなど、波乱の歴史をたどりました。

もっと知りたい！　モン・サン・ミシェル修道院は増改築を繰り返したため、荘厳なロマネスク様式と神々しいゴシック様式が混在しています。なお、現在は本土との間に道路がありますが、かつてこの周辺の海は潮の干満が激しく、容易にはたどり着けませんでした。突然襲う速い潮の流れに飲み込まれ、命を落とす巡礼者も多かったと言います。

本日のテーマ　謎と不思議を愉しむ！

1月3日

003

セラ・ダ・カピバラ山地国立公園

所在地　ブラジル連邦共和国ピアウイ州

登録基準　文化遺産／1991年／③

カピバラ山地国立公園内には巨大な穴の空いた奇岩がそびえ、自然遺産を兼ねた複合遺産での登録を目指していました。

南米の人類史を塗り替えた洞窟と岩壁画

アフリカ大陸で生まれた人類は、約2万5000〜1万年前にベーリング海峡を渡って北米大陸に至り、それから太平洋岸を南下して約1万1000年前にチリ南端に到達したというのがこれまでの定説でした。ブラジルなどに北上したのは、その後とされていたのです。

ところが、ブラジルのカピバラ山中の洞窟で発見された岩壁画は、その定説を覆すものでした。年代測定法によって、最古の壁画は1万2000年前に描かれ、人間が住んでいた痕跡のある洞窟は2万5000年前に掘られたことがわかったのです。

壁画は、カピバラ、シカ、ジャガーなどの動物や、人間が儀式、舞踏、狩り、性交をしている様子、さらには幾何学的な文様などが、赤、白、黒、黄色などの顔料を用いて描かれています。ラスコー洞窟やアルタミラ洞窟などの壁画が写実的だとすると、こちらは抽象的で、躍動感溢れる描写でありながら、何を表現しているのか判明していない作例も多くあります。

この壁画を描いたのが、どんな人々だったのかは不明ですが、今後も新たに壁画が発見される可能性が高く、定説はさらに変わるかもしれません。

もっと知りたい！　日本の動物園でも人気のカピバラは、南米大陸のアマゾン川流域に生息しています。洞窟のある一帯が、「カピバラの山地＝セラ・ダ・カピバラ」と呼ばれるようになったのは、壁画にカピバラを描いたものがあったためです。日本で飼育されているカピバラが温泉に入って気持ちよさそうにしているのは、アマゾン出身で寒さに弱いからです。

004

ペトラ

所在地 ヨルダン・ハシェミット王国アマーン県

登録基準 文化遺産／1985年／①③④

ペトラ・バイ・ナイトで幻想的にライトアップされたカズネ・ファウルン。

砂漠地帯に佇む岩窟都市に張り巡らされた水利システム

ヨルダン中南部にある砂漠の山岳地帯、高さ60〜100mの切り立った岩山の壁の裂け目「シク」を通り抜けると、岩壁に彫られた神殿のような建造物が忽然と姿を現わします。それが紀元前後に栄えた隊商都市のペトラです。

交易によって富を得て、紀元前2世紀にナバテア王国を興したアラブ系の遊牧民ナバテア人によって建てられた都市で、岩肌をそのまま彫り抜いて造られた壮大な建造物が並ぶ様は、映画のロケ地となるほど幻想的な雰囲気をかもし出しています。

そうしたペトラにおいて驚かされるのは、高度な給水設備が設けられていたこと。岩壁をよく見ると、横に続く細い切れ込みがあります。その隙間には陶製の水道管が通され、一方は都市遺跡、もう一方は西の岩山の頂上に続いていました。岩山の頂上には深さ2mほどの丸い穴があり、ここに貯めた雨水を水路を使って目的地へと水が運んでいたのです。ペトラにはこのような貯水槽が188か所もあり、都市には水利施設が張り巡らされていました。ペトラは砂漠都市でありながら、こうした導水システムにより、水の都でもあったのです。

もっと知りたい！ ペトラの代表的な遺跡が、シクを通った先にある岩肌を掘った建物カズネ・ファルウンです。コリント式の円柱で装飾され、岩肌は光を浴びて赤や青など虹のように輝きます。カズネ・ファルウンとは現地の言葉で「ファラオの宝物庫」の意味ですが、エジプトのファラオとは無関係。ただし埋葬の跡が残り、墓であったと推測されています。

本日のテーマ ドラマを味わう！

アルタミラ洞窟と北スペインの旧石器時代の洞窟画

005

所在地 スペイン王国カンタブリア州

登録基準 文化遺産／1985年、2008年／①③

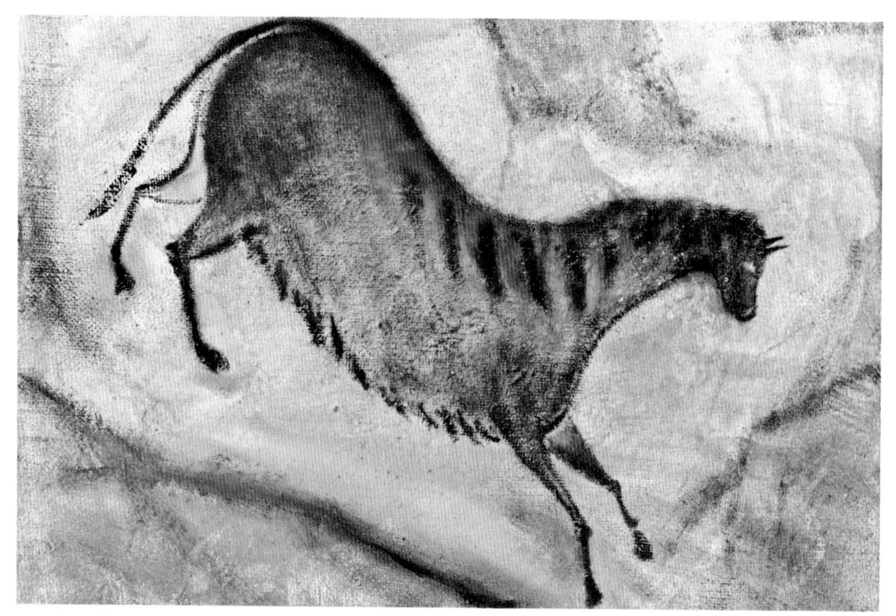

アルタミラの壁画。洞窟内の岩肌の凹凸を利用して立体感が演出されています。

動物たちの壁画にクロマニヨン人たちが込めた願い

深く曲がりくねった洞窟の壁や天井に、牛、馬、イノシシ、トナカイが描かれています。動物たちは駆けていたり、身構えていたり、振り向いていたり、咆哮したりと、今にも動きだしそうな生き生きとした姿です。現在のところ930点以上が数えられており、線描や点描を駆使して遠近感を出したり、岩肌の凹凸を利用して立体的に見せるなど、優れた技術が見られます。顔料は、獣脂に土や木炭、マンガン酸化鉄などを溶かしたものです。

これらの壁画は、今から2万〜1万5000年前頃、現在の人類の祖先であるクロマニヨン人によって描かれたものですが、なぜ彼らは洞窟内に絵を描いたのでしょうか。しかも、その多くは、袋小路状の行き止まりのほか、天井が低くて腰をかがめなければ入れないような描きにくいうえに鑑賞もしにくい場所にあるのです。

洞窟の最深部には人間の顔のような壁画があり、そこでは祭祀が行なわれたのではないかという説があります。動物を神聖なものと捉え、たやすく見られない場所に描くことで、狩猟の成功を願う宗教的意味があったのではないかと考えられています。

もっと知りたい！ 壁画は1879年にデ・サウトゥオーラという弁護士によって発見されました。考古学や美術の愛好家で、幼い娘のマリアとともに洞窟に入って見つけ、それを発表しました。ところが当時の考古学界は旧石器時代の人間がこうした絵を描くことなどありえないと一蹴。結局、壁画が捏造ではないと認められたのは20世紀になってからのことでした。

本日のテーマ　ゆかりの人物に出会う！

1月6日

006

ヴェルサイユ宮殿と庭園

所在地　フランス共和国イヴリーヌ県

登録基準　文化遺産／1979年／①②⑥

正面から見たヴェルサイユ宮殿。宮殿は、コの字型の本殿と左右に広がる2つの翼棟から成ります。

ヨーロッパの盟主を目指した太陽王の宮殿

豪華絢爛で知られるパリの西南に位置するヴェルサイユ宮殿は、17世紀以降のブルボン王朝の絶対王政の舞台となったフランス・ブルボン朝の王宮です。バロック様式で建てられた宮殿の部屋数は700にものぼり、有名な大広間の「鏡の間」は、窓から入り込む光に500枚以上の鏡が反射し、目もくらむような美しさを誇りました。

ルイ13世の狩猟用の館を壮麗な夢の宮殿へと改築したのは、フランス絶対王政期に登場し、「太陽王」とも呼ばれたルイ14世です。

王権の象徴として築く宮殿だけに、当代随一の芸術家や建築家を集め、50年余りの歳月と莫大な費用をかけて建造されました。

ルイ14世は「朕は国家なり」と豪語して、絶大な権力を誇った国王でしたが、一方で「王族は国民のもの」という考えももっていました。そのため起床から着替え、食事、礼拝など、この宮殿での生活のすべてを儀式化。それを正確に遂行し、広く国民に公開する規則正しい日々を30年間送りました。

もっと知りたい！　20世紀初頭、ヴェルサイユ宮殿を訪れた2人の女性が散策の途中、17世紀の衣装をまとった人々が行き交う場所に迷い込み、風景画を描くマリー・アントワネットらしき女性を見かけたというタイムトリップのような怪奇譚が伝えられています。

本日のテーマ　暮らし・文化に触れる！

1月7日

007

天壇（てんだん）

所在地　中華人民共和国北京市

登録基準　文化遺産／1998年／①②③

北京にある天壇の祈年殿。帝が天に祈るためのもっとも重要な施設で、都城の南に設けるのを原則としています。

中国皇帝が五穀豊穣を祈る「祭天」の儀式

北京にある天壇は、敷地面積273万㎡という広大なものです。

もともとは明の洪武帝が南京に建設していたのですが、北京に遷都した永楽帝が、1420年に故宮の南に位置する現在の場所に造営しました。当初は「天地壇」と呼ばれていましたが、のち天壇と改められました。

満洲族によって立てられた清王朝もこれを受け継ぎ、明と清の皇帝は毎年ここで五穀豊穣を祈願してきました。

「祭天」は天子だけが行ないうる祭祀で、冬至の日に天壇で行なわれます。これを正しく行なうことに、国家の繁栄と安泰がかかっているとされていたのです。

敷地内には、「祈年殿」「皇穹宇（こうきゅうう）」「圜丘（えんきゅう）」が南北一直線に並んでいます。祈年殿はもっとも目を惹く建築で、大理石の基壇と瑠璃色の瓦を葺いた3層の屋根があり、25本の柱で支えられています。皇帝は、新春にここで五穀豊穣を祈願しました。皇穹宇には、天の神や歴代皇帝の位牌が安置され、圜丘では豊作を祈り、雨乞いも行なっていました。

もっと知りたい！　「祭天」を行なう皇帝は、3日前から特別な宮殿で斎戒して身を清め、前日には祖先に祈って天帝に上奏文を書きました。当日も朝の暗いうちから文武百官を従え、音楽が奏でられるなか、天壇で厳格な作法に則って儀式を行ない、歩いて宮殿に戻りました。儀式の作法は決して間違えてはならないとされていたと言われます。

本日のテーマ 歴史を知る！

チョガ・ザンビール

008

所在地 イラン・イスラーム共和国フーゼスターン州

登録基準 文化遺産／1979年／③④

5層のジッグラト。街自体は紀元前640年にアッシリアによって破壊されました。

シュメール文明が栄えたメソポタミア文明発祥の地

紀元前3000年頃、チグリス川とユーフラテス川の下流に世界四大文明のひとつメソポタミア文明が発祥しました。その担い手であるシュメール人は、日干しレンガを使って神殿を築き、その周囲に都市を発展させていきます。神殿は、「ジッグラト」と呼ばれるメソポタミア特有の3〜7層の階段状の塔の頂部に設けられました。

オリエント最大のジッグラトとされるのが、イラン西南部の都市遺跡チョガ・ザンビールに残る塔です。

この都市遺跡は紀元前14世紀、メソポタミアに隣接するエラム王国のウンタシュ・ナピリシャ王によって建設されました。王は豊かな国力を背景に、巨大なジッグラトを中心に多くの神殿が建ち並ぶ神殿都市の建設を構想していました。そのジッグラトは5層にして、105㎡という壮大な規模を誇り、レンガにはエラム語が刻まれていたようです。しかし、王が完成前に亡くなると、建設は中止。都市は放棄されて未完のまま3000年近く土の中に埋もれることになりました。

もっと知りたい！　ジッグラトはウルやバビロンなど諸都市で建設されましたが、その機能についてはいまだ不明です。ただ、紀元前586年、ユダ王国を滅ぼされてバビロンへ連行されたユダヤ人たちは、このジッグラトを元に、天に届く実現不可能な塔を築こうとした人類が、神から罰を受ける『旧約聖書』の「バベルの塔」の物語を作り出したと言われています。

本日のテーマ 伝説に浸る！

1月9日

ロンドン塔

009

所在地 英国イングランド　ロンドン
登録基準 文化遺産／1988年／②④

堅固な城壁に囲まれたロンドン塔には、政争に散った人々の霊が彷徨うという伝説がまことしやかに伝えられています。

王位継承争いに巻き込まれた人々の幽霊が彷徨う城塞

テムズ川沿いにそびえたつロンドン塔は、11世紀、ノルマン朝の創始者であるウィリアム1世がロンドンの防衛のために築いた木造の砦を起源とします。その後、歴代の王たちが改修を続け、居城として動物園や天文台などを増設しましたが、15世紀半ばからは政治犯の幽閉や処刑場としても使われるようになったことで、恐怖の館と化していきます。

たとえば、テューダー朝の王ヘンリ8世は、王妃のアン・ブーリンに不倫の濡れ衣をきせ、断頭台送りにしました。ヘンリ8世の死後、その妹の孫娘で17歳のジェーン・グレイが王位継承の陰謀に巻き込まれて処刑され、15世紀後半には幼いエドワード5世とヨーク公の兄弟がロンドン塔に幽閉され、2度と出てくることはありませんでした。

そのためロンドン塔には、今もこうした人々の幽霊が彷徨うという噂が後をたちません。自分の首を抱えて歩くアンの亡霊、500年たった今も命日に現われるというジェーンの霊、かつて幽閉されていた部屋で泣く王子たち……。観光客が多く訪れる城塞ですが、権力争いで消された人々の無念の魂がいまだ迷っているかのようです。

もっと知りたい！　幽霊伝説で知られるロンドン塔には、もうひとつ不思議な言い伝えがあります。それは「ロンドン塔にカラスがいなくなるとイギリス王室が滅亡する」というもの。そのため塔内には片方の羽の一部を切り取って飛ばないようにしたカラスが数羽飼われており、つねにカラスがいる状態が維持されています。

マチュ・ピチュの歴史保護区

010

所在地 ペルー共和国クスコ県

登録基準 複合遺産／1983年／①③⑦⑧

ワイナ・ピチュを背後に頂く標高2430mの尾根上に広がる空中都市マチュ・ピチュ。天体観測に用いられたと考えられる遺構が点在しています。

幻の空中都市はなぜ造られたのか？

インカ帝国の遺跡マチュ・ピチュは、アンデス山中の標高2430mの高地に築かれていることから「空中都市」とも呼ばれています。発見当初は、インカ帝国の最後の皇帝アタワルパの弟が、スペイン人の侵略から逃れて建てた伝説の都だと考えられました。付近の洞窟で発見された人骨のほとんどが女性だったため、巫女として仕えていたのでは、あるいは生贄とされたのではとも推測もされました。ところが21世紀に改めて調査したところ、3対2の割合で男性が多いと判明したのです。人口も750人程度で、都市というほどではないことも明らかになりました。「インカ帝国の隠し砦だった」「宗教施設だった」など、さまざまな説が挙げられましたが、現在では天体観測施設だったという説が有力です。

夏至の日と冬至の日に窓から朝日が射し込む塔、4つの角が正確に東西南北に向いている日時計のような石柱、水を張って月や星を映したと思われる2つの石の筒など、遺跡内には天体の動きに関わる遺構が多いのです。とはいえ、天体観測施設だったとしても、なぜこのような山中に、人目を避けるように築かれたのかは不明のままです。

もっと知りたい！ インカ帝国には「太陽の処女」と呼ばれる女性たちがいて、共同生活を送っていました。男子禁制ですが皇帝だけは例外で、側室となる者もいました。華麗なハレムか大奥を連想しますが、実際は織物をしたりパンや酒を作ったりと、与えられた労働に明け暮れる者がほとんどで、皇帝や聖職者が使う物品の製造担当という立場だったようです。

ラパ・ヌイ国立公園

011

所在地 チリ共和国イースター島

登録基準 文化遺産／1995年／①③⑤

イースター島の海岸沿いに並ぶモアイ像。いかにして石切り場から運ばれたのか、多くの学者たちが謎の解明に挑んできました。

巨大な像を島の石切り場からどう海岸へ移動したのか？

南太平洋に浮かぶイースター島（現地名「ラパ・ヌイ」）は、モアイ像で有名です。モアイ像は島内に887体が確認されており、6世紀頃から築造されました。島のラノ・ララク火山の火口の石切り場で岩に直接彫り込んで形が造られ、最後に背面部を岩から切り離して現在の場所まで運ばれたと考えられています。しかし、重さは1体10t以上。これほどの重さのモアイ像を海岸まで運んだ方法はいまだわかっていません。

丸太で作ったコロの上に乗せて運んだというのが通説でしたが、島内にコロに適した木が生えていないことやモアイに運搬時の傷がないため疑問符がついています。これに対し、イースター島の研究者マジェールは、「謎の力のマナで動かした」「モアイは立った」「交互に体を動かして自分で進んだ」といった島の伝承に着目し、ある仮説を立てました。丈夫な草で編んだ綱で巻いたモアイを立たせ、綱の一方の端で支え、もう一方から引っ張る方法です。実際に実験したところ、少人数で運べることが証明されました。その際、回転しながら半円で進むモアイの姿は、まるで歩いているように見えたと言われます。

もっと知りたい！ モアイの運搬方法について20世紀半ばに文化人類学者のヘイエルダールもある仮説を立てて実験しています。ヘイエルダールは植物の蔓で編んだロープでモアイを引っ張ったのではないかと考え、500人で引っ張る実験をしたところ運搬は成功しました。

ケルン大聖堂

012

所在地 ドイツ連邦共和国ノルトライン・ヴェストファーレン州

登録基準 文化遺産／1996年、2008年／①②④

ケルンの町にそびえる大聖堂。600年以上の建設期間を経ながらも、当初の予定どおりゴシック建築として完成しました。

着工から600年の歳月を経て完成した巨大聖堂

157mの高さを誇る2本の尖塔が目をひくケルン大聖堂の建設が始まったのは、1248年のことです。内陣は1320年に完成しましたが、あまりにも壮大な計画だったうえに、資金不足のために工事は遅れに遅れました。300年以上工事が続いたものの、ついに1560年には中断。南側の塔にクレーンをつけた未完成まま、さらに300年近くの長きにわたって放置されてしまったのです。やがて19世紀初頭になると、未完成の大聖堂を取り壊してしまおうという声まで上がりました。

これに対して、大聖堂を完成させようという運動もわき起こってきました。当時のケルンは産業が発展して活気があり、いくつもの国の集合体だったドイツも統一の気運が高まっていたため、この運動は瞬く間に広がりました。

そうしたなか、オリジナルの図面が発見され、ゲーテら芸術家の協力もあって、1842年に工事が再開。こうして工事の着工から632年たった1880年にケルン大聖堂は完成し、国中が歓喜に包まれたのです。

もっと知りたい！ 2004年、ケルン大聖堂は危機遺産に指定されてしまいました。風化したわけでも、災害や戦争があったわけでもないのに、なぜでしょう。これは周辺に5つの高層ビルを建設する計画が持ち上がり、景観が危ぶまれたためです。ケルン市はビルの建設計画を縮小して、大聖堂の世界遺産としての地位を保つことにしました。

013

カステル・デル・モンテ

所在地 イタリア共和国プーリア州

登録基準 文化遺産／1996年／①②③

緑豊かなバーリの丘にそびえるカステル・デル・モンテ。堀も跳ね橋もなく、砲座も、厩舎も、兵舎もありません。

イスラームとの融和を目指し無血十字軍を成功させたフェデリコ2世

イタリア南部、バーリの丘に建つカステル・デル・モンテは、13世紀の神聖ローマ皇帝兼シチリア王にして、中世ヨーロッパの最高権力者だったフェデリコ2世（フリードリヒ2世）が築きました。防御や戦闘の設備もなく城内も簡素の上、奇怪な形をした不思議な城です。最大の謎は、城の至る場所に数字の「8」が表現されていること。城の形も中庭も八角形で、8つの角に八角の塔がありました。城に施された葉の装飾も8枚ずつであるなど、どこを見ても8が関わっています。「8」という数字は、キリスト教ではイエス復活、イスラーム教では天国を表わす吉数。フェデリコ2世は、キリスト教とイスラーム教の融和を願って、両方の吉数の8を用いたとも言われています。

当時のヨーロッパはイスラーム地域に対し、たびたび十字軍を派遣していましたが、フェデリコ2世は消極的で、教皇が破門を楯に強要してきた第5回十字軍においても、武力を用いずに交渉によって聖地エルサレムを取り戻しています。この城には、自らもアラビア語を理解し、イスラーム王朝の君主とも親しい、王の融和の願いが込められていたのかもしれません。

もっと知りたい! この城は、防御や攻撃の能力のほか、厨房設備などもない簡素な造りであることが、不可解な謎とされてきました。フェデリコ2世は鷹狩りが趣味でしたが、鷹の飼育場所として「林などから離れた平野に建つ人気のない塔」と著作に残しており、この城は鷹狩りを楽しむ目的のためだけに造られた城ではないかと言われています。

本日のテーマ　暮らし・文化に触れる！

1月14日

サンティアゴ・デ・コンポステーラ

所在地 スペイン王国ガリシア州ラ・コルーニャ県

登録基準 文化遺産／1985年／①②⑥

大聖堂のファサードは金色に輝くチュリゲラ様式です。正面にある「栄光の門」は、工匠マテオの手によるもので、完成まで20年かかりました。淡い彩色も美しく、200体以上の彫像で飾られるその姿はロマネスク美術の最高傑作と言われています。

十二使徒の1人ヤコブがスペインに眠る理由

ローマとエルサレムに並ぶキリスト教の3大巡礼地のひとつがサンティアゴ・デ・コンポステーラです。

ここには、イエスの十二使徒の1人である聖ヤコブが葬られていると伝わります。

聖ヤコブは、イエスの死後イベリア半島で布教活動を行ない、エルサレムへ戻った際に、斬首されました。十二使徒のうち、最初の殉教者となったのです。

弟子たちは、その遺骸を秘かに運び出すと、船に乗せてイベリア半島北部のこの地にたどり着き埋葬しました。

時は流れて9世紀、羊飼いが首のない遺骸を納めた墓を発見すると、国王もローマ教皇もこれを聖ヤコブと認めて聖堂が建てられました。

やがて、聖ヤコブの墓に参拝すれば、すべての罪が許されて天国に入れるという教えが広がり、はるか遠くからも巡礼者がやって来るようになりました。サンティアゴ・デ・コンポステーラの街は、こうして出来上がったのです。

もっと知りたい！ サンティアゴ・デ・コンポステーラの大聖堂では、ミサや儀式のときに重さ80kgもの大きな香炉を天井から吊るし、大きく揺らして香の煙を盛大に振りまきます。この香炉は「ボタフメイロ」と呼ばれ、「到着した巡礼者の身体の匂いを紛らわす」「疫病を予防する」などの意味が込められています。

本日のテーマ　歴史を知る！

1月15日

ミケーネとティリンスの古代遺跡群

015

所在地　ギリシャ共和国ペロポネソス地方アルゴリダ県アルゴス＝ミキネス市

登録基準　文化遺産／1999年／①②③④⑥

ミケーネで発掘された円形墳墓。

ミノア文明を継承したミケーネ文明の都市遺跡

ギリシャのペロポネソス半島にあるミケーネとティリンスは、19世紀、ホメロスの叙事詩をヒントに発掘調査を行なったドイツのシュリーマンによって発見されました。

ミケーネ文明は、ギリシャ民族のアカイア人が紀元前1600年頃、ミノア文明を継承する形で生み出したものです。ミケーネはギリシャの大将としてトロイア戦争を戦った王アガメムノンの居城だったとも伝わります。

遺跡では、ライオン門が残る巨石を積んだ城壁の跡や、円形墳墓が発見され、墳墓の中から「アガメムノンのマスク」に代表される黄金の遺物や銀製品など豪華な副葬品が発見されました。一帯に埋葬された有力者たちの顔も黄金のマスクで覆われており、叙事詩に記された「黄金に富むミケーネ」を彷彿とさせます。

しかしミケーネは紀元前1100年頃に突然滅亡。原因については、ギリシャが都市国家ポリス社会へと移るなかでいずれかのポリスに侵略されたとする説や、「海の民」の攻撃によって滅んだとする説のほか、飢饉や地震などの自然災害を原因とする説が挙げられています。

もっと知りたい！　ミケーネ文明はミノア文明と同じく、物資の貯蔵と再分配を元にした国家でした。王の宮殿が巨大な倉庫としての役割を果たし、広場で民に対する物資の再分配が行なわれていたことが明らかにされています。強い権力を持った専制君主制が布かれていたようですが、王と庶民との距離はかなり近いものだったと考えられています。

本日のテーマ 伝説に浸る！

1月16日

サモス島のピュタゴリオンとヘラ神殿

016

所在地 ギリシャ共和国サモス県

登録基準 文化遺産／1992年／②③

ヘラ神殿に残る1本の石柱のみが、サモス島で捧げられた熱心な信仰の名残りを静かに伝えています。

ギリシャ神話の嫉妬深い女神ヘラの来歴

ギリシャ神話の全能の神ゼウスの妻であるヘラは、夫の浮気相手たちに容赦のない報復を行なう嫉妬深い女神です。この激しい嫉妬は、その来歴に理由があるとも言われています。

ヘラがアルゴス地方の先住民族である小アジア系の人が崇拝していた神であるのに対し、ゼウスはギリシャを征服した人々が祀る神でした。征服者の神であるゼウスが優位に立つ一方、征服された側の神であるヘラも負けずに浮気相手を攻撃する意地を見せます。しかし、2神は別れません。2神の関係は、対立しながらも協調していた両民族の関係性の象徴とも言えるでしょう。

また、ヘラは女性の守護神であるため一夫一婦制を守る社会秩序の象徴としての側面も持っていたようです。

そうした女神ヘラを祀るのが、その昔、海洋都市として栄えたギリシャのサモス島です。

ヘラの生誕地とされ、ヘラ信仰が盛んでした。紀元前6世紀には時の支配者ポリュクラテスがヘラを祀る大神殿を造営し、以降1000年にわたり4度も造営されました。

もっと知りたい！ ヘラは夫ゼウスの浮気相手である女性たちを、蛇の化け物に変身させたり、虻に追わせたり、雷によって殺したりと、容赦のない制裁を加えています。それでもゼウスとヘラは別れません。それどころかゼウスの浮気に怒ってヘラが家出するとゼウスは大慌て。女性の像を作って新しい妻と偽り、ヘラの嫉妬を引き出してまで連れ戻そうとしました。

017

オリンピアの古代遺跡

所在地 ギリシャ共和国イリア県

登録基準 文化遺産／1989年／①②③④⑥

オリンピアの古代遺跡のゼウス神殿跡。オリンピアにおける神殿群の中心で、ドーリス式の神殿としては最大規模を誇りましたが、6世紀に発生した2度の地震で崩壊してしまいました。

古代オリンピックの聖域にあったゼウス像の行方は？

古代ギリシャ各地で行なわれたスポーツ大会は、神々に奉納するためのものでした。

もっとも大規模で権威があったのが、オリンピアで開催され、最高神のゼウスに捧げられた古代オリンピックです。当初の種目は短距離競走だけでしたが次第に増え、オリンピアには短距離競走が行なわれたスタディオン、レスリングが行なわれたギムナシオン、更衣室や練習場などが残っています。「オリンピア」は本来地名ではなく、神々を祀る神域のこと。神域の中心はゼウスに捧げた巨大神殿で、高さ12mのゼウス像がありました。像は黄金や宝石などで飾られ、その荘厳さに人々は畏怖に打たれたと言います。

ところが、この像の行方は杳として知れません。いつどんな事情で失われたかさえわからず、「東ローマ帝国の首都コンスタンティノポリスに運ばれたのち火災で焼失した」「地震で倒壊した」「ローマ帝国の異教禁止令で破壊された」など、いくつかの説があるのですが、確かな記録はありません。いつしか神殿も破壊され、石材は周囲のキリスト教の聖堂の建築に利用されました。今は15本の柱が立っているだけです。

もっと知りたい！ オリンピックは、古代ギリシャの英雄ヘラクレスが行なった奉納競技に始まるという伝説があります。ヘラクレスは、ゼウスと人間の女性の間に生まれた怪力の持ち主で、自分の足の600倍の長さを徒競走の距離としました。それが192.27mというオリンピアのスタディオンの長さだというのです。

ピサのドゥオモ広場

018

所在地　イタリア共和国トスカーナ州

登録基準　文化遺産／1987年／①②④⑥

ピサの斜塔と大聖堂。斜塔の美しさを維持するために、多くの建築家たちが努力を重ねてきました。

ピサの斜塔は軟弱な地盤の上でどう傾きを保っている？

倒れそうで倒れない絶妙な傾きで人々を魅了するピサの斜塔は、中世以来の地中海交易によって繁栄した交易都市のピサを象徴する建物です。

本来はピサ大聖堂に付属する塔で、1173年に建設が開始された記念碑的建造物でしたが、3層まで完成したときに、突然、塔が傾き始めます。塔を支える地盤が軟弱なことと、南北で砂層の固さが違うことが原因でした。

何とかバランスを保ち倒壊だけは免れましたが、以降、建築家たちは試行錯誤を重ねながら完成に向けて工事を進めることとなります。まず、上層階の重心を傾きとは反対側の北側にずらしながら建て進めるという手法が採られ、200年かけて8層まで完成させました。

さらに最上階の鐘楼の7つの鐘のうち、北側の鐘の重量を重くして仕上げたものの、完成後も塔の傾きは止まらず、1956年には南方向への傾斜が8度を超え、根本的な解決を迫られます。そこで1990年代以降、塔の北側に800tの鉛を“重し”として置き、塔にワイヤーを取り付けて北側から引っ張り、北側下の地盤を掘るという荒療治で解決が図られ、現在に至ります。

もっと知りたい！　2001年まで10年間にわたって行なわれた地盤を掘るという手法により、ピサの斜塔は傾斜の傾きを1度戻しました。現在は3.99度の傾きで、総重量1万4000tの斜塔を支えています。今後300年間は倒壊の心配がなくなったと言われていますが、毎日傾斜が測定されて管理が続いています。

本日のテーマ ドラマを味わう！

1月19日

019

チェスキー・クルムロフ歴史地区

所在地 チェコ共和国南ボヘミア州

登録基準 文化遺産／1992年／④

旧市街から見たチェスキー・クルムロフ城。円塔は13世紀に建てられたものです。

20世紀後半に甦った中世の美しい街並み

中世以来のヨーロッパで流行したさまざまな建築様式を一度に見ることができるのが、チェスキー・クルムロフ歴史地区です。

この街は、ボヘミアの貴族ヴィートコフ家が、ヴルタヴァ（モルダウ）川のそばの小さな村に城を築いたことから始まりました。銀山を所有して財力のあったヴィートコフ家が、バイエルンやオーストリアから入植者を呼び寄せて産業を奨励したため、街は次第に大きくなっていきました。ヴィートコフ家の断絶後、ロジュンベルク家が領主を務めた時代に、街は川を挟んで広がり、細長い尖塔が特徴の聖ヴィート教会をはじめとする、いくつもの教会が建設されて16世紀には最盛期を迎えました。

ところがその後は近代的な産業が育たず、主要な鉄道網からも外れたため、街は次第にさびれてしまいました。第2次世界大戦では多くの歴史的建造物が破壊され、その後も荒廃が続くほどでした。しかし、1989年にチェコの民主化が成し遂げられると、街の歴史的・芸術的価値が評価されて修復が進み、中世から続いてきた美しさが甦ったのです。

もっと知りたい！ 小さな街にしては驚くほどの大きさを誇るのが、代々の領主が住んだチェスキー・クルムロフ城です。13世紀に小さな城として建てられてから18世紀まで延々と改築・拡張が続き、建造物は40にも及び、庭園内には劇場まであります。チェコ国内では、プラハ城に次ぐ大きさを誇っています。

本日のテーマ ゆかりの人物に出会う！

1月20日

タージ・マハル

所在地 インド共和国ウッタル・プラデーシュ州アーグラ
登録基準 文化遺産／1983年／①

シンメトリーの美が追求されたタージ・マハル。各地から集められた職人と貴石によって建設され、皇帝の最愛の妻に捧げられました。

最愛の王妃のために建てた霊廟とムガル皇帝の悲劇

世界一美しい霊廟と形容される白亜のタージ・マハルは、16〜19世紀にインドを統治したムガル帝国の第5代皇帝シャー・ジャハーンが、最愛の妃ムムターズ・マハルのために建てたイスラーム様式の巨大な霊廟です。

建設者のシャー・ジャハーンは帝位争いを制して即位すると、国内を安定させる一方で、領土を拡大して帝国の最盛期を現出した人物。しかし1631年、ムムターズ・マハルが産褥熱（さんじょくねつ）のため急死すると、嘆き悲しんだ皇帝は、国家を挙げての霊廟建設に没頭。世界各地から宝石や白大理石を集めて2万人の職人を投入し、約20年の歳月をかけて左右対称のシンメトリーが美しいタージ・マハルを完成させました。その費用は、国家財政を圧迫したと言われています。

シャー・ジャハーンは自らの墓廟も計画していましたが、国家を傾ける父の墓廟造りに業を煮やした息子のアウラングゼーブに皇帝の座を追われ、アーグラ城に幽閉されてしまいます。シャー・ジャハーンは、囚われの城から眺めるタージ・マハルを唯一の慰めとして余生を送りました。

もっと知りたい！ シャー・ジャハーンは、タージ・マハルの対岸に黒大理石で同じ造りの自分の墓廟を立て、タージ・マハルと橋で結ぶ計画だったようです。完成すれば、2つの墓廟が見事なシンメトリーを描いたと思われますが、その夢は息子に阻まれて実現しませんでした。彼の棺は、タージ・マハルの地下玄室で愛妻の棺の隣に安置されています。

サンティアゴ・デ・コンポステーラの巡礼路 カミーノ・フランセスとスペイン北部の巡礼路群

所在地 スペイン王国ナバラ州、カスティーリャ・イ・レオン州、ガリシア州

登録基準 文化遺産／1993年、2015年／②④⑥

巡礼路沿いに佇む帆立貝の道標。帆立貝は巡礼貝とも呼ばれ、十字軍の従軍徽章ともされました。

遺書を残して旅立った中世の人々の巡礼の旅

中世のキリスト教徒は、聖人の遺骸や遺物に触れることで罪が許されると考えていました。11世紀になると、遠路はるばる巡礼に出て、ありがたい聖人のもとに詣でる風潮が生まれてきました。

12世紀にはイベリア半島で国土回復運動が熱を帯びていたため、サンティアゴ・デ・コンポステーラへの巡礼者も増え、最盛期には1年で50万人が旅立ったとされています。

とはいえ、中世の旅は危険に満ちていて、病気になったり盗賊やオオカミに襲われたりして途中で命を落とす者もたくさんいました。何年もかかるのが当たり前で、巡礼者たちは遺書を書いてから旅立ったと言います。

スペインのサンティアゴ・デ・コンポステーラに至る道は、1本の道だけでなく、ヨーロッパの各所にありますが、スペインではナバラ州からの道が、フランスでは「トゥールの道」「リモージュの道」「ル・ピュイの道」「トゥールーズの道」と呼ばれる4本の道が、主な巡礼路とされています。

もっと知りたい！ サンティアゴ・デ・コンポステーラへの巡礼者は、帆立貝の殻を身につけています。これには「聖ヤコブのシンボルだから」とか「首に下げて食器がわりにしたから」など諸説ありますが、はっきりしていません。道標にもなっていて、巡礼路の石柱や石畳などあちこちで帆立貝のマークを見ることができます。

本日のテーマ　歴史を知る！

1月22日

ビブロス

所在地　レバノン共和国ベイルート県ジュバイル

登録基準　文化遺産／1984年／③④⑥

地中海貿易の拠点のひとつとして栄えたビブロスの全景。

アルファベットの原型が生まれた交易都市

古代、地中海沿岸に居住したフェニキア人は地中海貿易で富を蓄積し、地中海各地に植民都市を築いていきました。そのひとつが現在のレバノンの首都ベイルートの北約27km、地中海沿岸にあるビブロス（現・ジュバイル）です。

フェニキア人は紀元前3000年頃からビブロスに入植し、レバノン杉をエジプトに輸出して麻や黄金を輸入するなどの地中海貿易を展開。ビブロスは城壁を巡らせた世界最古の商業都市として発展しました。しかし豊かなビブロスは周辺国家に侵食され、636年にイスラーム勢力の支配下に入りました。

このビブロスは、アルファベットの原型とされるフェニキア文字の発祥の地でもあります。フェニキア人は他国の商人と円滑に取引するため、わかりやすい表音文字のフェニキア文字を生み出しました。紀元前900年頃のビブロスの「アヒラム王の石棺」に刻まれた文字が世界最古のフェニキア文字とされています。紀元前10世紀前後には「A」や「H」などの表記が完成し、それが紀元前8世紀頃のギリシャでアルファベットへと進化したと言われています。

もっと知りたい！　アルファベットの原型は、フェニキアから遠いシナイ半島の民族が発明したという異説もあります。1904年にシナイ半島の山中で見つかった壁や石柱に刻まれた文字がその原型ではないかというものです。この文字は紀元前17世紀前後のものとされ、「A」や「B」の原型のような文字が刻まれていました。

本日のテーマ　伝説に浸る！

ジャイアンツ・コーズウェイとその海岸

所在地　英国　北アイルランド・アントリム県

登録基準　自然遺産／1986年／⑦⑧

六角形の石畳が敷き詰められたように見えるジャイアンツ・コーズウェイ。巨人が作ったという伝説が伝わります。

巨人が築いたと伝わる六角柱が連なる神秘の海岸

アイルランドの北端にあるコーズウェイ海岸には、海から突き出した石の六角柱が約4万本も並ぶ珍しい奇観が広がります。道のように約8㎞も続く石畳のような景観から、この石柱群は「ジャイアンツ・コーズウェイ（巨人の石道）」と呼ばれています。

伝承によるとこれを造ったのは、アイルランドに伝わる伝説上の英雄で、フィアナ騎士団を率いたフィン・マックール。コーズウェイ海岸の伝説では、巨人として登場し、フィンがスコットランドの大男に力比べを挑まれた際に、石を拾って大西洋に並べて作った道がジャイアンツ・コーズウェイだと伝えています。

ふたりの巨人の戦いはフィンの勝利に終わりました。大男が逃げようとしたのでフィンが相手の背後に土をすくって投げると、海に落ちた土がマン島になり、土をすくったくぼみがネイ湖になったとされています。

ただし、この石柱の正体は、5000～6000万年前の火山の大爆発によって地表に噴出したマグマが海岸へ流れだしたもの。冷却して縮んでできた割れ目から形成された柱状節理です。

もっと知りたい！　ジャイアンツ・コーズウェイの形成には、フィンならではの優しさが垣間見られる別の伝説もあります。あるときフィンは、スタファ島の巨人の娘に恋をしました。そこでアルスター地方まで彼女を連れて帰ろうと考え、彼女が海の水にぬれなくて済むように、長い石の道を作ったと言われています。

本日のテーマ　謎と不思議を愉しむ！

1月24日

ブルー・ナ・ボーニャ—ボイン渓谷の遺跡群

所在地　アイルランド共和国ミルス州

登録基準　文化遺産／1993年／①③④

空から見たニューグレンジ。古代アイルランドの人々の天文知識がふんだんに盛り込まれた墳墓です。

巨大墳墓の入口に開いた不思議な穴の仕掛け

緑広がる丘陵地帯のボイン渓谷には、ニューグレンジ、ノウス、ダウスの3つの大型石室墓と40以上の墓地があります。築いたのは紀元前3200年頃の人々で、ボインの名はケルト神話に出てくる神の妻ボアーンにちなむと考えられています。

遺跡の石には、至るところに渦巻き模様が刻まれています。蛇のとぐろなのか、太陽や雷の象徴なのか、ただの飾装なのかは不明ですが、のちのケルト文化にも見られる渦巻き模様に影響を与えたと考えられています。

直径90m、高さ10mの巨大で平たいドームが、ニューグレンジです。入口から中に入ると、長さ18mのトンネルが続いて石室に達し、その奥でさらに3つに分かれています。石室で火葬された人骨が見つかったことから、ニューグレンジは有力者の墓と推測されています。

入口上部には、不思議な四角い穴が空いています。冬至の日の夜明けには、ここから陽光がまっすぐ差し込み、長いトンネルを通って石室の最奥部を照らしますが、これは、寒さの厳しいアイルランドで、農耕に必要な日照時間を知る仕掛けではないかと考えられています。

もっと知りたい！　ドームは、平らな石を少しずつずらして形作られ、天井部には1枚の石が置かれています。この石にはくぼみがあり、雨が降ってもそこから水が流れ出るようになっています。そこは、建造以来一度も修繕されていないのにもかかわらず防水性が保たれており、ドーム内には雨水が入った形跡もありません。

ギザのピラミッド（メンフィスとその墓地遺跡 ギザからダハシュールまでのピラミッド地帯）

所在地 エジプト・アラブ共和国ギザ県

登録基準 文化遺産／1979年／①③⑥

クフ、カウラー、メンカウラー、3人のファラオのピラミッドが立ち並ぶギザの風景。

巨大ピラミッドの巨石はいかに積み上げられたのか？

古代エジプト文明を象徴するピラミッドは、紀元前27世紀から紀元前22世紀の古王国時代に数多く築かれました。現在120基近くあるなか、最大のものがクフ王のピラミッドで、約147mもの高さを誇ります。ピラミッドの築造については、約2.5tもある巨石ブロックを積み上げる方法が謎とされ、スロープ説が定着しています。

これには2つの仮説があり、そのひとつが外部スロープ説。下から順番に巨石を積み上げ、3分の1の高さより上にスロープを設けて人力で運んだという考え方です。ただしこの場合、勾配の関係から最長1.6㎞ものスロープが必要になりますが、周囲にこれほど広い空間がないのが難点です。もうひとつは、建築家のウーダンが唱えた内部と外部のスロープ併用説です。3分の1の高さまでは外部スロープを使い、残りは内部にトンネル状のスロープを造って運搬したという考えで、内部トンネルは角で向きを変え、らせん状に伸びていたと推測されています。また、内部スロープの角では木造のクレーンを使ったとし、実際にピラミッドの角にクレーンの設置跡とみられるくぼみが残されています。

もっと知りたい！ 現在、巨石の運搬方法についてはほぼ明らかにされています。かつてはソリに乗せて運んだと言われていましたが、砂地にソリがのめりこんでしまう難点がありました。そこで今では、乾いた砂地に水をまいて砂同士を固くさせてから運んだと考えられています。それを裏付けるように、当時の墓からソリの前に水をまく光景を描いた壁画が発見されています。

本日のテーマ　ドラマを味わう！

アルベロベッロのトゥルッリ

026

所在地　イタリア共和国プーリア州

登録基準　文化遺産／1996年／③④⑤

トゥルッリの屋根には、十字や月、星などさまざまな紋様が白く描かれているものもあります。これには呪術的な意味があると言われます。

封建領主の課税に対抗して解体しやすいように造られた屋根群

南イタリアのアルベロベッロの街には、まるでおとぎの国のような一帯があります。あたりの住居は、どれも丸いとんがり屋根に白い壁で、450㎡ほどの一帯に、こうした家が1000軒以上も密集しているのです。

屋根は部屋ごとにかけられ、隣の部屋とはゆるやかな曲線でつながっています。トゥルッリとはラテン語の「小さな塔」の複数形です。驚くべきことにこの屋根は、平らな灰色の石灰岩をただ積み上げているだけ。漆喰もモルタルも使っておらず、内部には梁などの支えもありません。それでも崩れないのは、石灰岩の面を密着させて重さと摩擦力を生かしているからで、世界でもここでしか見られない工法です。

この不思議な建物の建築が始まったのは16世紀ですが、のどかな外観には似合わない逸話が伝えられています。ナポリ王国では、家々の屋根ごとに税金をかけていたため、役人が来るときは屋根を一時的に崩して「これは家ではない」と誤魔化し、役人が帰ったらまた積み上げて、税を逃れていたと言うのです。

もっと知りたい！　とんがり屋根のてっぺんには、「球形」「円盤形」「十字架の形」をした飾りが取り付けられています。表面にも、「十字」「星」「月」のほか、不思議なマークが白い漆喰で描かれている屋根もあります。これらは、魔除けのおまじないか、何かの宗教的意味があると考えられているのですが、はっきりしたことはわかっていません。

027

フィレンツェ歴史地区

所在地 イタリア共和国トスカーナ州

登録基準 文化遺産／1982年／①②③④⑥

ブルネレスキによって大円蓋（クーポラ）が設計されたフィレンツェのシンボル、サンタ・マリア・デル・フィオーレ大聖堂。

フィレンツェを牛耳ったメディチ家の謎に包まれた出自

古代ローマの植民都市から始まったフィレンツェを、多くの芸術作品が彩る芸術の都へと変貌させたのは、15世紀にフィレンツェの実権を掌握したメディチ家です。メディチ家は莫大な富を背景に、芸術を保護して美しい街並みを作り上げ、ルネサンスを開花させました。最盛期にはローマ教皇も輩出し、フランス王家とも縁戚関係を結ぶなど栄華を極めたメディチ家ですが、実はその出自は謎に包まれています。

メディチ家躍進のきっかけは、14世紀のジョヴァンニがメディチ銀行を作り、ローマ教皇庁を顧客にしたことで急速に勢力を伸ばして莫大な財をなしたことです。その子のコジモがフィレンツェを実質的に支配し、孫のロレンツォがその地位を確かなものにしました。しかし、ジョヴァンニ以前の来歴については不明です。

メディチ家の紋章の赤い球体を丸薬とみなして医療関係者とする説、赤い球体をコインとみなして元から銀行家とする説などがありますが、紋章自体がジョヴァンニ以降にデザインされたという説もあり、はっきりしていません。

もっと知りたい！ 2013年にはフィレンツェ歴史地区に加えて、他地域のメディチ家ゆかりの場所も世界遺産に追加登録されています。それはトスカーナ州フィレンツェと、田園地帯にあるメディチ家ゆかりの12の別荘と2か所の庭園の計14か所で、その歴史と芸術性の高さから「トスカーナ地方のメディチ家の別荘と庭園群」として登録されました。

デルフィの古代遺跡

028

所在地 ギリシャ共和国フォキダ県

登録基準 文化遺産／1987年／①②③④⑥

アポロンが神託を下したアポロン神殿跡。現在残る6本の列柱は、紀元前330年の再建時のものです。かつてこの神殿には38本の列柱が並んでいたと言われています。

ギリシャに重要な神託をもたらしたデルフィの巫女

太陽神アポロンの神殿があったのが、パルナソス山腹のデルフィです。

アポロンはこの地にいた大蛇の怪物を退治すると、自分の神殿を建てて、巫女を通して神託を下すようになりました。そのため、神託を求めてギリシャ中から多くの人が足を運んできました。古代ギリシャでは、政治をどうするか、戦争をすべきかどうかといった問題についても、神託によって判断していたのです。王や貴族も自ら参拝し、巫女の口を通して告げられる神託を聞いていました。

巫女は神殿の奥の間で、青銅の3脚台に座っていました。床には裂け目があり、そこから蒸気が吹き上がります。それを受けた巫女はトランス状態になり、その口を通してアポロンの神託が告げられていました。

巫女の言葉は聞き取りにくく、神官が書き留めて神託を受ける者に渡したとされています。聞き取りにくいだけでなく、その内容は、どちらともとれる曖昧なもので、解釈は神託を求める者に委ねられていました。

もっと知りたい! ギリシャの都市国家ポリスは、互いに敵対したり戦争したりすることもありました。しかし神域であるデルフィには侵攻しないという盟約が結ばれていたため、各ポリスはここに代表者を派遣し、会合したり交渉したりしました。ときには神官が交渉の仲介をすることもありました。

029

カザンラクのトラキア人の墳墓

所在地 ブルガリア共和国スタラ・ザゴラ州

登録基準 文化遺産／1979年／①③④

カザンラクの墳墓の天井画。トラキア人の葬送儀礼の様子が描かれています。

中継貿易で栄えた謎の騎馬民族と遺跡群

ブルガリアの国土のほぼ中央、トラキア平原のカザンラク近郊にあるトラキア人の墳墓は、1944年に防空壕を掘っていた兵士によって偶然発見されました。副葬品はすでに盗掘されていましたが、石を積み上げた玄室の天井に残された、トラキア美術を彷彿とさせる色鮮やかな壁画が衝撃を与えました。

トラキア人は古代のブルガリアで繁栄した勇猛な騎馬民族で、いくつかの部族国家を形成するなか、紀元前5世紀からの約100年間はオドリュサイ王国が隆盛を極めました。カザンラクの墳墓は紀元前4世紀から紀元前3世紀の築造とされ、オドリュサイ王国の有力貴族の墓である可能性が高いとされます。壁画に描かれているのは葬送儀礼の様子で、トラキア人らの死生観を端的に示しています。

トラキア人は死後を現世の束縛から解放された素晴らしい世界とみなしていました。そのため、墳墓は死後に暮らす永遠の家と位置づけられ、死後の世界へと導く馬や死後の生活をともにする妻の1人も殉葬されました。壁画にも死へと旅立つ貴族とその妻が描かれています。

もっと知りたい！ ブルガリア北東部のスヴェシュタリにも重要なトラキア人の墳墓が発見されています。こちらは紀元前3世紀頃のトラキア王と王妃の墓で、玄室の柱は10体の女性立像の彫像となっています。また、壁画上部には兵士を従えて馬にまたがった王と、永遠の命を表す月桂樹の冠を差し出す女神が描かれており、ヘレニズム文化の影響がうかがえます。

本日のテーマ 伝説に浸る！

1月30日

シーギリヤ

030

所在地 スリランカ民主社会主義共和国中部州マータレー

登録基準 文化遺産／1982年／②③④

密林にそびえるシーギリヤ・ロック。頂上で暮らした王の孤独の名残を伝えます。

弟の復讐におびえ続けた王が建てた岩山の宮殿

スリランカ中部の密林地帯にそびえる標高約200mの岩山。その頂上には5世紀後半、スリランカのシンハラ王朝のカッサパ1世が築いて首都とした城塞都市のシーギリヤがあります。

この都市は、父親殺しというわくつきの罪から生まれました。カッサパは父王を殺して、正当な王位継承者だった弟を追放し、自ら即位します。しかし父殺しの罪にさいなまれた王は、供養のために父が着手していた宮殿を完成させました。それが堀と塁壁に囲まれた都城シーギリヤです。同時に追放した弟の復讐におびえる王にとって岩山の要害は都合がよく、王はここに移り住みます。

しかし491年、インドから軍勢を連れてきた弟の攻撃を受けて敗れたカッサパ1世は、喉をかききって自害。シーギリヤは完成してわずか11年で打ち捨てられてしまったのです。

ちなみに、シーギリヤ・ロックの西側の岩肌には、「シーギリヤ・レディ」と呼ばれる美女たちのテンペラ画が残されています。これは宮殿の女性たちをモデルにした絵とされ、かつては500体描かれていたとされますが、現在はおおよそ20体のみが残されています。

もっと知りたい！ シーギリヤ・ロックの西側の岩肌には、「シーギリヤ・レディ」の壁画以外にも中世の寺院時代の参拝者の落書きが残されています。これはカッサパ1世の興亡を表現した詩685編で、スリランカで最も古い文学作品と言われています。

031

ナスカとパルパの地上絵

所在地 ペルー共和国イカ県

登録基準 文化遺産／1994年／①③④

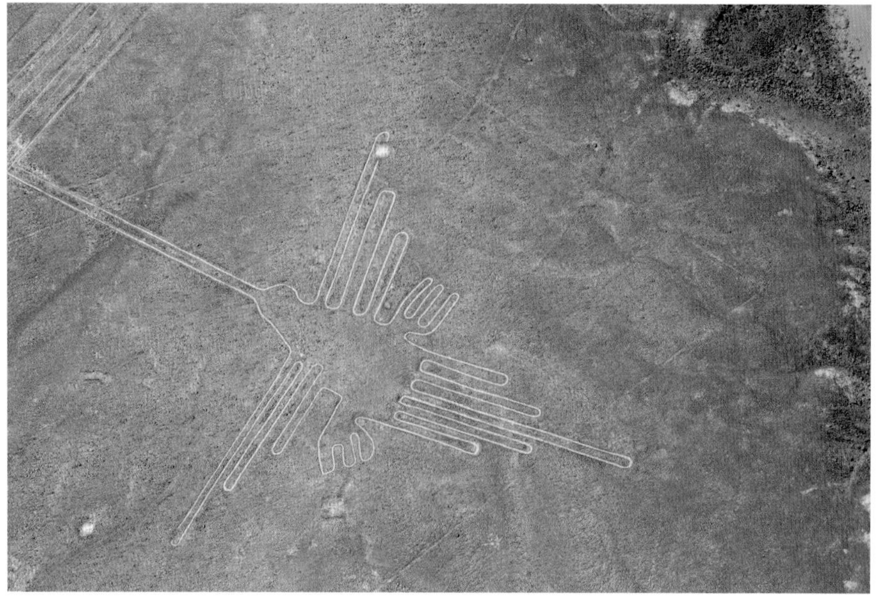

ナスカ平原に描かれたハチドリの地上絵。かつてナスカ研究者のマリア・ライヘ女史が唱えた地上絵を天体図とする説では、夏至の際の太陽の位置を表わすものとされました。

古代ナスカ人は何のために巨大な地上絵を描いたのか？

ハチドリやコンドル、サル、クモなどの生き物や、渦巻きなどの幾何学模様、滑走路のような直線の図形など、南米ペルーのナスカとそこから20kmほどの距離にあるパルパの平原に描かれた地上絵はどれも巨大です。なかには全長100mを超えるものもあり、上空からでないと全体像はつかめません。

これらの地上絵が描かれたのは、紀元前2世紀から紀元後7世紀の間と考えられています。これまで、図形や直線の方向が天体の位置と動きを示しているという説が唱えられてきましたが、最近では、雨乞いの儀式で描かれたという説が有力になっています。数多い直線は山の方に向かっており、水をもたらす山への信仰があるのではないかと考えられ、水辺に生息する鳥がいくつも描かれているのです。加えてアンデス地方には、地上に引いた線の横を歩いて豊作祈願をする風習があります。

ナスカ平原は極端な乾燥地帯で、食糧となる作物を得るためには水が必要です。地上絵を描くのは、重要な祭祀だったのかもしれません。

もっと知りたい！ 地上絵は、塗料のようなもので描かれているのではありません。ナスカの土壌は、黄土色の沖積層の上を赤黒い礫岩が覆っていますが、上の礫岩を寄せれば下の色が見えるので、その色のコントラストを利用して線を描いているのです。そのため地上絵は非常に損壊しやすく、保護の方策が考えられています。

本日のテーマ　自然の不思議と驚異の技術を学ぶ！

2月1日

032

アヤ・ソフィア（イスタンブール歴史地域）

所在地 トルコ共和国イスタンブール県

登録基準 文化遺産／1985年／①②③④

アヤ・ソフィアは、ビザンツ帝国の最盛期、ユスティニアヌス帝の命によって建てられました。

直径30mを超す巨大ドームを実現させた建築方法

オスマン帝国の首都として栄えたイスタンブールは、かつてローマ帝国の系譜に連なるビザンツ帝国の首都で「コンスタンティノープル」と呼ばれていました。今でこそ尖塔とドーム状の屋根が目立つイスラーム建築が多く建ち並んでいますが、そのひとつアヤ・ソフィアは、6世紀にビザンツ皇帝の命で建てられた大聖堂を前身としています。

その特徴は、直径31mもある大きなドームの屋根。皇帝は世界一のドーム屋根を命じましたが、大きなドーム建築は当時の建築技術では難しかったため、建築家たちは苦心します。カーブの屋根は、力を受け止めるために多くの柱が必要ですが、聖堂建築では4隅にしか柱を立てられません。そこで最頂部のドームを左右の半ドームで支え、それを小さな半ドームで支える「ペンデンティブ・ドーム」という多重構造方式が用いられました。さらに屋根を支える巨大な控え壁やドームに窓を設けて強度を高める一方、ドームを軽くするため、通常より低い温度で焼いて気泡が多く軽いブロックを使いました。それでも完成後、柱が崩れましたが、建築家の弟子が調整して安定を得ることができたのです。

もっと知りたい！ アヤ・ソフィアはイスタンブールの歴史を象徴する建物とも言えます。15世紀にイスラームのオスマン帝国がこの地を支配すると、聖堂の聖像画などを漆喰などで塗り固めて隠し、モスクへと転用されたのです。現在は、博物館として公開され、漆喰も剥がされてかつて壁面を飾っていたイコンを見ることができます。

本日のテーマ　ドラマを味わう！

2月2日

自由の女神像

033

所在地　アメリカ合衆国ニューヨーク州リバティ島

登録基準　文化遺産／1984年／①⑥

女神像の顔は制作に当たったバルトルディの母親がモデルとなっています。

建設資金集めに苦労した自由と希望と民主主義の象徴

ニューヨーク港の入口に立つ、優美で力強い「自由の女神像」。右手に自由の象徴であるたいまつを掲げ、左手に独立宣言書を持ち、奴隷制度と専制政治を象徴する鎖を踏みつけています。正式名称を「世界を照らす自由」と言い、1886年にアメリカ合衆国の建国100周年を祝ってフランスから贈られました。

本体をフランスが、台座をアメリカが造ったのですが、完成までには両国ともに資金集めで苦労をしました。

フランスでは、プロイセンとの普仏戦争のため計画が中断し、女神像の頭部をパリ万国博に展示したり、宝くじを売り出したりして資金を集め、なんとか像を完成させました。巨大な像はおよそ270のパーツに分けられて軍艦で運ばれましたが、アメリカでは台座の資金調達が進んでいなかったのです。そこで新聞社が募金を呼びかけ、寄付した人の名前を新聞に載せると発表したところ、ようやく資金が集まり、像の組み立てにこぎつけることができたのです。

もっと知りたい！　台座を含む像の高さは93mで、重量は225t。300枚以上の銅板を貼り合わせた女神像は、鉄鋼の支柱に弾力性を持たせることで、激しい振動にも耐えうるようになっています。この当時の最先端技術を考案したのが橋梁技師のエッフェルで、のちにエッフェル塔を建てて世界に名を知られることとなりました。

本日のテーマ ゆかりの人物に出会う！

レオナルド・ダ・ヴィンチの「最期の晩餐」がある サンタ・マリア・デッレ・グラツィエ教会とドメニコ会修道院

034

所在地 イタリア共和国ロンバルディア州ミラノ

登録基準 文化遺産／1980年／①②

ダ・ヴィンチがミラノ時代に描いた『最後の晩餐』。教会の食堂を飾る作品でした。

修道院の食堂に残されたダ・ヴィンチの試行錯誤

レオナルド・ダ・ヴィンチの代表作『最後の晩餐』は、ミラノのサンタ・マリア・デッレ・グラツィエ教会にあります。この教会は、15世紀末にドメニコ会の修道院をミラノ公が改築したもので、ルネサンス式の回廊と巨大なドームが特徴的です。

時のミラノ公ルドヴィコ・スフォルツァに招かれたダ・ヴィンチは、1495年から2年ほどかけて、死が迫ったことを悟ったイエスが12人の使徒と最後の食事をとる場面をモチーフにした『最後の晩餐』を教会の食堂の壁に描きました。使徒たちのなかに裏切り者がいることを告げるイエスの言葉を聞き、使徒たちに衝撃が広がっていく様が巧みな演出で描かれた傑作です。

しかし、完成直後から亀裂が生じるなど破損が生じます。これはダ・ヴィンチ自身のこだわりが招いたミスでした。漆喰の壁に水で溶いた顔料で描くフレスコ画法ではなく、白鉛を塗り乾いた壁にテンペラ画法で描いたのです。乾く前に描かなければならないフレスコ画を敬遠し、何度でも描き直しができるテンペラ画を選んだようですが、この画法だと絵の具が壁に定着しないため、食堂の湿気にもあたって傷み、剥がれる結果になってしまったのです。

もっと知りたい！ 『最後の晩餐』は、後世の修復で誤った加筆が行なわれていました。1970年代から科学的手法も加えた本格的な修復作業が行なわれ、カビを取り除き、ほかの画家が加えた部分を剥がしてオリジナル画に戻しました。ミリ単位の緻密な作業の末、1999年にダ・ヴィンチが描いたオリジナルの『最後の晩餐』の姿が蘇ったのです。

エレファンタ石窟群

035

所在地 インド共和国マハラシュトラ州エレファンタ島

登録基準 文化遺産／1987年／①③

エレファンタ石窟群の中心に位置する第1窟の最奥には、3面のシヴァ神像があります。

創造・破壊・維持の3つの性格が同居する3面のシヴァ神像

ムンバイ沖に浮かぶ小さな島のエレファンタ島には、7世紀頃に造られたヒンドゥー教の石窟寺院があります。

高さ200mの岩山の階段を100段ほど登ると、東側に2つ、西側に5つの石窟があり、内部は彫像で埋め尽くされています。

なかでも、もっとも知られているのが第1窟のシヴァ寺院。広さは40㎡、天井の高さは6mの主堂に30本の列柱が並び、その奥の祠堂にシヴァ神のリンガが主神として祀られています。そのさらに奥の南側の壁に彫られている高さ5.45mのシヴァ神の胸像には、顔が3つあります。しかも、それぞれ違った表情をしているのです。

髪型や装身具も異なる3つの顔は、ヒンドゥー教の3大神である「ブラフマー」「ヴィシュヌ」「シヴァ」で、創造・維持・破壊を表しているという説と、シヴァ神がその3つのすべてを体現しているという説があります。

もっと知りたい！ 16世紀にやって来たポルトガル人は、ヒンドゥー教を邪教だとして石窟を荒らし、彫像を破壊しましたが、3面のシヴァ神像には手を出しませんでした。これは3つの顔が、キリスト教の三位一体の考えに通じると思ったからだと言います。

本日のテーマ　歴史を知る！

2月5日

パサルガダエ

所在地　イラン・イスラーム共和国ファールス州

登録基準　文化遺産／2004年／①②③④

破壊を免れて伝わるパサルガダエの中心キュロス2世の墓。

オリエント制覇したアケメネス朝最初の都

イラン人によるアケメネス朝ペルシアは、紀元前550年にキュロス2世がイラン高原のメディアを倒して開いたのが始まりです。その軍事力を背景にリディアや新バビロニアなどの周辺国を滅ぼして、紀元前525年にはオリエントを再統一しました。

アケメネス朝は、それから約2世紀の間、中央アジアからエジプトまでの広大な領域を支配する大帝国としてオリエント世界に君臨します。しかも、支配下の諸民族には寛容で、それぞれの支配機構や信仰を認めたのが特徴です。

そのペルシアの最初の都として建設されたのがパサルガダエです。

総面積1.6㎢からなるパサルガダエは、現在も王の宮殿（未完成）、四分法を取り入れた庭園、王が自身の墓として建てた石積みの塔などが残されており、アケメネス朝初期の貴重な歴史を伝える遺産となっています。王の死後、アケメネス朝の都はスーサに移りましたが、パサルガダエは宗教の都として重視され、アケメネス朝が滅亡するまで歴代の王の即位式がこの地で行なわれました。

もっと知りたい！　アケメネス朝ペルシアの初代の都であるパサルガダエのシンボルともされる石積みの塔。これはキュロス2世が建造した王自身の墓とされています。のちにアラブ人がペルセポリスの北東87kmにあるパサルガダエに進出してきたときに破壊されそうになりましたが、ソロモン王の母の墓と偽ることで破壊を免れたとも言われています。

037

ランス・オー・メドー国立歴史公園

所在地 カナダ連邦ニューファンドランド州

登録基準 文化遺産／1978年／⑥

ニューファンドランド島には「サガ」の記述を証明したヴァイキングたちの住居跡が残ります。

コロンブスより前のヨーロッパ人アメリカ大陸到達の証拠

ヨーロッパ人初のアメリカ到達は1492年のコロンブスというのが定説でしたが、それを覆す遺跡とされるのが、カナダのニューファンドランド島に残るランス・オー・メドーです。1000年頃に北欧から渡って来たヴァイキングの住居跡と考えられる遺跡が発見され、これこそがヨーロッパ人初のアメリカ到達の痕跡と言われているのです。

この遺跡は1960年代、北欧の伝承「サガ」(12〜13世紀編纂）に基づき発見されました。サガには、10〜11世紀にかけてエイリークとその息子がグリーンランドから西へと向かい新大陸を発見して「ヴィーンランド」と名づけたこと、11世紀に160人の男女が新天地に向かい、先住民と交易をしたものの争いになり、故郷に帰還したことなどが記されていました。

ランス・オー・メドー遺跡の発見は、この伝承を裏付けるものとなりました。

住居跡や道具類のほか、当時のアメリカ先住民が持っていない鉄クギや溶鉱炉の跡が出土し、それらがノルウェー様式であったことも加わり、ヴァイキングの集落跡であると確実視されています。

もっと知りたい！ 2016年には、ランス・オー・メドーから南へ100kmほど離れたポイント・ローズでも、ヴァイキングの人々の家の間取りによく似た住居跡が発見されました。製鉄場の跡があることや船の停泊にも都合がよい場所であることを考えても、ヴァイキングの集落跡である可能性が高いとみられています。

本日のテーマ　謎と不思議を愉しむ！

2月7日

カルアト・アル・バフレーン -古代の港とディルムンの首都

038

所在地　バーレーン王国マナマ近郊

登録基準　文化遺産／2005年、2008年／②③④

『旧約聖書』に登場するエデンの園とも目されるディルムンの遺跡。

エデンの園とも言われる古代ディルムン文明の中心地

ギルガメシュ叙事詩やメソポタミアの碑文には、ディルムンという都がしばしば登場します。ペルシア湾とインダス川の間を往復する船の中継地点で、メソポタミア文明とインダス文明の物資の集散地だったと考えられています。ところが、ディルムンが具体的にどこにあったのかはわからず、謎の都となっていました。

近年の調査で、それはバーレーン島だという考えが定説となりつつあります。バーレーン島は現在のバーレーン王国を構成する最大の島で、古代からさまざまな文化が去来する港湾都市でした。首都マナマの西、小高い丘のカルアト・アル・バフレーンは、紀元前24世紀頃から紀元後16世紀までの遺跡が集積している一帯で、ペルシア、イスラームなど、多くの文明の遺跡が積み重なっています。

またバーレーン島は、エデンの園のモデルではないかという説もあります。シュメールの神話にもディルムンの名が記されていて、そこは永遠の命を得た者が住む楽園で、エデンの園の原型だと考えられているのです。

もっと知りたい！　バーレーンで制定された法律によって遺跡全体が保護され、発掘は今も続いています。これまで宮殿、邸宅、宗教施設、軍事施設、商業施設などの遺構が発見され、これほど多彩な様式の建造物が集中している例はほかにないとされています。それでも発掘されたのは、まだ全体の25％に過ぎないと言われています。

039

チンギ・デ・ベマラ厳正自然保護区

所在地 マダガスカル共和国西部

登録基準 自然遺産／1990年／⑦⑩

ナイフのような岩が林立するチンギ・デ・ベマラ厳正自然保護区。

ナイフのような景観はどうやってできたのか？

アフリカ東海岸の沖合、西インド洋に浮かぶ面積約59万㎢（日本の1.6倍）という世界4位の大きな島、マダガスカル島の西部にあるのがチンギ・デ・ベマラ厳正自然保護区です。このカルスト台地には、「チンギ」と呼ばれる先の尖った岩が数十kmにわたって林立し、針山が並んでいるかのような不思議な光景が広がっています。

なぜ、ナイフのような奇岩ができたのでしょうか？

その理由は、ここがもともと地下の洞窟だったことが関係しています。

「チンギ」と呼ばれる岩は、鍾乳洞によくあるようなツララ形をした石灰岩の先端で、もともとは洞窟のなかに隠れていました。それが長い年月をかけて雨や地下水で浸食されたり、土中の二酸化炭素で溶かされたりして、ナイフのように鋭く切り取られていったのです。

やがて一帯を覆っていた天井部分が崩落すると、洞窟内にあった尖った岩が地上へと姿を現わしました。

それが、そのまま地上にむき出しとなり、今のような奇観となっているのです。

もっと知りたい！ マダガスカル島はその険しい地形から足を踏み入れる人の少ない、絶海の孤島でした。そのため古生代の大陸と呼ばれるほど、独特の生態系が残されています。この島の生物の9割が島の固有種で、キツネザルやカメレオンが有名です。サン＝テグジュペリの小説『星の王子さま』にも登場する樹齢1000年を超えるバオバブの木も群生しています。

本日のテーマ ドラマを味わう!

2月9日

コルディリェーラの棚田群

040

所在地 フィリピン共和国イフガオ州バナウェ

登録基準 文化遺産／1995年／③④⑤

コルディリェーラ山脈の麓に広がる棚田群。

危惧される天国への階段の未来

ルソン島北部のコルディリェーラ山脈には、「天国への階段」と呼ばれる棚田群があります。ここでは、標高1000～2000mの、しかも急勾配の山肌を切り拓いて石垣を細かく巡らせ、節を抜いた竹筒で湧き水を流して稲を耕作しているのです。

これは少数民族のイフガオ族が2000年も前から受け継いできたもので、棚田の壁の長さを合計すると約2万㎞に及び、地球の半周分にも相当します。季節ごとに色を変えるその景観は、まさに天に上る階段のようです。

ところが、1995年に世界遺産に登録されたこの棚田群は、わずか6年後には危機遺産リストに登録されてしまいました。

これは後継者不足のため。棚田での稲作は、ほとんど機械が使えない重労働で、しかも収穫が少なく、若者たちは都会に働きに出てしまうのです。観光地化が進んだ結果、観光業に転業する者もいます。

こうして荒廃する棚田が増えつつあるのが現状なのです。

もっと知りたい! イフガオ族の神話によると、棚田はただの生産の場ではなく、神への捧げ物でもあります。そのため彼らは独特の農法を続け、植えつけや収穫に合わせて歌うなどの儀礼を守り続けてきました。イフガオ族は木彫りや織物なども巧みで、芸術的センスに富むとされており、色鮮やかな民族衣装を身にまといます。

本日のテーマ ゆかりの人物に出会う!

2月10日

パルミラの遺跡

所在地 シリア・アラブ共和国ホムス県
登録基準 文化遺産／1980年／①②④(危機遺産)

列柱が連なるパルミラの大通り。手前にあるテトラピュロン（四面門）は、エジプト産の赤色花崗岩で造られています。

小アジアを席捲してローマ帝国に歯向かったパルミラの女王

紀元前1世紀から3世紀にかけて、シリア砂漠の北端で砂漠の通商国家として栄えたのがパルミラを都とするパルミラ王国です。東西を結ぶ中継都市として交易で富み、西のローマ帝国と東のパルティア王国やササン朝ペルシアに挟まれつつも独立を維持しました。パルミラにはローマ風建築である列柱付きの大通りや神殿、劇場などが建てられ、3世紀にはローマと対立する東のササン朝を撃退するなど、ローマ帝国とは友好関係を築きます。

3世紀後半、そうしたパルミラに、ローマ帝国に反逆して小アジアを席捲した女王が登場しました。パルミラの王であった夫を失ったのち、幼い息子に代わり権力を握った女王ゼノビアです。野心家の彼女はローマ帝国からの自立を画策し、遠征を繰り返して5年余りでローマ帝国内のシリア、エジプト、アナトリアを支配下に収めます。しかし、絶頂期は長く続かず、ローマ帝国の反撃に遭って273年にパルミラは滅亡してしまいました。

やがて商人たちが、アラビア海を渡る交易航路を利用し始めると、パルミラはゼノビアの野心とともに砂漠の中に埋もれていったのです。

もっと知りたい! パルミラの中で最大の遺構が32年に建造されたベル神殿跡です。神域は四方がほぼ200mの正方形で、400本近いコリント式の円柱で囲まれ、その中央には30m×50mという巨大神殿がそびえていました。この神殿には大地の神バアル神が祀られ、バアル神に豊穣を祈る儀式が行なわれました。

本日のテーマ 暮らし・文化に触れる!

2月11日

ティムガッドの考古遺跡

042

所在地 アルジェリア民主人民共和国バトナ県

登録基準 文化遺産／1982年／②③④

ティムガッドの凱旋門。これらの公共施設は、列柱や彫刻、モザイク、レリーフで飾られています。ティムガッドは1万5000人の人口を予定して設計されましたが人口は2万人を超え、街も城壁の外にも広がっていきました。

アフリカ北部の辺境に開かれた至れり尽くせりのローマ都市

誰もがうらやむ暮らしを満喫していたのが、ローマの植民都市ティムガッドです。城壁で囲まれた街には舗装された大通りが南北に走り、碁盤の目状の街路と集合住宅が並んでおり、上下水道まで整備されていました。

神殿や市場はもちろん、娯楽設備が充実していて、3500人を収容できる劇場、5000冊もの蔵書の図書館などがありました。さらにローマ人の大好きな浴場は、城壁内だけで14も発見されています。

もともとこの街は、辺境の何もないところに築かれた要塞でした。そこにローマは、地方の抑えとして退役軍人を住まわせる都市を築いたのですが、それだけではなく周辺住民の心をつかむべく至れり尽くせりの施設を整えたのです。

城壁内の暮らしぶりを見た地元の住民たちは、ローマに憧れ、同化しようとしました。ローマ人は人種・民族を問わず、25年の軍役についた者にローマ市民権を与えていたため、なかには、城壁内に住むために、ローマ軍に志願する者も大勢現われたほどです。

もっと知りたい! 市民が集まって過ごす広場の階段席に、「狩りをして、風呂に入り、ゲームをして笑う、これが人生だ」というラテン語の落書きが残されています。狩りと入浴は、当時もっとも好まれた娯楽です。ローマの退役軍人たちが、ここでの生活を謳歌していたことがわかります。

本日のテーマ 歴史を知る！

2月12日

ペルセポリス

所在地 イラン・イスラーム共和国ファールス州

登録基準 文化遺産／1979年／①③⑥

「万国の門」とも呼ばれるクセルクセス門。人面有翼獣身像の装飾が重厚な雰囲気を漂わせます。

アレクサンドロス大王によって灰燼に帰した聖都

イラン南部のシーラーズ北東65kmにあるペルセポリスは、アケメネス朝ペルシアの第3代ダレイオス1世が、面積約13万㎡にもおよぶ大規模なテラス（基壇）の上に築いた都市です。

テラスの上には、クセルクセス門、玉座殿、アパダーナ（謁見の間）、宮殿などが建ち並んでいました。ただ、このペルシアでいちばん広大な都市は王都ではなく、帝国内では5番目の都市の位置づけでしかありませんでした。

なんのために築かれたのか明確には解明されていませんが、今では年に一度行なわれる新年の大祭のある儀式のためだけに築かれた都市だったとの見方が有力です。根拠は属国からの使節が献上品を携えて王に謁見する儀式。その様子はアパダーナの基壇を彩るレリーフに描かれた王に貢物を運ぶ行列の姿から推察できます。

アケメネス朝の繁栄を象徴するペルセポリスでしたが、紀元前330年、マケドニアのアレクサンドロス大王に無血開城したのち、焼き払われました。現在は広大な基壇や門の遺構、10数本の石柱などが残るのみです。

もっと知りたい！ ペルセポリスは無血開城から4か月後に放火されました。計画的放火とされますが、その理由については諸説あります。ひとつはペルシア戦争に対するギリシャの復讐説。または占領下において従わないペルシア人への懲罰説のほか、アレクサンドロス大王が寵愛する高級娼婦の願いを聞きいれたという突発的な放火説もあります。

本日のテーマ 伝説に浸る！

2月13日

トロイの古代遺跡

044

所在地 トルコ共和国北西部チャナッカレ県

登録基準 文化遺産／1998年／②③⑥

トロイ遺跡の8層・9層。トロイの遺跡は全部で9層から成り、トロイ戦争の時代は第6層か第7層と見られています。しかしその大部分をシュリーマンは発掘の過程で破壊してしまいました。

神々と人間が織りなす古代戦争の舞台

トルコのダーダネルス海峡に近いヒサルルクの丘には「トロイの木馬」の伝説で知られるトロイの町の古代遺跡が残されています。

ホメロスの叙事詩『イリアス』によれば、トロイの王子パリスがギリシャのスパルタ王メネラオスの妻を略奪したため、スパルタの呼びかけを受けたギリシャの連合軍がトロイに攻め込みトロイア戦争が始まりました。戦いは10年にも及びましたが決着はつかず、ギリシャ軍は木馬を残して去っていきました。

トロイの人々は木馬を城内に引き入れて戦勝に酔いますが、これこそがギリシャの策略でした。その夜、木馬に潜んでいたギリシャ兵がトロイの町の城門を内側から開いてギリシャ軍を引き入れ、トロイを滅亡させたのです。

これは神話と考えられていましたが、1873年、この伝説を信じたシュリーマンがトロイア遺跡を発見します。黄金の装飾品や王冠などの遺物が見つかり、巨大な町の存在が証明されたのです。

もっと知りたい！ トロイの遺跡はその後の発掘で9つの時代が重なった9層の複合遺跡であることが判明。第1～7層が青銅器時代に属し、第8層がギリシャ人都市で、最も新しい第9層がローマ都市でした。シュリーマンが発見したのは第2層の紀元前2000年代のもの。現在、ホメロスのトロイは、紀元前1250年までの第6層か第7層説が有力視されています。

045

アイガイ（ヴェルギナ）の古代遺跡

所在地 ギリシャ共和国テッサロニキ県
登録基準 文化遺産／1996年／①③

アレクサンドロス大王の故郷マケドニアの首都であった可能性が高まりつつあるアイガイ（エゲ）の古代遺跡。

ついに発見された古代マケドニア王国の首都

ギリシャからインド西部のアジアにまたがる大帝国を築いたアレクサンドロス大王は、古代マケドニア王国の王子として生まれました。王国の首都は「アイガイ（エゲ）」と呼ばれていましたが、その場所がどこか議論の的となってきました。

19世紀中頃には考古学者たちがヴェルギナに注目し、発掘では宮殿跡が見つかったこともあります。しかし疫病や戦争などで中断したままでした。1977年になってようやく、ギリシャの考古学者アンドロニコスらが300基以上の墳墓を発掘調査したところ、その中のひとつがアレクサンドロス大王の父フィリッポス2世の墓と判明したのです。

中年男性と若い女性、そして性別不明の新生児の3体の遺骨が埋葬されており、年齢を測定すると、フイリッポス2世とその若い妻、そして子供と合致。フィリッポス2世は、争いで傷を負って足が不自由になっていたと文献では言及されており、これを証明するかのように遺骨の左膝には重傷の痕がありました。ほかにも、太陽のような紋章が描かれた黄金の骨箱、多数の銀製の壺、神々や戦士が描かれた墓の壁画が出土し、劇場、神殿なども発掘されています。

もっと知りたい！ アレクサンドロス大王の墓は見つかっていません。バビロン滞在中に高熱を発して急死し、遺体はマケドニアに運ばれるはずでしたが、臣下の武将プトレマイオスが、自分の故国エジプトに運んだのです。プトレマイオスは壮麗な墓所をアレクサンドリアに建てましたが、3世紀頃には人々の記憶から失われ、その場所がわからなくなってしまいました。

本日のテーマ　自然の不思議と驚異の技術を学ぶ！

2月15日

ベリーズのバリア・リーフ保護区

046

所在地　ベリーズ　ベリーズ州

登録基準　自然遺産／1996年／⑦⑨⑩

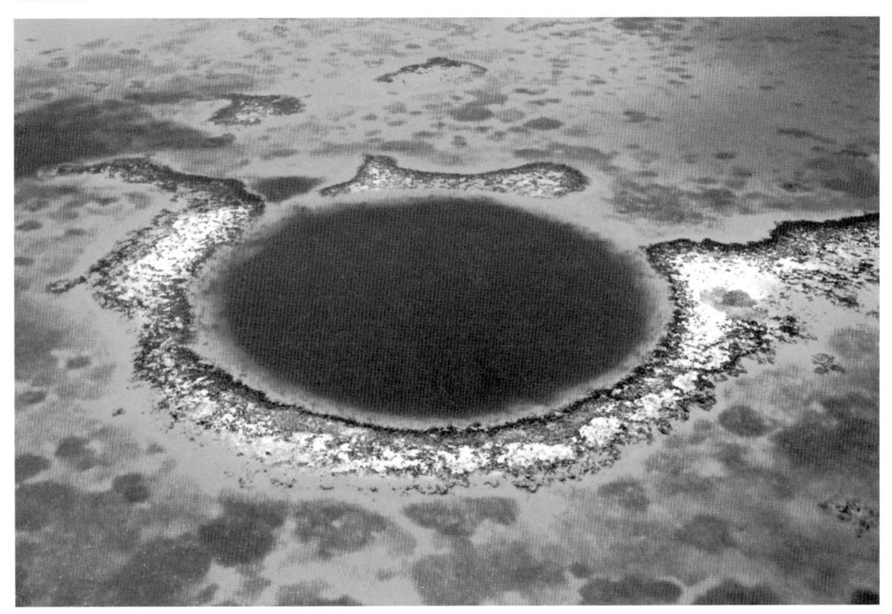

サンゴ礁の海にぽっかりと空いたブルーホール。

ブルーホールだけ水深が深くなっているのはなぜ？

ユカタン半島南部の国ベリーズの沖合には、南北約240kmにも及ぶ世界第2位の規模を誇る珊瑚礁が広がります。そのなかに、まるで穴がぽっかり空いたかのようにひときわ暗く濃いブルーを描く円があります。この不思議な景観は、中米ベリーズ近海のライト・ハウス・リーフ区域にあるブルーホール。

円の大きさは直径313mで、何より驚くのは水深。周囲が10m前後のなか、この円の内側の水深は125mと10倍以上なのです。ここだけが深い穴になっているため、周りに比べて濃紺色に見えるというわけです。現地の人々は、恐ろしいほど美しい自然の驚異を「海の怪物の寝床」と呼んできました。

この穴は、地上にあった巨大な鍾乳洞の天井が崩落したことで生まれ、その後、1万年前頃の温暖化に伴い海水面が上昇すると、この穴が水没し、海の中の深い穴になったのです。今ではこのブルーホールは絶好のダイビングスポットになっており、海中ではイルカなどとともに洞窟の名残とも言える鍾乳石を見ることができます。

もっと知りたい！　ブルーホールに堆積している試料を分析したところ、7世紀～8世紀頃と9～10世紀にユカタン半島が大規模な干ばつに襲われていたことがわかりました。この2度にわたる異常気象によりマヤ文明が衰退して滅んでいったのではないかと指摘されています。

本日のテーマ ドラマを味わう!

2月16日

ドロミーティ

所在地 イタリア共和国北部
登録基準 自然遺産／2009年／⑦⑧

ジアウ峠の景観。ドロミーティを構成するトファーネの山塊を一望できる絶景スポットです。

2億6500万年前の海洋生物の化石が見られる山岳群

イタリアの世界遺産というと、ローマやルネサンスの建築が真っ先に思い浮かびますが、そうしたなかで2件目の自然遺産として登録されたのが、ドロミーティです。

標高3,342mのマルモラーダに代表されるイタリア・アルプス山脈の北部に位置する18の峰を持つ山岳群で、壮大な景観に囲まれるなか、トレッキング、ハイキングを楽しむ人々も多く訪れる世界遺産です。

独立した尖峰が連なる山容、切り立った崖や深い渓谷に加え、針葉樹に囲まれたカレッツァ湖のような氷河湖など、多様な変化を見せるカルスト地形は世界でも珍しく、こうした多様な地形は、3000万年前の地殻変動で隆起した海底の地層が、氷河の侵食や地すべりや洪水、雪崩などの自然現象によって形成されました。

また、化石の産地でもあり、中生代に当たる2億6500万年前の地層からは当時の海洋生物の化石が出土するなど、地質学的にも重要な場所となっています。

もっと知りたい! ドロミーティの名はフランスの地質·鉱物学者ドロミューに由来します。彼はドロミーティの山々で苦灰石(白雲石)を発見した人物で、苦灰石を示す「ドロマイト」の名にもその名を残しています。

048

サン・ピエトロ大聖堂
（ローマ歴史地区、教皇領とサン・パオロ・フォーリ・レ・ムーラ大聖堂）

所在地 イタリア共和国・ヴァチカン市国

登録基準 文化遺産／1980年、1990年／①②③④⑥

ベルニーニによって制作された教皇の台座「バルダッキーノ」。4本の柱を支える4つの台座に不思議な彫刻が施されています。

ベルニーニが天蓋に隠した教皇の姪との悲恋の証

カトリック教会の総本山であるサン・ピエトロ大聖堂は、初代教皇ペトロの墓の上に建てられた聖堂に始まります。16世紀初頭から大改修が行なわれ、ルネサンス期を代表する芸術家たちが、およそ170年をかけて世界最大の教会として完成させました。

17世紀にはバロック建築の巨匠ベルニーニが教皇の天蓋付き台座「バルダッキーノ」を制作しましたが、この台座の彫刻には、ベルニーニの謎が秘められていると噂されています。

4つの台座には、女性の顔の微笑み、苦悶、絶叫、最後に子供の顔が描かれ、これは出産シーンの象徴とみなされています。

この出産シーンを巡り、ある伝説によれば、若きベルニーニと教皇ウルバヌス8世の姪が身分違いの恋に落ち、姪は子を産み落としたものの引き裂かれ、その恋を天蓋に封じたのではないかとされています。

ほかにも、ベルニーニが助手の妻と恋仲になり、最後は刃傷沙汰になって、顔を切り刻もうとしたその女の顔を描いたとも言われますが、真相は謎に包まれています。

もっと知りたい！ ベルニーニはローマで活躍したバロック建築を代表する建築家です。教皇ウルバヌス8世に重用され、サン・ピエトロ大聖堂の天蓋は処女作となりました。代表作のサンタンドレア・アレ・クイリナーレ聖堂は透視図法を駆使して全体に奥行きと調和をもたらす造りで、彼の高い技術力がわかります。

049

エル・ジェムの円形闘技場

所在地　チュニジア共和国マーディア県

登録基準　文化遺産／1979年／④⑥

エル・ジェムの闘技場は、高さ40m、長径162m、短径116mという巨大さを誇ります。

都市の人口を上回る収容人数の謎

北アフリカのローマの属州エル・ジェムには、収容人員3万5000人の円形闘技場があります。ところが、建設が始まった238年当時、エル・ジェムの人口は約1万人でした。近隣の人口を含めたりして多く見積もったとしても、規模が大きすぎます。ローマのコロッセオが、ローマの人口100万人に対して収容人員が5万人ですから、いかに不自然かがわかります。

この理由として、2つの説が考えられています。

当時のエル・ジェムは、オリーブの実を加工してオリーブオイルにし、それをローマに送り出す一大産地でした。このオリーブ貿易でエル・ジェムの貴族や商人は裕福で、その富を注ぎ込んで大きな闘技場を建てたという説です。もうひとつは、敵が攻めてきたときの要塞を兼ねていたという説。闘技場の地下通路は迷路のようになっていて、慣れない者はたやすく通ることができません。万一のときに立て籠ることができるよう、十分な広さが必要だったというわけです。実際に、オリーブオイルに新たな税をかけようとしたローマ皇帝に対し、エル・ジェムの住民が闘技場に立て籠って抗議したことがありました。

もっと知りたい！　エル・ジェムの闘技場は、観客席下の通路やアリーナへの出入口は、地下に設けられています。これは、通路や出入口のような空間に観客席部分の重量がかかると、倒壊してしまう危険があるためです。地下に置くことによって、負荷を分散させる工夫なのです。

ネムルット・ダー 050

所在地 トルコ共和国アドゥヤマン県

登録基準 文化遺産／1987年／①③④

地震によって落下した巨像の頭部が並ぶネムルット・ダーの山頂部。

東西文化が融合したヘレニズム文化の象徴的遺跡

トルコ南東部、ネムルット・ダー山の頂上に残る巨大墳墓と神々の像は、紀元前1世紀のコンマゲネ王国時代の遺跡です。

コンマゲネ王国は紀元前2世紀後半に興った小国ですが、交易と鉱物資源により繁栄し、アンティオコス1世のときに最盛期を迎えました。自らを神と同列の存在と信じたアンティオコス王は、聖域としたネムルット・ダーを自らの埋葬地に定めると、神に近づこうと、標高2150mの山の頂上に、さらに高さ50mの墳丘を築き、この地下に墓を造ったのです。さらに山頂の東西にはテラスを設け、女神テュケ、ゼウス、アポロン、英雄ヘラクレスの座像とともに自らの座像を配して、死後も権威を示そうとしました。

他方、この像は当時の文化を伝えてくれます。というのも、ここではオリエントとギリシャの文化が融合したヘレニズム文化が花開いたため、像の顔はギリシャ調、装飾品はペルシア調で、ペルシア神話の神名が記されるなど、両文化の混交が見られます。現在では、地震などで転げ落ちた高さ2m前後の石像の頭部や頭部のない座像が点在しています。

もっと知りたい! 墳墓の北側にはテラスが設けられ、ワシの彫刻が刻まれた長さ80mほどの壁が築かれています。ここには石像がないため、通路として使われていたという説もありますが詳細は不明です。じつは、この遺跡の墓室への入口や通路はいまだ見つかっていません。そのため山頂の地下にあるとされる墓室の存在も定かではないのが実情です。

本日のテーマ　伝説に浸る！

2月20日

仏陀の生誕地ルンビニー

051

所在地　ネパール連邦民主共和国南部ルンビニー州

登録基準　文化遺産／1997年／③⑥

仏陀の生誕伝説が伝わるルンビニー園の無憂樹。

ヒマラヤのふもとに伝わる仏陀生誕の伝説

仏教の開祖である釈迦（仏陀）の誕生地とされるのが、ヒマラヤ山脈のふもと、ネパール南部にあるルンビニーです。のちに仏教をインドに広めたアショーカ王がこの地を巡礼し、仏陀の生誕地であることを記した石柱を建てました。

その後、この地は忘れ去られていましたが、石柱が1896年に発見され、今では仏教四大聖地のひとつとして重要な巡礼地となっています。

仏陀は、釈迦族のシュッドーダナ王の子ゴータマ・シッダルタ王子として生まれました。その誕生時の様子については、仏陀の偉大さを象徴するかのような不思議な伝説がいくつも知られています。

マーヤー夫人は白象に乗った菩薩が胎内に入る夢を見て仏陀を身籠ったと伝えられ、実家に戻る途中、ルンビニー村まで来たときに産気づきます。この地の無憂樹の木に手をかけると右脇から仏陀が生まれたと言います。生まれたばかりの仏陀は7歩歩み、「天上天下、唯我独尊(われは世間の最上者なり)」と唱えたという伝説も有名です。

もっと知りたい！　仏陀誕生の年代については、複数の経典の「入滅80歳余」という内容を参考に割り出されてきました。ただし、根拠となる史料がなく、タイなどの南伝仏教では、仏教所伝に従い誕生を紀元前624年としています。一方、アショーカ王の即位年代から紀元前463年、またはスリランカの仏教史から紀元前563年にしているものもあり、分かれています。

052

マルタの巨石神殿群

所在地 マルタ共和国マルタ島、ゴゾ島各地

登録基準 文化遺産／1980年、1992年／④

マルタ島の巨石神殿のひとつイムナイドラ神殿。太陽の動きに合わせて間取りが設計されたこの神殿は、世界最古の石造建築物と言われています。

石器時代の人々は大神殿をいかに建設したのか？

マルタには、紀元前5200年頃から人が住み着き、紀元前4000年頃から巨石の建造物を築き始めたと考えられています。マルタ島と近くのゴゾ島からは、約30もの巨石遺跡が発見されており、小さな島としては大変な数の多さです。これらの遺跡には、人間が生活していた痕跡がなく、発見された陶器類も実用的な形ではありません。祭壇のような平石が置かれているものも多いため、住居ではなく神殿だったと考えられています。遺跡からは、極端に太っている女性の土偶で、豊穣を願うための大地母神が出土しています。

もっとも保存状態がよいのが、3つの神殿で構成されるイムナイドラ神殿です。西側にある神殿の入口はほぼ真東を向いており、太陽神殿と呼ばれています。春分・秋分・夏至・冬至の日には、広間内の特定の石に太陽光線が当たる仕組みになっています。

相当な労力をつぎ込んで建設された神殿でしたが、マルタの巨石建造物は、紀元前2500年頃からは、まったく造られなくなります。住民が何らかの理由でいなくなったのか、信仰の変動があったのか不明のままです。

もっと知りたい！ マルタ島には、あちこちに、「カート・ラッツ」と呼ばれる2本の溝が残っています。深さは15～50㎝ほどで、2本が平行に140㎝ほどの間隔で延びています。車輪の轍なら不思議ではないのですが、「カート・ラッツ」の時代には、まだ車輪は発明されていません。橇のようなもので巨石を運んだ跡なのか、線路のようなものなのか説明がついていません。

本日のテーマ 自然の不思議と驚異の技術を学ぶ！

2月22日

古代都市チチェン・イッツァ

053

所在地 メキシコ合衆国ユカタン州

登録基準 文化遺産／1988年／①②③

チチェン・イッツァのシンボル「ククルカンのピラミッド」。年2回、ククルカンが降臨する奇跡が起こります。

マヤ人の驚異の天文知識が発揮される年2回の奇跡

メキシコ東部に広がる密林のなかに位置するチチェン・イッツァは、マヤ文明の古代都市のひとつで、神殿やピラミッド、天文台などの遺構が点在しています。

なかでもククルカン（羽毛の生えた蛇神）のピラミッドは、マヤ人による高度な天文知識を使った驚異の仕掛けが施され、マヤ文明の象徴とも言える遺跡です。このピラミッドは正方形の基壇の上に9層の階段状の断層が築かれ、頂上に神殿が設けられています。高さは24m。東西南北に91段の階段があり、それを合わせた364段に神殿への1段を足すと365段、つまり1年の日数になります。9層の断層は中央階段で2分されて18ありますが、これはマヤ暦の月の数と同じなのです。

何より驚かされるのは春分と秋分の日の仕掛けです。この日、西壁に現われる蛇の胴体のような影が北側階段の下に置かれたククルカン像の頭部につながり、巨大な蛇のククルカンの姿が壁に映し出されるのです。まるでククルカンの降臨を再現するかのようなこの奇跡を見るため、毎年多くの観光客が詰めかけます。

もっと知りたい！ ククルカンはチチェン・イッツァを造ったトルテカ人に信仰された、羽毛の生えた蛇神の姿をした生命と豊穣の風神です。ククルカンのピラミッドの頂上には神殿があり、ここでククルカンの祭儀が行なわれていたと考えられています。内部からは、人身供儀用の石像や「ジャガーの玉座」と呼ばれる石像が見つかっています。

本日のテーマ ドラマを味わう！

2月23日

054

楽山大仏(峨眉山と楽山大仏)

所在地 中華人民共和国四川省

登録基準 複合遺産／1996年／④⑥⑩

大仏は完成当初、13層の木造楼閣に覆われていましたが、明代末期に楼閣が焼失したとされます。

洪水から住民を守るために造られた世界最大の大仏築造物

長江の支流に面した目もくらむ高さの岩山に、弥勒菩薩の姿を刻んでいるのが楽山大仏です。

高さは71mで奈良の大仏のおよそ5倍もあり、肩幅は28m、足の甲の上だけでも100人が乗れるというスケールの大きさです。

この地は水上交通の要でしたが、3本の急流がぶつかって合流するため、洪水や水難事故が多く、民衆は苦しんでいました。

そこで唐代の高僧である海通(かいつう)は、衆生を見守り救済する弥勒菩薩の慈悲で洪水をなくしてもらおうと、713年から凌雲寺に接した崖を彫り始めたのです。しかも、大仏の造営は、治水のための土木工事をも兼ねていました。民衆も協力し、富める者は金銭を差し出して喜捨をしました。

工事は海通が没したあとも引き継がれ、およそ90年の歳月をかけて磨崖仏が完成。それによって、水害も大幅に減ったのです。

楽山大仏は、微笑みを浮かべて、人々や行き交う船を見守っています。

もっと知りたい！ 楽山の南西、およそ20kmのところに位置する峨眉山は、高さ3099mの万仏頂をはじめ、千仏頂や金頂が並ぶ霊峰で、絢爛たる寺院が100近くも、ひしめくように建ち並んでいます。古くから仏教や道教の聖地だったため、豊かな自然も守られてきました。女性の美しい眉を思わせる山容からこう名づけられ、多くの詩歌にも登場しています。

本日のテーマ ゆかりの人物に出会う！

2月24日

055

サン・スーシ宮殿（ポツダムとベルリンの宮殿群と庭園）

所在地 ドイツ連邦共和国ブランデンブルク州ポツダム

登録基準 文化遺産／1990年、1992年、1999年／①②④

質素な造りのサン・スーシ宮殿。「サン・スーシ」とは、フランス語で「憂いなき」という意味です。

質素な宮殿に癒しを求めたフリードリヒ2世

18世紀、小国が分立するドイツのなかで台頭したのが、北方の辺境伯を前身とするプロイセン王国でした。フリードリヒ2世は、近代化を進める一方、卓越した戦術で領土を広げるなどプロイセンの発展に貢献して大王と称えられましたが、幼い頃から音楽を愛し、芸術にも造詣の深い人物でした。フリードリヒ2世は、ポツダムにいくつかの宮殿を築いていますが、そこには彼の芸術心が存分に反映されています。

ドイツ・バロック様式の「新宮殿」は部屋数が200以上あり、劇場もある豪壮な造りなのですが、過剰な装飾からあまり評判の良い宮殿ではありません。フリードリヒ2世の趣味が悪いのかと思いきや、新宮殿の2年前に王自身が設計して建てたサン・スーシ宮殿は、規模も小さく質素ですが、その優美な佇まいはドイツ・ロココ様式の傑作とも評されています。

このように趣が異なる宮殿を建てたのは、新宮殿がプロイセンの権威を国外に示す国家事業であったのに対し、サン・スーシ宮殿は王妃と別居して王が気ままに芸術を楽しむ快適な宮殿を目指したからなのです。

もっと知りたい！ ベルリンには、プロイセン時代の宮殿としてシャルロッテンブルク宮殿があります。これは17世紀、初代国王のフリードリヒ1世が、王妃ゾフィー・シャルロッテの夏の別荘として建てたもの。以降歴代の王が増築して1790年にバロック様式の大宮殿として完成しました。この宮殿では、舞踏会や祝典など華やかな儀式が行なわれました。

本日のテーマ　暮らし・文化に触れる！

2月25日

056

アスクレピオスの聖地エピダウロス

所在地　ギリシャ共和国ペロポネソス地方アルゴリダ県

登録基準　文化遺産／1988年／①②③④⑥

エピダウロスに残るアスクレピオス神殿の遺構。

夢占いによる治療が行なわれていたギリシャの医療センター

古代ギリシャの医学の神アスクレピオスの聖地として知られるのが、エピダウロスです。

アスクレピオスは優れた医師で、ついには死者を生き返らせてしまいました。これを知ったゼウスは、死者を甦らせるのは人間の領分を超えた許されない行為だと怒り、アスクレピオスを雷で撃って殺します。

しかしその後、アスクレピオスは天上の神とされたのです。

エピダウロスには、アスクレピオス神殿、劇場、競技場、浴場、宴会場、音楽堂、宿泊所などが点在し、まるでリクリエーション施設のような眺めです。劇場は保存状態がよく今も現役で、ギリシャ演劇ばかりでなく、世界の演劇の公演が行なわれています。

神殿の隣にある「アバドン」と呼ばれる建物は、エピダウロスならではの療養所です。病気平癒を願う人はここに並んだ寝台で眠り、夢の中に現われたアスクレピオスのお告げに従って治療をしました。おそらく集団心理で催眠状態に入り、望む夢を見ていたのだと考えられています。回復すると、患者は治った患部の模型を造り、お礼として神殿に奉納していました。

もっと知りたい！　エピダウロスでは現代にも通じる療法も行なわれていました。観劇や音楽鑑賞に、病を治す浄化作用、現代でいうヒーリング効果を認めていたのです。入浴や運動も療養の一環で、エピダウロスにある施設はすべて医療のために機能していたのです。

本日のテーマ　歴史を知る！

2月26日

アテネのアクロポリス

057

所在地　ギリシャ共和国アテネ市

登録基準　文化遺産／1987年／①②③④⑥

ふもとから見上げたアクロポリスの全景。中央に見えるのがパルテノン神殿。ふもとには劇場のオデイオンが残ります。

ギリシャのアテネで花開いた民主政

ギリシャではミケーネ文明の滅亡後の混乱期を経て、紀元前8世紀半ばから都市国家「ポリス」が各地に造られていきました。その中でとくに繁栄したのがイオニア人が建設したアテネです。このポリスでは貴族政治から富裕市民主体の財産政治を経て、紀元前6世紀に軍事クーデターを起こしたペイシストラトスによる僭主政が始まります。しかし彼の独裁化を嫌い、その没後の紀元前508年から史上初の市民による民主政治が始まりました。これは成年男子の市民が集まって議決する直接民主制を元に、「民会」を立法、司法、行政の最高機関とする制度です。これが他のポリスにも波及していきました。

そうしたアテネ民主政を象徴する遺跡が、アテネの石灰岩の丘に建つ高さ150mのアクロポリスです。城壁に囲まれたアクロポリスの中央にはドーリア式の壮大なパルテノン神殿が建ち、そのふもとの広場で集会が開かれました。今でもアクロポリスには、「プロピュライア」と呼ばれる門やパルテノン神殿、アテナ・ニケ神殿、エレクテイオンなど、当時の石造建造物が点在しています。

もっと知りたい！　ポリスを形成したギリシャ人は、エーゲ海一帯に進出して植民活動を行いました。小アジアやイタリア半島にまで進出し、各地に多くの植民市を建設しました。植民市には、ネアポリス（ナポリ）、マッシリア（マルセイユ）、ニケーア（ニース）など、現在も存続する都市の起源となっているものも多くあります。

本日のテーマ 伝説に浸る！

2月27日

ブッダガヤの大菩提寺

058

所在地 インド共和国ビハール州ガヤー県

登録基準 文化遺産／2002年／①②③④⑥

ブッダガヤの菩提樹。釈迦が悟りを開いた場所と言われています。

仏陀が苦行の果てに悟りを得た地

釈迦族の子として生まれたゴータマ王子が、悟りを開いて仏陀（覚者）となった聖地が、インド東部にあるブッダガヤです。

王子として生まれながら人生の意義について悩んだ仏陀はすべてを捨てて出家し、まずは高名な宗教者に弟子入りしますが、満足を得ることができませんでした。

そこで迷いと苦しみを断ち切ろうと、古代から宗教者が行なってきた断食などの苦行に約7年間没頭します。

ところが、苦行では悟りを得られないと悟った仏陀は、村娘スジャータが差し出した乳粥を飲み、ブッダガヤの地の菩提樹の下に座って深い瞑想に入ります。悟りを得ようとする仏陀の前には、人間の持つ怠惰や欲望といった煩悩が悪魔の姿となって襲い掛かり、仏陀を誘惑します。仏陀はそれらを克服し、ついに悟りの境地に達して仏陀となりました。

ブッダガヤには現在、紀元前3世紀にルーツを持つ大菩提寺の本堂である大塔がそびえ、仏陀が悟りを得たときに座っていた金剛座があり、近くに菩提樹が植えられています。

もっと知りたい！ 仏陀が悟りを開いたとされるブッダガヤの大菩提寺には高さ52mのレンガ造りの大塔が建てられています。紀元前3世紀のアショーカ王の時代に建立されたのが最初とされますが、その後、何度も倒壊と再建を繰り返しました。7世紀頃には現在とほぼ同じ9層の形の塔が立っていたと言われています。

059

サーンチーの仏教遺跡

所在地 インド共和国マディヤ・プラデーシュ州

登録基準 文化遺産／1989年／①②③④⑥

サーンチーの第1ストゥーパ。ドーム状で、東西南北にひとつずつ塔門（トラナ）が立ち、ブッダの生涯などを刻んだレリーフで覆われています。

サーンチーに安置されたはずの仏陀の遺骨は何処へ

インドで最も古い仏教建築とされているのが、サーンチーに建つ3基の大型ストゥーパ（仏塔）と、僧院や石柱などの遺跡です。

なかでも最古の建設とされる第1ストゥーパは、仏教の擁護者として名高いグプタ朝のアショーカ王が、紀元前3世紀頃に築いたと言われています。

本来、ストゥーパは仏陀の遺骨である仏舎利を祀るための仏塔。アショーカ王は、8つに分骨されていた仏舎利をさらに分骨し、征服地である北インドから中部インドに8万4000基のストゥーパを建立しました。この第1ストゥーパもそのひとつとされています。ただしここには仏陀の遺骨がありません。遺骨は何処へ消えたのでしょうか。

インドで仏教が衰退すると、サーンチーの遺跡群はジャングルに埋もれてしまいました。1822年になってこの地方の役人が発掘したのですが、非常に杜撰なやり方で、副葬品の黄金や宝石に目がくらんで仏舎利を紛失してしまったというのです。その後も、多くの盗掘者がやって来て、遺跡はすっかり荒らされてしまいました。

もっと知りたい! 80歳を過ぎても伝道の旅を続けていた仏陀ですが、ヴァイシャーリー近くの村で重い病気になりました。一度は持ち直したものの腹痛に襲われ、クシナガラの地で2本の沙羅樹の間に横たわり、弟子や鳥獣に囲まれて生涯を終えました。これが「釈迦の入滅」で、涅槃図として絵画の題材にもなっています。

本日のテーマ　自然の不思議と驚異の技術を学ぶ！

2月29日

カナイマ国立公園

060

所在地　ベネズエラ・ボリバル共和国南東部

登録基準　自然遺産／1994年／⑦⑧⑨⑩

遠くにかすむテーブルマウンテン。進化に取り残された不思議な生物相を見ることができます。

進化が止まり、太古の地球の姿を残す最後の秘境

科学技術の発展により、地球の隅々まで人類が足跡を記したかに思える現代にあって、いまだ人類未踏の場所が残される「地球最後の秘境」が、南米大陸5か国にまたがるギアナ高地の中心にあるカナイマ国立公園です。

標高1000mの高原にある公園内には、熱帯雨林や無数の滝などの豊かな自然環境が広がりますが、なかでも特筆すべきは、垂直にそそりたち、断崖の頂上が台地状になった標高2000～2800mのテーブルマウンテンでしょう。

この地形は盛り上がった大地が風雨にさらされて削られるなか、硬い岩盤が浸食されずにむき出しになり、テーブルのように台地状に残ったもの。カナイマ国立公園には、こうしたテーブルマウンテンが100以上も存在しています。

また、断崖絶壁で周囲から隔絶された“孤島”であるため、それぞれの山で多くの動植物の固有種が発展し、今も新種が発見されています。岩盤が硬いため、土の養分を必要としない食虫植物やランなども多く、ギアナ高地全体で4000種の植物が生息し、その75％が固有種です。

もっと知りたい！　どのテーブルマウンテンもスコールの影響のため、滝が流れ落ちています。とくに有名なのがアウヤン・テプイの「エンジェル・フォール」です。落差979mは、単独の滝としては世界1位で、落差が余りにも大きいため、流れ落ちる水は地上に落ちる前に霧と化し、神秘的な景観を作りだしています。

サガルマータ国立公園

所在地 ネパール連邦民主共和国サガルマータ県

登録基準 自然遺産／1979年／⑦

ヒマラヤ山脈の周辺にはチベット仏教の寺院が点在します。

中国仏教のため危険を顧みずヒマラヤ山脈を越えた僧たち

サガルマータとはネパール語で「世界の頂上」を意味し、チベット語では「チョモランマ」、英名では「エヴェレスト」と呼ばれる標高8,848mの世界最高峰のことです。サガルマータ国立公園は、サガルマータをはじめ、標高7,000～8,000mの常に雪に覆われた山々が連なるヒマラヤ山脈を中心に広がっています。

かつて仏教の奥義を極めるべく命を賭して山脈を越え、インドに渡った中国僧たちがいました。東晋の法顕（ほっけん）は399年に長安を発ち、ヒマラヤ山脈の西端に位置するヒンドゥークシュ山脈を越えてインドやスリランカで仏典を求めました。

『西遊記』の三蔵法師のモデルとして知られる唐代の玄奘（げんじょう）は、出国の許可を得ないまま国禁を犯して629年に旅立つと、サマルカンドを経てヒンドゥークシュ山脈を越え、インド各地を巡りました。

彼らのほかにも、仏典の不備を補完して漢訳を進めるため、身の危険を顧みずに山脈を越えた僧は数多く、彼らの旅によって中国仏教は発展していったのです。

もっと知りたい！ ヒマラヤ山脈の山頂付近には、アンモナイトやウミユリなどの海洋生物の化石を含むイエロー・バンドという層があります。これはヒマラヤ山脈がインド亜大陸とユーラシア大陸がぶつかって、海底の堆積層までが押し上げられてできたためです。世界一の高い場所は、太古の昔は海の底だったのです。

本日のテーマ ゆかりの人物に出会う！

龍門石窟（りゅうもんせっくつ）

所在地 中華人民共和国河南省洛陽

登録基準 文化遺産／2000年／①②③

龍門石窟の奉先寺洞。中央に盧舎那仏、両脇に羅漢、菩薩、神王、力士などの彫像が配されています。

唐を廃した則天武后と仏教信仰

古代の中国では、修行のひとつとして郊外で石窟寺院の造営が盛んに行なわれました。そうしたなかで生まれた中国三大石窟のひとつと言われるのが、河南省の洛陽郊外にある龍門石窟です。北魏の5世紀末に開削が始まり、隋や唐に至るまでの400年間、歴代王朝によって西山と東山からなる一帯に大小10万体の仏像が彫り出されました。

なかでも傑作とされるのが、大窟奉先寺洞（ほうせんじどう）に築かれた龍門最大の高さ17mにもおよぶ盧舎那仏（るしゃなぶつ）です。

唐の時代の675年に、3代皇帝高宗の皇后で、のちに中国史上唯一の女帝・則天武后（武則天）となる武后の発願で造られました。穏やかな表情をたたえる仏像のモデルは武后自身と言われています。武后はそれまでの道教に代わり仏教を積極的に庇護し、仏教信仰を統治にも活用しました。

690年、彼女は唐を廃して周を建国し、自ら帝位につくとともに、自身を弥勒菩薩の生まれ代わりと称してこの革命を予言した『大雲経』を作り、即位の正当性の根拠としました。

もっと知りたい！ 高宗の後宮に入った武后は、皇后や他の妃を策略で失脚させて皇后の座にのぼります。野心家の武后は病弱な高宗に代わって自らが政務を執るようになり、高宗の死後は、全権を掌握すると密告制度を利用した恐怖政治を展開。690年には息子を廃して自ら即位し、中国史上唯一の女帝となりました。

雲崗石窟（うんこうせっくつ）

063

所在地 中華人民共和国山西省

登録基準 文化遺産／2001年／①②③④

雲崗石窟第13窟の弥勒菩薩像。石窟は大・中規模のものだけで53、小規模なものは数え切れず、5万体を超える仏像が彫り込まれています。

皇帝崇拝と結びついた北魏の仏教石窟群

中国の早期の仏像彫刻を伝えているのが、山西省の砂岩の岩山の間に、東西約1㎞に渡って石窟群が造営された雲崗石窟です。

造営が始まったのは460年の北魏の時代。北魏は439年の建国以来、道教と仏像をともに信仰していましたが、第3代の太武帝は仏教の大弾圧を行ないました。一方、第4代の文成帝は、即位するとただちに仏教の復興に取り組みました。皇后の馮氏（ふうし）も熱心な仏教信者だったため、これを後押しし、石窟が造営されたのです。

ことに注目を集めるのが、北魏の5人の皇帝の姿を模した「曇曜五窟（どんようごくつ）」です。曇曜は太武帝によって苦汁を舐めさせられた高僧で、文成帝に石窟の造営を提言したのも曇曜です。5体の仏像はいずれも10数mの高さがあり、堂々とした威厳のある風貌。「皇帝はすなわち如来なり」という皇帝観を形にしています。

ほかの多くの仏像は、ガンダーラなど西方の影響を受けたものが多いのですが、様式がまだ定まっていない時代ゆえに表現はさまざまで、見ていて飽きることがありません。

もっと知りたい！ 曇曜五窟には仏教を弾圧した太武帝の像もあります。千仏をびっしりと浮き彫りにした衣をまとっており、これは騎馬民族が着ている毛皮の上着をかたどったもののようです。華北の人々にとって戦闘的な騎馬民族は恐ろしい存在でしたから、太武帝の苛烈な性格を表現していると考えられています。

本日のテーマ 歴史を知る！

3月4日

フォロ・ロマーノ

所在地 イタリア共和国ラツィオ州ローマ県

登録基準 文化遺産／1980年、1990年／①②③④⑥

凱旋門や神殿、元老院など、多くの遺構が残るフォロ・ロマーノ。

ローマの盛衰を見守り続けたローマ発祥の地

紀元前753年にティベリアス川流域のパラティヌスの丘に建国されたローマは、紀元前272年にイタリア半島を統一します。その後、地中海貿易で栄えたカルタゴやマケドニアを倒して地中海世界の覇権を握りました。さらにカエサルやアウグストゥスらが登場すると、ガリアやエジプトなどを征服して領土を拡大し、地中海帝国へと成長します。

そのローマの歴史の盛衰を見守り続けてきたのがフォロ・ロマーノ地区です。ローマ建国の地であり、紀元前509年からの共和制ローマの政治・経済の中心地となりました。ローマ市民が集まって執政官の演説を聞いた民会の広場を中心にして、その周囲には複合建築物が築かれました。

民会の場に建てられた元老院、英雄カエサルを祀るユリウス神殿、円形神殿のヴェスタ神殿、ティトウス帝の凱旋門、金メッキの屋根や大理石の壁で造られたというバシリカなど、ローマ帝国の各時代の象徴とも言える数々の建物が建てられましたが、476年の西ローマ帝国滅亡後に廃墟となりました。

もっと知りたい！ フォロ・ロマーノの入口には、ローマ最古の凱旋門とされるティトゥス帝の凱旋門がそびえています。70年のユダヤ戦争でエルサレムでの戦いに勝利したティトゥス帝の勝利を称えるために建てられました。アーチの内側にはローマ軍が神器の燭台を運び出す様子など、勝利を示すエピソードが描かれています。

本日のテーマ 伝説に浸る！

3月5日

デロス島

所在地 ギリシャ共和国エーゲ海キクラデス諸島

登録基準 文化遺産／1990年②③④⑥

デロス島の聖なる泉へと続く参道に並ぶライオン像。かつてはアポロンの聖域を守るように10体以上が並んでいました。

太陽神生誕の場所が往時のままに伝わるエーゲ海の孤島

エーゲ海のほぼ中央にある面積3.43㎢ほどのデロス島は、ギリシャ神話の太陽の神アポロンの生誕地と伝わる神話の聖地です。

アポロンは、最高神ゼウスとティタン神族の娘レトとの間の子。母のレトは出産の際、ゼウスの正妻であるヘラから逃げてデロス島にたどりつき、9日間の陣痛に苦しめられた末に、聖なる泉でアポロンと月の神アルテミスの兄妹を産み落としました。

この神話に由来し、島の泉と棕櫚の木の下周辺が島の聖域となっています。

この島にアポロン信仰を見出したのは、紀元前10世紀頃に移り住んだイオニア人で、彼らは「デリア」というアポロンの祭りを行なうようになりました。さらに紀元前5世紀頃以降には、アポロン神殿や劇場などが建ち並ぶようになりました。

島はエーゲ海の貿易港としても繁栄し、紀元前2世紀に絶頂期を迎えましたが、海賊などの襲撃により紀元前1世紀後半以降、廃墟と化してしまいました。

もっと知りたい！ デロス島の北西に位置する港から聖なる泉へと続く参道には、勇ましく咆哮する5体のライオン像のレプリカが並んでいます。紀元前700年に近隣のナクソス人が奉納したもので、かつては10体以上が並んでいました。現存するのは5体で、島内にある博物館に所蔵されています。

本日のテーマ　謎と不思議を愉しむ！

3月6日

古代都市テオティワカン

所在地　メキシコ合衆国メヒコ（メキシコ）州

登録基準　文化遺産／1987年／①②③④⑥

テオティワカンの中心部分には、直線に5kmも延びる「死者の大通り」を中心に、「太陽のピラミッド」「月のピラミッド」、そしてケツァルコアトルを祀る「神殿ピラミッド」などが整然と配置されています。

神殿を戴くピラミッドに隠された都市国家誕生の秘密

テオティワカンは紀元前2世紀から造営された都市で、最盛期の紀元後4～7世紀には15～20万の住民が暮らしていたと考えられています。ところが7世紀半ば、忽然と住民が姿を消し、滅亡してしまいました。その原因はまったくわかっていません。それだけではなく、テオティワカンは、マヤ文明の前身となる貴重な遺跡でありながら、誰がどんな目的で築いたのか、また王がいたのかどうかなど、都市の形態すらわかっていないのです。

そうしたなか、2003年、神殿ピラミッドの近くから深さ15mほどもある地下通路が発見され、その後の調査で、朽ちた木箱の中の遺灰らしきものや大量の埋蔵品が出土するなどの発見が相次ぎました。

神殿ピラミッドは、高さこそ太陽や月のピラミッドより低いものの、頑丈な城壁で囲まれています。ケツァルコアトルは、古代北中米世界において人類に文明を与えたと信仰される神です。もしかすると、この神殿ピラミッドはテオティワカン成立に関わる重要人物を祀る施設、もしくは王の墓だったのかもしれません。

もっと知りたい！　神殿ピラミッドの周囲からは、200体以上の遺体が発見されています。埋葬された遺体の大半が後ろ手に縛られており、戦いの捕虜が儀式の生贄にされたものと考えられます。何者に捧げられた生贄なのかは不明ですが、テオティワカンは強い力を持つ覇権国家だったようです。

姫路城

所在地 日本　兵庫県

登録基準 文化遺産／1993年／①④

白漆喰の壁が青空に映える姫路城の天守群。大天守は明治時代以前より現存する12の天守のなかでも最大の高さを誇ります。

狭い通路に複雑な構造なのに反撃に向かない理由とは？

美しい白壁と鷺が翼を広げたような優美な姿から「白鷺城」とも呼ばれる姫路城は、17世紀の築城当時の姿が残る天下の名城です。

南北朝時代の砦を起源とし、以降城主が次々と変わる中で城が拡張されました。関ヶ原の合戦後は徳川家康の娘婿の池田輝政が入り、5層6階地下1階の大天守と3つの小天守が渡櫓（わたりやぐら）で連結される天守群を持つ大城郭へと発展します。

天守群へと続く城内の通路は何度も折れ曲がり、通路と門が連続するらせん構造で、大天守まで敵を容易に近づけません。また、石落としや、鉄砲や矢を放つ狭間（さま）も至る所に設置されています。

しかし、こうした複雑な構造は敵の戦力を殺ぐことはできても、大規模な反撃を行なうには不向きです。実は姫路城は敵の撃退を目的に造られた城ではなく、援軍の到着まで敵をひきつけ落城せずに持ちこたえることを役割とする城だったのです。徳川家康も西国大名が挙兵した場合、この城を反撃の拠点にする予定だったと言われています。

もっと知りたい！ 姫路城には七不思議の伝説が伝えられています。なかでも天守最上階に祀られる刑部明神の祟りは有名で、池田輝政が病に倒れた際、祈祷師の言葉に従って刑部明神を天守に祀ったところ、輝政は全快したと言われています。また、刑部明神は天守に住む妖怪退治を命じられた宮本武蔵の前にも現われて、武蔵に名剣を与えたとも伝わっています。

ハンザ同盟都市リューベック

所在地 ドイツ連邦共和国シュレースヴィヒ・ホルシュタイン州

登録基準 文化遺産／1987年／④

リューベックのホルステン門。かつて50マルク紙幣にデザインされていた街のシンボルは、現在、内部が歴史博物館となって公開されています。

国家権力にも対抗した自治都市同盟

中世ヨーロッパでは、力を得た商人たちによって都市間で同盟が結ばれました。もっとも大きく威信があったのがハンザ同盟で、その盟主がリューベックです。

バルト海や北海の交易で繁栄したリューベックは、まるで独立国家のように自分たちの法律を定め、通貨を鋳造することを皇帝から許されていました。海賊に対抗し、海難事故に備えるため、1241年にハンブルクとの間で協定を結んだのがハンザ同盟の始まりです。

他の都市も次々とこれに加盟し、最盛期には加盟都市の数100以上にのぼり、範囲は地中海を除く全ヨーロッパに及びました。同盟の結束は固く、デンマークと戦って勝利するほどでした。

「ハンザの女王」と讃えられたリューベックの街は、川の中洲に築かれ、道が碁盤目のように走り、他のハンザ同盟諸都市もこれを街造りの手本としました。2本の円錐形の塔が美しいホルステン門は、現在は歴史博物館となっています。港に面した倉庫や黒レンガの市庁舎、福祉施設の聖霊養老院、商人たちの家などが、往時の繁栄ぶりを今も伝えています。

もっと知りたい！ 街の表玄関として堂々たる姿で立つホルステン門ですが、よく見ると西に傾いています。これは、敵を防ぐための要塞門として設計されたから。外に向かう西側の壁が厚さ3mで、市内に面した東側の壁が厚さ1mになっているため、西に重心が傾いてしまったのです。アーチにはラテン語で「内に結束を、外に平和を」と記されています。

本日のテーマ ゆかりの人物に出会う！

シャンボール城（シュリー＝シュル＝ロワールとシャロンヌ間のロワール渓谷）

所在地 フランス共和国ロワール・エ・シェール県

登録基準 文化遺産／2000年／①②④

シュリー＝シュル＝ロワールとシャロンヌ間のロワール渓谷の城館群を代表するシャンボール城。トスカーナの芸術家ドメニコ・ダ・コルトーナによって設計されました。

フランスを芸術の国にしようとしたフランソワ1世の意地

風光明媚なフランスのロワール川沿いに建ち並ぶ城館のなかでも、最大の規模を誇り存在感を示しているのがシャンボール城。中央の天守や取り囲む回廊など、中世の城塞の伝統を保ちながらも、林立する塔や独創的な煙突、全体の優雅なフォルムが美しいフランス・ルネサンスを代表する建物です。部屋数が440、階段が80以上と空前の規模を誇っています。

シャンボール城は、16世紀のフランス国王で芸術にも深い造詣を持つフランソワ1世が、意地をかけて造り上げた城です。

というのもフランソワ1世には、神聖ローマ皇帝カール5世という生涯の宿敵がいました。カール5世とは神聖ローマ皇帝の皇帝選挙において帝位を争うも敗れ、イタリア戦争ではパヴィアの戦いで大敗して自身がスペインに連行される屈辱を味わいます。そこで王は、雪辱を芸術で晴らすべくシャンボール城の完成に精魂を注ぎました。義兄となったカール5世をシャンボール城に招いた際、女性たちが花束から花をまき散らしながらカール5世を迎え入れます。カール5世はこの歓迎と城の建築の見事さを絶賛したと伝えられます。

もっと知りたい！ フランソワ1世は、シャンボール城を築くにあたり、イタリアからレオナルド・ダ・ヴィンチを招きます。ダ・ヴィンチはすぐに亡くなりましたが、彼が設計した城の2重のらせん階段は、2つの階段が交わることなく、上り下りの際に出会わずにすれ違うことのない画期的な造りで、これもカール5世を感嘆させたと言われています。

アイット＝ベン＝ハドゥの集落

所在地 モロッコ王国ドラア・タフィラルト地方

登録基準 文化遺産／1987年／④⑤

幻想的な佇まいのアイット＝ベン＝ハドゥの外観。

イスラーム勢力に圧迫されて移住してきたベルベル人による要塞集落

アトラス山脈のふもと、赤褐色の大地と一体化したような集落がアイット＝ベン＝ハドゥです。北アフリカの先住民ベルベル人が、イスラーム勢力に押されて移住してきて築いたのが始まりで、集落全体が防壁で囲まれた要塞になっています。

飾り窓に見せかけた銃眼、侵入者を阻む複雑に入り組んだ細い路地、敵の目をくらます窓の少ない暗い室内など、身を守るための工夫が随所にこらされています。

「カスバ」と呼ばれる住居は、1階が馬小屋、2階が食糧倉庫、3階が人間の住むところですが、酷暑の季節は人間が階下に移動して暮らします。

丘の上の「アガディール」と呼ばれる共同の穀物倉庫はいざというときに備えたもので、見張り小屋を兼ねています。

これらの建物は堅牢に見えますが、泥土を塗り固めて築いたもので、屋根はヤシやヨシで葺いただけです。傷みやすくて耐久性にも乏しいため、200年以上にわたって持ちこたえたものはありません。

もっと知りたい！ 目に痛いほどの外光と、暗い路地や室内のコントラスト、広がる砂漠と見通しのきかない集落の中の対比は、独特の景観をかもし出しています。ことに午後になると陰影がはっきりして美しく、『アラビアのロレンス』や『ナイルの宝石』などの映画のロケ地にもなりました。

カルタゴ遺跡

所在地 チュニジア共和国チュニス県

登録基準 文化遺産／1979年／②③⑥

地中海を望むカルタゴ遺跡。円形軍港やドックなど海軍の設備が充実していました。

3次にわたるポエニ戦争に敗れたカルタゴの末路

チュニジアの首都チュニス近郊にあるカルタゴ遺跡は、紀元前9世紀頃にフェニキア人が築いた古代都市国家です。カルタゴは地中海に近い地の利を生かし、イベリア半島の金や銀を手に入れて地中海貿易で繁栄します。町は高さ15mの防御壁で覆われ、厩舎や円形軍港などがありました。紀元前3世紀頃に絶頂期を迎えますが、地中海貿易の覇権を巡りローマと衝突。3次にわたるポエニ戦争（第1次＝紀元前264年～、第2次＝紀元前218年～、第3次＝紀元前149年～）へと発展しました。2次は名将ハンニバルがイベリア半島のカルタゴノヴァから進軍し、アルプスを越えてイタリア半島へ攻め込む奮戦もありましたが、1次、2次ともローマに敗戦。それでも復興を果たしたカルタゴに脅威を覚えたローマは、第3次ポエニ戦争でカルタゴの町を破壊して焼き尽くしました。

約100年後、カルタゴはローマの植民市として再建されました。そのため、カルタゴ遺跡は、ローマ時代の遺構がほとんどですが、それより以前のビュルサの丘、聖域トフェや軍港の跡も見つかっています。

もっと知りたい！　多神教の古代カルタゴでは、火の神へのいけにえとして子供を火の中に投げ入れる宗教儀式が行なわれていたと言われています。黒焦げの骨や儀式を思わせる絵が描かれた石柱がその証とされてきました。その一方で、黒焦げの骨は火葬されたものであり、この残忍な儀式は存在せず、侵略したローマの喧伝によるという説もあります。

パフォス

所在地 キプロス共和国パフォス

登録基準 文化遺産／1980年／③⑥

神殿や住居の跡が点在するパフォスの遺跡。

性愛の女神アプロディテを祀る聖地

キプロス島南西岸のパフォスには、古代ギリシャ神話に登場する美と愛の女神アプロディテにまつわる伝説が残されています。

アプロディテは、大地の女神ガイアが切り落として海に捨てた天空の神ウラノスの男根から流れ出た精子から生まれました。海の上に現われた彼女は、西風によって運ばれ、キプロスの地に上陸。美しさを絶賛されてオリンポスの神々の1柱として迎えられます。

このアプロディテの上陸地とされるのがパフォスの海岸です。

この伝説に基づき、紀元前1200年頃、パフォスには女神を祀るアプロディテ神殿が建てられました。建設当時は、礼拝堂や100の部屋がある壮大な建物であり、柱の断片や塀などにその名残を見ることができます。

この神殿に安置されていたアプロディテの御神体は、今もパフォスのクークリア博物館で拝むことができます。それは女陰をかたどった黒い巨岩で、原始的な信仰を今に伝えるものとなっています。

もっと知りたい！ パフォスには古代ギリシャ人が築いたパレオ・パフォスのほか、古代ローマ人が発展させたネア・パフォスの遺構もあります。ネア・パフォスは紀元前3世紀頃にローマ人が築いたローマ帝国時代のキプロス島の首都。王の墓や、ディオソニス神殿などが残されています。

メサ・ヴェルデ国立公園

所在地 アメリカ合衆国コロラド州
登録基準 文化遺産／1978年／③

メサ・ヴェルデの集落は、食糧倉庫、調理場、それに儀式や集会が行なわれたキヴァと呼ばれる円形の広間などから構成されています。

険しい断崖に住居を移したまま忽然と姿を消した先住民

メサ・ヴェルデの遺跡は、アメリカ合衆国コロラド州南西部の標高2,600mの台地で、険しい峡谷が無数に刻まれ、剥き出しの砂岩の断崖が続く土地に位置します。

アメリカ先住民のアナサジ族は、この断崖をくり抜き、日干しレンガを積み上げた住居を構えて集落を造って暮らしていました。最大の集落である「クリフ・パレス」では、現代の4階建ての建物に相当する高さの住居を含む220もの住居が発見されています。

アナサジ族は、もともと台地の上に住んでいたのですが、12世紀頃に険しい渓谷を降りて崖を切り開いたとみられています。ところが13世紀末頃に、住居も農地も放棄されてしまいます。この理由については、外敵から逃れるためとか、気候の変動があったためなどと推測されてきました。

ところが、住居やその付近に戦闘の跡は見つかっていませんし、13世紀に起こった冷害や干魃も住居と農地をすべて放棄する理由にはなりません。アナサジ族は南へ移動したとも、別々の集落に組み込まれたとも考えられていますが、行方はわからないままです。

もっと知りたい！ アナサジ族は、1世紀頃からこの台地に定住した民族で、9世紀頃までは竪穴式住居に住んで、狩猟・採集を行いつつ農耕もしていました。作物はトウモロコシ、カボチャ、マメなどです。渓谷に住むようになってからも農地は台地の上にあり、そこに通って農耕を続けていました。

本日のテーマ　自然の不思議と驚異の技術を学ぶ！

3月14日

ンゴロンゴロ保全地域

所在地　タンザニア連合共和国北部

登録基準　複合遺産／1978年、2010年／④⑥⑧⑨⑩

火山噴火がつくり上げた巨大クレーターの内側に広がる動物たちの楽園が、ンゴロンゴロ保全地域です。

野生動物が暮らす巨大クレーター

タンザニア北部の大草原に広がるンゴロンゴロ保全地域内には、東西約19㎞、南北約16㎞というとてつもなく大きな巨大クレーターがぱっくり口を空けています。

200万〜300万年前の凄まじい噴火によって山頂が陥没して形成されたカルデラで、火口原は海抜1800m。一説によると、かつてこの山は6000m近い高さを持つアフリカ最高峰のキリマンジャロとほぼ同じ高さだったとも考えられており、その山頂部をそっくり陥没させた自然の凄まじさを感じさせてくれます。

一方で、クレーター内の斜面には低木が生い茂り、底は草原で、雨季には湖沼が現われる豊かな自然環境となり、今では350種、約2万5000頭の野生動物が生息する野生動物の楽園となっています。

斜面に住む草食動物のゾウやシマウマ、彼らを狙うライオンなどの肉食動物、湖で水浴びをするフラミンゴなど、多くの動物が大自然の営みのなかで共生しています。

もっと知りたい！　ンゴロンゴロ保全地域は、「人類発祥の地」とも呼ばれています。自然保護区のはずれのオルドゥヴァイ渓谷から1959年、人類最古の直立歩行をしたアウストラロピテクス・ボイセイの頭蓋骨が発見されました。また、ラエトリ遺跡から360万年前のアファール猿人の足跡が発見され、初期人類が直立2足歩行をした根拠となっています。

本日のテーマ ドラマを味わう！

シュケリッグ・ヴィヒル（スケリッグ・マイケル）

所在地 アイルランド共和国ケリー州

登録基準 文化遺産／1996年／③④

僧坊は底部が方形で上部が丸みを帯び、蜂の巣を伏せたような独特の形をしていることから、「ビーハイブ・ハット」と呼ばれています。

絶海の孤島に築かれた石積みの修道院

アイルランド本島から約12㎞の沖合に浮かぶ、長さ1㎞、幅500mほどの小さな島がスケリッグ・マイケルです。アイルランドの言葉では「シュケリッグ・ヴィヒル」と言い、「ミカエルの島」を意味しています。

ここに7世紀頃から修道士たちが住み着き、大天使ミカエルを守護聖人とした修道院を築きました。不揃いの石を積み上げただけの質素な教会や礼拝堂、僧坊、井戸、墓地が、島の南西部にある海抜218mの岩山の頂上に残っています。

島の断崖は急斜面で、全部で2300段の石段が築かれてはいるものの、上り下りするのは困難です。それでも修道士たちは、ここを行き来して魚を捕ったり野菜を育てたりしつつ、神に祈りを捧げ、聖書を読む日々を送っていました。

のちに修道院は閉鎖され、島は無人島となり、ごくまれに巡礼者がやって来るだけになりました。そのため、自然が手つかずの状態で残っており、ニシノツノメドリなどの海鳥も数多く生息しています。

もっと知りたい！ スケリッグ・マイケルに行く手段は、現代でもボートしかありません。波に翻弄される小さなボートで島までおよそ50分、海が荒れる日は渡ることはできません。これほど隔絶された環境にあるため、荒らされることも開発の対象になることもなく、初期キリスト教の様子を現在に伝えているのです。

古都ダマスクス

所在地 シリア・アラブ共和国ダマスクス
登録基準 文化遺産／1979年／①②③④⑥(危機遺産)

大理石が敷き詰められたウマイヤ・モスクの中庭。3方を2階分の高さを持つアーケードに囲まれています。

ウマイヤ朝の名君ワリード1世とウマイヤ・モスクの建立伝説

661年、イスラーム初の王朝ウマイヤ朝が樹立されました。首都は、ローマ時代から交易都市として栄えた古都ダマスクスで、その町のシンボル的存在がイスラーム最古の現存モスクとされる「ウマイヤ・モスク」です。

8世紀にワリード1世がローマ時代からの聖ヨハネ聖堂を、イスラーム教徒のモスクに改修して誕生しました。

ワリード1世は、ウマイヤ朝の支配をイベリア半島からイランにまで拡大して王朝の最盛期を築いた名君です。学校やモスクなども建設し、文化面の発展でも貢献しました。じつはこの聖堂には「破壊した者は狂人になる」という呪いが伝えられていました。しかし、ワリード1世自ら「アッラーのために私が狂人になります」と宣言して斧を振り下ろし、改修させたと伝えられています。

このモスクは、その後のイスラーム教モスクの原型としてイスラーム世界に大きな影響を与え、ダマスクスは、メッカやメディナに次ぐ巡礼地となっています。

もっと知りたい! 3本のミナレットと八角形の鷲のドームを持つウマイヤ・モスク。ファサードや回廊は色鮮やかで、金箔が施されたビザンツ文化を受け継ぐガラスのモザイクで装飾されています。これは天国の楽園を象徴したものと伝えられています。また、偶像礼拝禁止のイスラーム教らしく、装飾には人や動物の姿がなく、植物や街の姿が描かれているのが特徴です。

イスファハンのイマーム広場

所在地 イラン・イスラーム共和国イスファハン州

登録基準 文化遺産／1979年／①⑤⑥

イスファハンのイマーム・モスク。建物の軸線がイマーム広場の南北とずれているのは、メッカの方角を正しく向くようにしているためです。

「世界の半分」と呼ばれ、イスラーム文化が花開いた街

イラン史上最高の名君と言われるのが、サファヴィー朝のアッバース1世です。内政・外政の改革を行ない、オスマン帝国に圧迫されて危機にあった国を立て直しました。

1597年、アッバース1世はイスファハンを都としました。王宮、多くのモスク、新市街を矢継ぎ早に建設し、新市街と旧市街の間にイマーム広場（旧・王の広場）を設けました。

広場には2層の回廊が巡り、周囲には色鮮やかなタイルを貼りつめた王宮、モスク、ミナレットが並び、ドームが陽光に輝いています。もっとも壮麗で華やかなのが「イマーム・モスク」で、入口のイーワーン（アーチ型開口部）は鍾乳石づくりの装飾がなされ、4基のミナレットが正方形の礼拝堂を囲んでいます。

イマーム広場では公的な儀式があるかと思えば、祭りも行なわれ、商人たちが屋台を並べます。アッバース1世は貿易も奨励したので、富と人がいつもここに集まってきました。

17世紀、イスファハンの人口は70万を数え、イマーム広場を訪れた西欧の使節や商人はその繁栄ぶりに「イスファハンは世界の半分」と賛嘆したと言います。

もっと知りたい！ アッバース1世は、出身や家柄ではなく実力を重視しました。特権階級化していた集団を遠ざけ、奴隷出身者であっても能力次第で取り立てました。軍制改革も行ない、さまざまな民族で構成した近衛兵の強化を図ると、火器を専門に扱う銃兵や砲兵の部隊を組織しました。イマーム広場はイラン革命までの王制時代、「王の広場」と呼ばれていました。

本日のテーマ　歴史を知る!

3月18日

ローマ帝国の国境線

所在地 英国カンブリア州〜タイン・アンド・ウィア州、ドイツ連邦共和国ラインラント・プファルツ州

登録基準 文化遺産／1987年、2005年、2008年／②③④

イギリス北部に残る「ハドリアヌスの長城」の一部。

ローマの領土とその限界点「ハドリアヌスの長城」

「イギリス版の万里の長城」と呼ばれる世界遺産が、ブリテン島に築かれているハドリアヌスの長城です。

領土拡大を進めていたローマ帝国は、紀元前55年頃に現在のイギリスのブリテン島に進出しました。1世紀半ばには島の中央と南部を制圧し、ローマ属州ブリタニアとします。時のハドリアヌス帝は、北方からの襲撃に備えて国境線に長城の建造を命じました。

長城の高さは約4.5m、幅3m前後で、西海岸のボウネスと東海岸のヴォールゼンドを結ぶ約118kmにわたって築かれています。

城壁には一定間隔ごとに小さな砦「マイル・カッスル」が設けられ、城壁の後方には17の砦があり、いつでも出動できるよう守備隊が配属されていました。

その一部が「ハドリアヌスの長城」として世界遺産に登録され、のちにハドリアヌス帝のあとを継いだアントニヌス帝が築いた北方の防壁なども追加登録されています。ハドリアヌスの長城は、最初は土塁と芝でしたが、やがて石塁で築かれるようになりました。

もっと知りたい! 長城に守られた属州ブリタニアには、ローマの風俗が持ち込まれローマ風都市が築かれました。しかし4世紀以降、北からはピクト人、西からはスコットランド人などの侵攻が始まります。大陸の警護で属州にまで手が回らないローマは撤兵し、属州を放棄。こうして5世紀はじめにローマの支配は終焉を迎えました。

本日のテーマ 伝説に浸る！

3月19日

聖地キャンディ

079

所在地 スリランカ民主社会主義共和国セントラル州

登録基準 文化遺産／1988年／④⑥

キャンディで行なわれるエサラ・ペラヘラ祭では、飾り立てられた象が街を練り歩きます。

仏歯とともに神々が行進するエサラ・ペラヘラ祭

キャンディは、スリランカに2000年以上君臨したシンハラ王朝最後の都。仏陀の遺骨の一部である犬歯を祀り、多くの仏教巡礼者が訪れる聖地としても有名です。

伝承によれば、仏陀の没後、その犬歯はインド東部のカリンガ王国にもたらされました。4世紀にカリンガの王女が護符として父王から授けられた犬歯を持ってシンハラ王家に嫁いだため、歯はシンハラに伝わりました。シンハラ王朝では、代々仏歯を大切に敬い、王宮に祀りました。1592年にキャンディに遷都すると、仏歯も運ばれて安置するための寺院も建立されました。それがキャンディ湖畔に金色の屋根がそびえるダラダマーリガーワ寺院（仏歯寺）で、今も仏歯はこの寺院の仏歯堂に安置されています。

毎年7～8月のエサラ月には、仏歯の祭り、エサラ・ペラヘラ祭りが催されます。

これは黄金の舎利容器に納めた仏歯を象に乗せて、100頭の象や太鼓、踊り手などとともに街を練り歩くお祭りで、年に一度寺院の外に出る舎利容器を一目見ようと、多くの巡礼者で賑わいます。

もっと知りたい！ 仏歯寺には、経典類を所蔵する八角形の図書館、仏像や王の遺品などが展示されている博物館、仏歯が納められた仏歯聖堂などがあります。仏歯聖堂の1階には黄金の仏像が祀られ、2階の礼拝堂の奥に仏歯の聖堂があります。仏歯の仏舎利容器は参拝者に1日3回、約10分ずつ開帳されますが、仏歯を見ることができるのは高僧や高官のみです。

ストーンヘンジ、エーヴベリーと関連する遺跡群

所在地 英国イングランド ウィルトシャー州

登録基準 文化遺産／1986年、2008年／①②③

直径1150mほどの掘と土手の内側に、巨大な石柱が4重に、円形あるいは馬蹄形に並べて立ててあります。石柱の上に水平に載った巨石や、祭壇状のものもあります。

数百キロ離れた場所から運ばれた巨石の謎

先史時代に築かれた環状列石のなかでもっとも有名なものが、ソールズベリー平原のストーンヘンジです。紀元前2800年頃から紀元前1100年頃にかけて、3段階に分けて築かれたと考えられています。「人骨や装身具が出土したことから祭祀の場である」「夏至や冬至の太陽の方向と連動している巨石があることから天体観測の場である」などと考えられてきましたが、目的はわかっていません。

巨石をどうやって運んできて、どう立てたのかも大きな謎です。なかでもブルーストーンと呼ばれる石は、240kmも離れた西ウェールズ地方のカーン・メニンで産出したもの。なぜわざわざ、そんな遠くから運んできたのでしょうか。最近の研究で、古代の人々はブルーストーンに病気や怪我を治す力があると信じていたことがわかりました。そのためストーンヘンジは、病に苦しむ人々の巡礼の地で、南フランスのルルドの泉のような存在だったのではないかとも考えられています。出土した人骨の多くに、外傷や変形の跡が見られ、苦しみからの救いを求めて、ここまでやって来る人々の姿が想像されます。

もっと知りたい！ ストーンヘンジの北約30kmのエーヴベリーにも、巨石遺跡があります。ストーンヘンジよりさらに古く、紀元前3000年頃にはすでに出来上がっていたようで、ストーンヘンジより前に同じような役割を担っていた可能性もあります。

チャビン（古代遺跡）

所在地 ペルー共和国中部

登録基準 文化遺産／1985年／③

チャビン遺跡の壁面を飾る彫刻。

脳の外科手術を行なっていたチャビンの人々

ペルーのアンデス山脈に、紀元前1500〜紀元前300年に栄えたチャビン文明の石造の祭祀遺跡が残されています。

この遺跡からは、「チャビン・デ・ワンタル」と呼ばれる旧神殿と新神殿の石造建築、主神のランソン像、動物や獣の精巧な彫刻などが見つかっており、高度な文明を持った人々がいたと考えられています。

ここで注目したいのは、同じ形の穴が空いた複数の頭蓋骨です。

科学的な調査により、この穴は傷ついた頭蓋骨を切開して治療し、砕けた骨を取り除いた手術痕と推測されました。つまり、この頭蓋骨は現代でも高度な技術を要する脳外科手術が行なわれていた証拠というわけです。

この文明と関わりのある、のちのナスカ文明の遺跡からも外科手術を描いた石器が出土しているので、その起源がチャビン文明にあっても不思議ではありません。麻酔に用いるコカの葉を採取できた点も外科手術説を裏付けており、今後の研究の成果が期待されています。

もっと知りたい！ 1996年12月、ペルーの首都リマで武装ゲリラによる日本大使館占拠事件が起こり、政府の人質救出作戦で事件は解決されましたが、このときの作戦名は「チャビン・デ・ワンタル」です。当時のフジモリ大統領が事件以前に何度かチャビン遺跡の地下通路を訪れており、これをヒントに地下通路から武力突入する作戦を考え出したとされています。

本日のテーマ ドラマを味わう！

3月22日

サラマンカ旧市街

所在地 スペイン王国カスティーリャ・イ・レオン州

登録基準 文化遺産／1988年／①②④

サラマンカ旧市街には、大学のほかにも市庁舎や新旧の大聖堂など、スペイン・バロック建築の豪奢な建築が並びます。

地動説をいち早く認めた大学のあるヨーロッパ四大大学都市のひとつ

1218年、スペインで最初の大学が創設された街がサラマンカです。中世のサラマンカは、ボローニャ、パリ、オックスフォードと並ぶ世界四大大学都市のひとつに数えられ、スペインのみならず、ヨーロッパ中から多くの学生が集まりました。サラマンカ大学は、学問の自立と正当性を重んじました。ポーランドのコペルニクスが地動説を唱え、強い権力を持つカトリック教会がそれを激しく非難するにもかかわらず、その正しさをいち早く認めたのもその例です。

18世紀になってスペインが国力を失い、ナポレオン1世との戦いに敗れると、サラマンカ大学の権威も衰退していきます。しかし、20世紀には活気を取り戻し、再び世界中の学生がやって来るようになりました。

サラマンカの街は正方形のマヨール広場を中心に広がり、大学の建物があちこちに点在しています。現在、学長室となっているのが学問院の建物で、30近くもある学生寮はそれぞれが特徴ある建築です。また、チュリゲラ様式の建物でも知られ、市庁舎やサン・エステバン修道院なども都市を彩ります。

もっと知りたい！ チュリゲラとは、建築家や彫刻家を幾人も輩出した一族の名前で、スペインのバロック建築の多くはチュリゲラ様式の装飾が施されています。その特徴は、華麗で濃密。壁面は彫刻や絵画で埋め尽くされ、柱はねじれ、金銀細工や化粧漆喰がふんだんに使われ、見ていると息苦しくなるほどです。そのため「悪趣味の骨頂」と揶揄された時代もありました。

本日のテーマ ゆかりの人物に出会う！

シュノンソー城
（シュリー＝シュル＝ロワールとシャロンヌ間のロワール渓谷）

所在地 フランス共和国アンドル・エ・ロワール県

登録基準 文化遺産／2000年／①②④

水で囲まれたシュノンソー城。橋の上に建てられた3層のギャラリーによって本殿と川の対岸が接続する構造です。

フランス王妃と寵姫が飾り立てていった女たちの城

ロワール渓谷沿いに建つ城館のなかでも優美な姿で知られるシュノンソー城。シェール川に架けられた5連続のアーチ橋の上にギャラリーが建てられ、優雅な姿を水面に映しています。

この城の雅さは、歴代城主が女性であったことが影響しています。女性たちは城を自分の趣味で飾り立てましたが、一方で女性たちの愛憎劇の舞台ともなりました。

シュノンソー城は16世紀に財務長官の邸宅として建てられたものでしたが、その後フランス王家に譲られました。アンリ2世はこの城を愛妾のディアーヌ・ド・ポワティエに贈ります。ディアーヌは莫大な費用をかけて橋を築くなど城を飾り立てました。しかし、アンリ2世の王妃カトリーヌ・ド・メディシスが嫉妬し、アンリが亡くなって国政を掌握すると、ショーモン城と引き換えにディアーヌからシュノンソー城を取り上げます。カトリーヌは橋の上に3層のギャラリーを築くなど自分好みに館や庭園を増築し、華やかな舞踏会を催しました。

こうして、シュノンソー城はフランスの女性たちが美のセンスを競い合った舞台として歴史に名を残すこととなったのです。

もっと知りたい！ シュノンソー城には白い喪服を着た貴婦人の霊が出ると噂されており、その正体はアンリ2世の息子アンリ3世の王妃ルイーズ・ド・ロレーヌとされています。彼女は、夫のアンリ3世が38歳の若さで暗殺されると、悲しみの余りシュノンソー城に引き籠り、その後、精神を病んで白い喪服を着て城内を徘徊するようになり、48歳で亡くなったと伝わります。

シャルトル大聖堂

所在地 フランス共和国ウール・エ・ロワール県

登録基準 文化遺産／1979年／①②④

シャルトル大聖堂の外観。

荘厳な教会の床に描かれた迷路のような文様の意味

フランスのゴシック建築の代表がシャルトル大聖堂です。高くそびえる2本の尖塔や、「シャルトルブルー」と呼ばれる青い色彩が特徴のステンドグラスの美しさが、広く知られています。

意外に知られていないのが床の文様。そこには直径12mほどの同心円を重ねた渦巻き状の図柄が描かれています。青と白の石の組み合わせでできており、中央は花びらのような形になっていますが、よく見るとこれは、人間が歩くことができる迷路になっているのです。一見複雑そうですが、分かれ道も行き止まりもなく、ひたすら歩くことで中央まで行き着くことができます。

ただし、これは遊びのための迷路ではありません。地元の人々は、これを「エルサレムへの道」と呼び、中央部分をエルサレム、もしくは天国になぞらえています。迷路をたどることは、聖地エルサレムへの巡礼を果たすことと考えられていたのです。中世の聖堂や宮殿には、しばしばこうした迷路が描かれることがありました。その多くは破損したり失われたりしていますが、シャルトル大聖堂の迷路は完全な形で残っている貴重な例なのです。

もっと知りたい！ ギリシャ神話には、迷路の起源とおぼしき物語があります。クレタ島のミノス王の宮殿に迷宮があり、その奥に人身牛頭の怪物ミノタウロスが棲んでいました。毎年、若い男女がミノタウロスの生贄とされていたのですが、アテネの王子テセウスは怪物を退治したうえ、たらしておいた糸をたどって迷路から脱出したのです。

本日のテーマ 歴史を知る！

3月25日

マサダ

085

所在地 イスラエル国東部

登録基準 文化遺産／2001年／③④⑥

空から眺めるマサダの要塞遺構。

ユダヤ民族独立のシンボルとなった玉砕の地

マサダはイスラエル東部、死海西岸にそびえ立つ高さ400mの岩山の上に置かれた古代ユダヤ人の要塞跡です。

紀元前113年頃にこの地に砦が築かれ、紀元前40年頃、ユダヤのヘロデ王が防衛兼離宮として整備しました。二重の防壁で砦を囲み、兵営、食糧庫、貯水槽も設けた壮大な施設で、ヘロデ王の豪奢な空中宮殿も建てられました。

やがてローマ帝国の圧政に苦しむユダヤ人とローマとの間で66年、第1次ユダヤ戦争が勃発します。ユダヤの拠点が次々と陥落するなか、マサダはユダヤ人の最後の砦となりました。そして約3年の攻防の末、敗北を覚悟したマサダのユダヤ人たちは、捕虜となることを嫌い、集団で自決したのです。その数は960人にものぼったとされます。

ユダヤ人にとって悲劇の地であるマサダは現在、ユダヤ民族の誇りの地であり、イスラエル陸軍の入隊の宣誓式がこの地で行なわれています。貯水跡や離宮跡などが残されており、その威容が2000年近く前の歴史を静かに語っています。

もっと知りたい！ ユダヤ王ヘロデはローマに忠実な王で、ユダヤ人を弾圧し、恐怖政治を敷いたことで知られています。また、建築工事を好み、エルサレム神殿を改修したほか、マサダなど離宮要塞を築きました。『新約聖書』では、キリストが誕生したとき、ベツレヘムとその周辺の幼児を皆殺しにしたと記されています。

本日のテーマ 伝説に浸る！

3月26日

スルツェイ

所在地 アイスランド共和国ヴェストマン諸島スルツェイ島

登録基準 自然遺産／2008年／⑨

神話の世界を再現するかのように、生命が再生を始めているスルツェイ島。

北欧神話に登場する炎の巨人の名がつけられた火山島

アイスランド南方のヴェストマン諸島にあるスルツェイ島は、1963年と1967年の噴火で新しく生まれた火山島ですが、北欧神話に活写される滅亡と再生の物語を再現するかのような現象を見せる島でもあります。

島の名前に含まれる「スルト」は、北欧神話の巨人族とアース神族との最終戦争ラグナロクに登場する巨人族の長スルトのこと。スルトは戦場に燃え盛る剣を投げつけ、神も人も炎で焼き尽くして世界を滅亡させてしまいます。これはまさにアイスランド火山の特徴とも言える、マグマが炎を立ち上げる火山活動を思わせますが、この火山活動をヒントに、スルトの戦いの神話が作られたとも考えられています。

北欧神話ではこの後、滅びた世界に太陽と月と星が生まれ、新しい世界が始まります。火を噴いて誕生したスルツェイ島も、1964年からの調査で、次々と新しい植物が繁殖していることがわかりました。2004年時点で植物や菌類が150種以上、鳥類が89種類、無脊椎動物が335種も島に生息し、島の変化は、神話の再生を彷彿とさせるかのようです。

もっと知りたい！ スルツェイ火山島は植物相の変化の観察のため島への立ち入りが制限されています。1964年から生態系の調査が始まり、1965年には維管束植物が発見されました。それが10年後には10種類に増え、2004年には鳥類や脊椎動物も生息するなど、自然環境は確実に変わり、生物が育っていることがわかっています。

イエローストーン国立公園

所在地　アメリカ合衆国ワイオミング州、アイダホ州、モンタナ州

登録基準　自然遺産／1978年／⑦⑧⑨⑩

色彩鮮やかなエメラルド湖。場所によって水の色が異なって見えます。

エメラルド湖の色はなぜ場所によって異なるのか？

世界初の国立公園が、ロッキー山脈内のイエローストーン国立公園です。

どこまでも広がる岩肌の黄色い色は硫黄の作用によるもので、中心部には長径75㎞という巨大なカルデラがあります。あちこちに大きな間欠泉や噴気孔があり、深い峡谷が刻まれ、野生動物もたくさん生息しています。

早くから一帯を保護する計画が立てられ、1872年にアメリカ議会で国立公園についての法律が制定されると同時に世界初の国立公園となりました。

イエローストーンには大小多くの湖があり、さまざまな色をしているのが特徴です。まるでプリズムのごとく多彩な色の「エメラルド湖」のように、ひとつの湖なのに場所によって異なる色をしているものもあります。

これは、イエローストーンのマグマ活動が活発なためです。湖といっても水温が低いとは限らず、なかには100℃近い熱湯が沸き出しているものもあります。水温によって生息する藻やバクテリアが違うため、それが色の違いになって表われているのです。

もっと知りたい！　1988年6月、イエローストーンで山火事が発生しましたが、これも自然現象としてそのままにする方針が取られました。鎮火したのは10月になってからで、公園の半分近くもの範囲に何らかの被害がありましたが、それでも焼けた枯木に虫がつき、鳥が集まり、新たな自然の循環が生まれました。

バイカル湖

所在地 ロシア連邦イルクーツク州、チタ州、ブリャート共和国

登録基準 自然遺産／1996年／⑦⑧⑨⑩

凍り付いたバイカル湖。湖上に突き出た岩山が幻想的な雰囲気を醸し出します。

世界最大の貯水量を誇るロシアのガラパゴス

ロシアのシベリア南東部にある三日月形をしたバイカル湖は、長さ635㎞、最大幅79㎞、面積は3万1500㎢を誇り、大きさは日本の琵琶湖のおよそ46～47倍もあります。

この湖はあらゆる点において傑出した自然を持ち、かつて40mを超えた透明度、1700mという水深はともに世界一です。

湖底での地震の振動で生じる化学物質や鉱物が湖水を浄化し、透明度を高めているという仕組みは、自然の神秘そのものと言ってよいでしょう。

また、大小約330の河川が流れ込んでいるため、2万3000㎦もの水量を誇り、淡水の湖としては世界最大の貯水量を誇ります。

こうした独特で豊かな自然環境に加えて、早い段階で海から切り離されたため、湖のなかでは独自の生物相が進化しました。バイカル湖には1500種以上の水生生物が生息し、その8割がこの湖に住む固有種のため、「ロシアのガラパゴス」とも呼ばれています。

もっと知りたい！ バイカル湖は歴史的にも世界最古の湖で、古生代（5億7500万年前～2億4700万年前）にはすでに原型ができていたと考えられています。バイカル湖に棲む動物の固有種のなかでは、淡水に棲む唯一のアザラシであるバイカルアザラシやカジカの1種であるゴレミャンカなどが有名です。

本日のテーマ ドラマを味わう！

3月29日

キリマンジャロ国立公園

所在地 タンザニア連合共和国キリマンジャロ州

登録基準 自然遺産／1987年／⑦

キリマンジャロは山脈に属さない独立峰で、西からシラー峰、キボ峰、マウェンジ峰の3峰から成り、中央のキボ峰は高さ5895mというアフリカ大陸の最高峰です。

タンザニア領となったのはドイツ皇帝が山岳好きだったから

アフリカの大地で万年雪をいただくのがキリマンジャロです。ヨーロッパ人でキリマンジャロを最初に見たのは、1848年に宣教師としてやって来たドイツ人のレープマンでした。この山を見て驚き、ロンドンの王立地理学会で発表したのですが、当時は、雪が積もった山がアフリカにあるとは信用してもらえないほどでした。

19世紀のヨーロッパ列強は、「アフリカ分割」と呼ばれる植民地化を進めていました。キリマンジャロは、イギリス植民地だった現在のケニアと、ドイツ植民地だった現在のタンザニア境界に位置しているのですが、国境線が変更されてキリマンジャロはほぼタンザニア領内となりました。

これは、アフリカ最高峰だと知った山岳好きのドイツ皇帝ヴィルヘルム1世が、キリマンジャロを自国のものにしたがってイギリスに国境線の変更を求めたからです。利害の調整や駆け引きの結果、イギリスもこれを了承し、1884年から開かれたベルリン会議でアフリカ分割を取り決め、ヴィルヘルム1世への誕生日プレゼントとしてドイツに贈ったのです。

もっと知りたい！　スワヒリ語でキリマは「山」、ンジャロは「白い、輝く」という意味です。ふもとは熱帯サバンナの肥沃な土地で、農地として利用され、高度が上がるにつれて異なる動植物が見られるようになります。かつては狩猟の場として人気がありましたが、もちろん今は禁止されています。

フォンテーヌブローの宮殿と庭園

所在地 フランス共和国セーヌ・エ・マルヌ県

登録基準 文化遺産／1981年／②⑥

ナポレオンが愛したフォンテーヌブロー宮殿。宮殿正面の馬蹄形の階段がフォンテーヌブローの別れの舞台となりました。

ナポレオンが愛して飾り立てた宮殿

フランス皇帝のナポレオンがこよなく愛したというフォンテーヌブロー宮殿は、パリ郊外のフォンテーヌブローの森に佇む雅で洗練された宮殿です。16世紀に国王フランソワ1世が、フランス国家の威信をかけた芸術振興のため、国内初の本格的なルネサンス様式を詰め込んだ宮殿を誕生させました。

その後、増改築が行なわれ18世紀に現在の宮殿が完成します。至る所に施された化粧漆喰の美しい宮殿でしたが、フランス革命後は荒廃の憂き目をみました。

それを再び華やかに飾り立てたのが、フランス皇帝の座についたナポレオンです。住居棟や儀式の部屋などを自分好みに改装したナポレオンは、この宮殿を愛し、しばしば滞在しました。1814年に失脚してエルバ島への配流が決まったナポレオンが、配下の兵たちに見送られたのもこの宮殿でした。ナポレオンは中庭で「フランスの幸福こそ私の唯一の思い出。さらばわが子らよ」と別れを告げ、兵士らが涙を流しながら見送ったと言います。そのためこの庭は「別れの庭」と呼ばれるようになりました。

もっと知りたい！ ライプチヒの戦いに破れ、フォンテーヌブロー宮殿からエルバ島へと流されたナポレオンでしたが、その翌年の1815年には島を脱出して再びフランス皇帝に返り咲きます。しかし、栄華は長く続かず、ワーテルローの戦いで再び敗れると、南太平洋のセントヘレナ島に送られ、そこで病死しました。

古都アユタヤ

091

所在地 タイ王国アユタヤ県

登録基準 文化遺産／1991年／③

王族の墓とされるストゥーパが3基建ち並ぶアユタヤのワット・プラ・シー・サンペット。

国王神格化のために利用された仏教

アユタヤは、14世紀にタイ中部で興ったアユタヤ朝の都として400年の長きにわたって繁栄しました。貿易もさかんで、その富をもとに中心寺院のワット・プラ・マハタート、王宮寺院のワット・プラ・シー・サンペットのほか、多くの豪華な仏教寺院が建立されました。国王は仏の化身だとされ、ストゥーパには歴代国王の遺骨が納められました。国民は仏と国王を同一視して信仰を捧げていたのです。

しかし1767年、隣国ビルマ（現・ミャンマー）がアユタヤを占領すると、寺院を荒らして仏像の頭を落とし、金箔や宝玉などの貴重品を奪っていきました。その後も、北部のラタナコーシン朝（チャクリ朝）が侵攻してきて、寺院の建材や仏像を持ち去りました。

ビルマもアユタヤと同じ仏教国だというのに、なぜ寺院や仏像を破壊したのでしょう。これについては、アユタヤの王権を貶めるためだったという説があります。アユタヤの仏教は、国王神格化のための手段となっていたので、敵対する国はアユタヤ王家の権威が復活することがないよう、破壊と掠奪を行なったのではないかとされているのです。

もっと知りたい！ 現在もアユタヤには、破壊されたままの寺院や、頭部のない仏像があちこちにあります。これは戦いの悲惨さを伝えるため、あえて残されているのです。菩提樹の根と一体になった大きな仏頭は、かつてワット・プラ・マハタートにあったものが地上に落ち、木の成長につれて根に取り込まれたと伝えられています。

本日のテーマ 歴史を知る！

4月1日

万里の長城

092

所在地 中華人民共和国河北省〜甘粛省の7省・自治区・市

登録基準 文化遺産／1987年／①②③④⑥

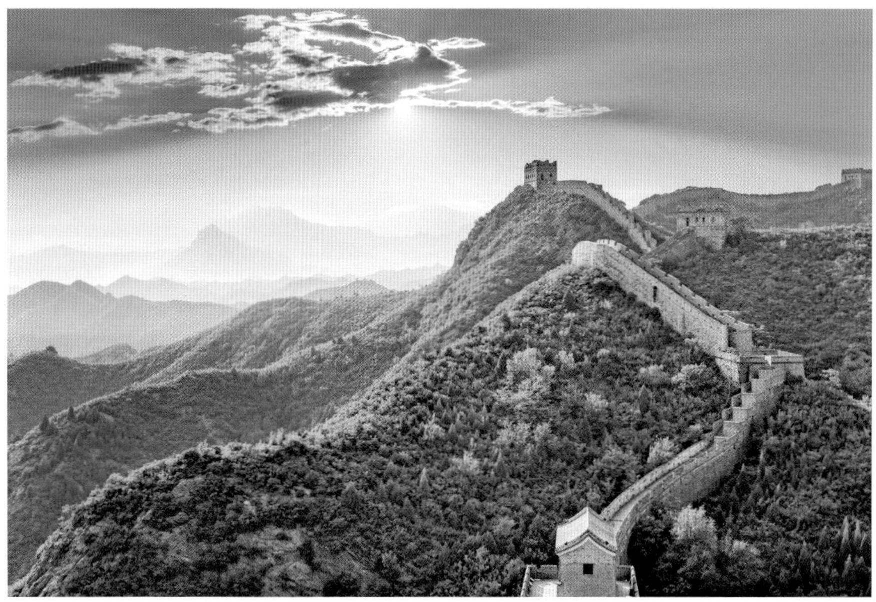

山の尾根上を這うようにして連なる長城。城壁頂部は馬が移動できる幅になっています。

宇宙からも確認できる巨大な建造物

中国北部に築かれた万里の長城は、東の山海関（河北省）から西の嘉峪関（かよくかん）（甘粛省）を結んだ約3,000kmにおよぶ世界最大規模の城壁です。

その歴史は古く、紀元前700年代に始まる春秋時代に各国が築いたのが最初とされます。紀元前221年に中国を統一した秦の始皇帝が、それらの長城をつなぎ合わせる形で、今の万里の長城の原型となる数百㎞の長城を建設。その後の中国の歴代王朝も増築を繰り返し、とくに明王朝が大規模な増築と改修を施し、16世紀に現在目にする万里の長城がほぼ完成しました。

歴代王朝が長城の建設に執心したのは、北方騎馬民族の侵攻を防ぐのが目的です。

そのため一定間隔で駐屯所が置かれ、敵の侵入を監視する守衛兵も配置されていました。ただし、実質的に侵入防止の効力は薄く、北方民族は何度も長城の壁を壊して領内に侵入しています。それは中国側も承知していたとも考えられ、防衛効果よりも北方民族に対して中国皇帝の権威を示すためのモニュメントとして築かれたのではないかとも言われています。

もっと知りたい！ 秦の時代などの古代の長城は、泥や砂利を突き固めた版築という工法で築かれました。これに対し、15世紀以降の明代は、版築で固めた土塀の周囲に焼成レンガを積み重ねた造りとなっています。これにより高さ7〜9m、頂部の幅は5〜6mという堂々たる長城の建設が可能になりました。

093

ヴィエリチカ・ポフニア王立岩塩坑

所在地 ポーランド共和国マウォポルスカ県

登録基準 文化遺産／1978年、2013年／④

岩塩で作られたシャンデリアが美しいキンガ礼拝堂。左手には「最後の晩餐」のレリーフも見えます。

ポーランドに岩塩採掘産業をもたらしたキンガ姫伝説

ポーランドのヴィエリチカには、中世に盛んに採掘された岩塩坑があり、今もわずかながら採掘が続けられています。

この岩塩坑での採掘は、12世紀にポーランド王カジミエシュ2世がこの地に城壁を築いて本格化させました。14〜16世紀には、岩塩による収益がポーランド王国の財源の3分の1を占め、王国の財政を支える存在になりました。

かくしてヴィエリチカの坑道内は、700年間で深さ300m以上、総延長は300㎞、9つの層の坑道からなる巨大規模の岩塩採掘所へと発展したのです。

採掘跡には、鉱山労働者によって岩塩の礼拝堂や彫像が作られましたが、注目は「最後の晩餐」のレリーフやシャンデリアが美しいキンガ礼拝堂。地下100mの場所にある礼拝堂は、この岩塩層の発見者とされるハンガリー王女キンガ姫に捧げられました。伝承によれば、ポーランド国王の元へ嫁ぐ途中のキンガ姫が、指輪を投げ入れ、彼女の指示した場所から指輪とともに岩塩層が見つかったと伝えられています。

もっと知りたい！ 現在のヴィエリチカの坑内には、かつて岩塩の採掘に使われていた道具類を展示する博物館が設けられています。ほかにも、塩を含んだミネラル成分の殺菌作用で浄化された空気に治癒効果があるとして、1964年には地下211mの場所にサナトリウムが設けられ人気となっています。

094

ジャムのミナレットと考古遺跡群

所在地 アフガニスタン・イスラーム共和国ゴール州

登録基準 文化遺産／2002年／②③④（危機遺産）

複雑な彫刻で飾られたジャムのミナレット。ジャムは、海抜1900mの山間部にある渓谷に位置します。

さまざまな民族が共存したゴール朝の都の痕跡か?

塔の上からアッラーへの礼拝であるアザーンの時間を呼びかけるミナレットは、本来イスラーム教のモスクに付属する尖塔です。

ところがジャムのミナレットは、人里離れた渓谷に単独でぽつんと立っていて、近くにはモスクもモスクの遺跡もありません。それでいながらミナレットとしては世界第2位の65mという高さで、八角形の土台に立ち、青い彩色タイルと褐色のレンガで鮮やかに飾られています。表面には幾何学文様や植物文様、それにコーランの文章が刻まれ、贅をこらした優美なつくりになっているのです。

このミナレットはゴール朝の最盛期である12世紀末に建てられたのですが、王朝の滅亡以来、その存在を忘れ去られており、なぜここに建設されたのか謎に包まれています。そこでいつしかささやかれるようになったのが、「幻の都フィルズクーに建っていたミナレットである」という伝説。フィルズクーは、イスラーム教徒のみならず、ユダヤ教徒もキリスト教徒も共に平和に暮らす都でしたが、モンゴル軍に破壊されたと言われています。

もっと知りたい! ゴール朝は1148年頃、アフガニスタンに興ったイスラーム王朝で、先にあったトルコ系のガズナ朝に服属していましたが、やがて独立してガズナ朝を滅ぼしました。その後はインド北部まで版図を広げ、イスラーム教のインドへの浸透に貢献しました。

自然の不思議と驚異の技術を学ぶ！

ジェンネ旧市街

所在地　マリ共和国中央部

登録基準　文化遺産／1988年／②④⑤（危機遺産）

泥で固められたジェンネのモスク。

崩壊が危惧されるモスクは、なぜ泥で作られたのか？

マリ南部に位置するジェンネは、14〜16世紀頃に金の輸出で知られたトンブクトゥとともにサハラ交易の中継地として繁栄した町です。泥で造られた建物が並ぶモノトーンの街並みが美しく、「ニジェール川の宝石」と呼ばれています。

建物の工法はスーダン様式と呼ばれ、泥で造られた日干しレンガを重ね、周囲を泥で塗り固めたもの。町のシンボルでもある高さ20mの大モスクは、泥の建造物としては世界最大規模を誇ります。

泥の建築物には、崩れやすいという難点があります。

そのため雨季前の5月頃には、住民たちがモスクに新しい泥を塗り固めるのが恒例行事となっています。では、崩壊の危険があるにもかかわらずなぜ泥の建築物が多く造られたのでしょうか。それはサハラ砂漠近郊という地理的環境のために建築資材となる木や石が少なかったことや、日中の気温が50℃まで上がるので、泥の断熱効果を暑さ対策に活用するためなのです。

もっと知りたい！　ジェンネは今も地方の商業都市として栄えています。毎週月曜日には大モスクの前の広場で月曜市が開かれ、テントが立ち並び多くの人が訪れます。さまざまな部族の人々が華やかな民族衣装をまとって市場に集まり、交易中継地として栄えた往時の賑わいを彷彿とさせます。

本日のテーマ　ドラマを味わう!

096 バンベルクの旧市街

所在地　ドイツ連邦共和国バイエルン州

登録基準　文化遺産／1993年／②④

フランケン地方に位置するバンベルクは、第2次世界大戦の戦禍を逃れることができたため、街全体が中世そのままの姿を保っています。

神聖ローマ帝国の中心として機能した「フランケンのローマ」

11世紀初頭のバンベルクは、神聖ローマ帝国の東の国境にあたり、敵の侵入を受けやすい状況にありました。そこで神聖ローマ皇帝のハインリヒ2世は、あえてバンベルクに居を移します。そして司教座を置いて宮廷会議を開くなどし、ここをキリスト教布教の拠点にしようと考えたのです。

聖堂や修道院が次々と建てられ、大聖堂、旧宮殿、新宮殿が並ぶドーム広場は、ドイツでもっとも美しい広場と言われるようになりました。

レグニッツ川の中洲にある旧市庁舎には、ある言い伝えが残されています。市民層が台頭してきた15世紀、司教が土地を渡そうとしなかったため、腹を立てた市民たちが川の真ん中に杭を打ち込んで中洲とし、そこに市庁舎を建てたというのです。市の建築家ハンス・フェルホハイマーが設計を担当し、1463年に中期ゴシック様式の建物として完成。その後、18世紀にロココ様式に改築されました。この場所は市民と聖堂者が住む区域の中間地点となり、建物の下の石橋を通って対岸に渡ることができる珍しいつくりになっています。

もっと知りたい!　古代ローマは、7つの丘の上に築かれた集落から始まって、大帝国になったと伝えられています。バンベルクも7つの丘の上に聖堂や修道院が建てられて広がったことから、「フランケンのローマ」と呼ばれるようになりました。もっとも高い丘に建つ城は、司教の居館や監獄として用いられたこともありました。

本日のテーマ ゆかりの人物に出会う!

4月6日

古都メクネス

所在地 モロッコ王国メクネス州

登録基準 文化遺産/1996年/④

アラウィー朝の首都として栄えたメクネス。

太陽王ルイ14世にあこがれて壮麗な宮殿を築いたスルタン

9世紀頃、ベルベル人が町を建設したモロッコ北部のメクネスは、17世紀後半からイスラーム系のアラウィー朝2代目スルタンのムーレイ=イスマーイールが首都にしたことで繁栄しました。

軍事と経済に辣腕を振るい積極的な外交も行なったイスマーイールは、栄華を極めたフランスの太陽王ルイ14世の宮廷生活に憧れ、ヴェルサイユに劣らない華麗な都の建設を目指します。宮殿、モスク、マドラサ(大学)など、巨大な建物をいくつも建設し、守りを固める40kmにおよぶ3重の城塞も築いて、政治の中心にふさわしい豪壮な都を造り上げました。

彼の死後には息子により、「北アフリカ一美しい門」と呼ばれるマンスール門も完成しています。しかし、やがて王朝が遷都すると、メクネスは衰退していきました。

王宮地区にあるムーレイ=イスマーイール廟は、イスマーイールを偲ぶ後世の人々によって建立されたもの。彼は今、生前ルイ14世からプレゼントされた時計が時を刻む一室で永遠の眠りについています。

もっと知りたい! 王宮の近くには、塗り固められた赤茶色の土と石が続く巨大な穀物倉庫と水の館も建てられました。穀物倉庫は、厚さ7mの壁と地下水路によって温度が13℃前後に保たれる優れた仕組みで、20年間の籠城にも耐えられる物資を保管できたと言います。水の館では、地下の貯水槽から水をくみ上げて都に水を送っていました。

本日のテーマ　暮らし・文化に触れる！

4月7日

古代都市スコタイと周辺の古代都市群

098

所在地　タイ王国スコタイ県

登録基準　文化遺産／1991年／①③

スコタイで行なわれるロイクラトン祭。ロイクラトンは、タイの灯篭流しのお祭りで、スコタイ王朝の王妃が、川の恩恵に感謝して、川の女神プラメー・コンカへ捧げる灯篭（クラトン）を川に流したのを起源にすると言われます。

スコタイとアユタヤの仏教とはどう違うのか？

タイ人が建てた初の統一国家がスコタイ朝です。13世紀にアンコール朝の勢力が衰えたのに乗じてスコタイを占拠し、第3代ラームカムヘンの時代には最盛期を迎え、マレー半島から現在のラオスまでを領土としました。

スコタイ朝は、クメールの文字を基本にしてタイ文字を作り、セイロンからは小乗仏教を導入するなど、クメール文化の影響を受けつつ、現在のタイ文化の基礎を築きました。

遺跡には、ワット・マハータートをはじめ、多くの寺院、仏塔、礼拝堂、聖池、遊歩道が配され、仏像やレリーフには、スコタイ独自の様式が見てとれます。

それまでの仏像は、直立しているか坐っているかでしたが、スコタイの仏像は歩いていたり、左右非対称のなめらかなポーズが多く見られます。卵形の顔や弓形の眉、笑みを浮かべた口元など、人間に近い自然な造形が特徴です。その後生まれたアユタヤ朝の仏像は、姿勢を正して左右対称、表情も瞑想にふけっているかのようで、スコタイ朝のものと比べると、どこか近寄りがたい雰囲気です。

もっと知りたい！　スコタイでは王から庶民まで、熱心な仏教徒でした。しかし、歴代の王のあまりの信心深さが、政治にはマイナスに働きました。心を抑制するあまり、他国に領土を侵略されても戦闘意識が薄く、家臣も民もほしいままに振る舞ったのです。そのため国は次第に衰退し、15世紀にはアユタヤ朝に吸収されてしまいました。

本日のテーマ 歴史を知る！

古都トレド

099

所在地 スペイン王国カスティーリャ＝ラ・マンチャ州

登録基準 文化遺産／1986年／①②③④

トレド旧市街の夜景。中央奥にそびえるのはアルカサルです。

イベリア半島におけるカトリックの中心地

4世紀、ゲルマン民族の大移動によってヨーロッパ各地に進出したゲルマン民族はローマ帝国の領内に多くの国家を樹立します。そのひとつがイベリア半島に建国された西ゴート王国で、その首都として発展したのがトレドです。

西ゴート王国は、589年にカトリックに改宗し教会と結びついて王権を安定させ、8世紀まで存続しました。トレドは西ゴート王国のカトリック信仰の中心地となり、ここで国王のカトリック改宗の宣言が行なわれ、大司教座も置かれました。

その栄光を物語るのが13世紀建立のトレド大聖堂です。トレドは、8世紀にイスラーム勢力に征服されたものの、のちにキリスト教国のカスティーリャ王国の支配下に入ります。王国は大司教座のある聖都にふさわしい威厳を取り戻すべく、270年の歳月をかけて壮大なゴシック建築のトレド大聖堂を建立しました。

22の礼拝堂や90mの高さを誇る塔、豪華な装飾はイベリア半島のカトリック総本山にふさわしい威容を誇ります。

もっと知りたい！ トレド大聖堂の最大の見どころと言われるトランスパレンテは、中央礼拝堂の後ろに施された彫刻装飾です。聖母子像の上を天使が飛翔するバロック調の装飾で、ここには明かり取りの穴が空けられています。この穴を通ってこぼれる一筋の明かりが、祭壇前の聖櫃を浮かび上がらせ神秘的な雰囲気を醸し出しているのです。

本日のテーマ　伝説に浸る！

100

ウルル＝カタ・ジュタ国立公園

所在地　オーストラリア連邦ノーザンテリトリー準州

登録基準　複合遺産／1987年、1994年／⑤⑥⑦⑧

世界創世の記憶が刻まれた巨大な一枚岩ウルル。アボリジニの聖地であるため、2019年10月からは観光向け登山が禁止されています。

アボリジニの聖地に刻まれた世界創世神話

オーストラリアの中央部にあるウルル＝カタ・ジュタ国立公園内には、ウルル、通称「エアーズロック」と呼ばれる巨大な一枚岩があります。高さ348m、周囲9㎞もあり、一枚岩としては世界で2番目の大きさを誇ります。

この岩が生成されたのは6億年前。周辺が海底だった時代に積もった土砂が砂岩になり、5億年前の地殻変動で地上に隆起、長年の風化と浸食を経て硬い部分が岩になりました。

このウルルを神聖視して儀式などを執り行なってきたのが、オーストラリアの先住民であるアボリジニです。

アボリジニの神話によれば、ウルルにはすべての創造主である精霊たちが眠っていると考えられてきました。

精霊たちはオーストラリア各地を巡って世界を創造したと考えられ、その際の通り道がすべて創造の地ウルルで交わるとも言われています。アボリジニはウルルを精霊が眠り創造の力が宿る聖地とみなし、大切に守り続けてきました。

もっと知りたい！　ウルル山の基底部には、アボリジニが生活していたという洞窟があり、壁画には線描画が描かれています。古いものは1万年前のもので、神話や狩猟の技術、儀礼などをのちの世に伝えています。彼らは文字を持っていなかったため、神聖な岩壁に絵を描いて伝えようとしたのです。

大チョーラ朝寺院群

所在地 インド共和国タミル・ナードゥ州

登録基準 文化遺産／1987年、2004年／②③

シカラを含め、60mの高さを持つブリハディーシュヴァラ寺院のヴィマーナ（本堂）。

80tのシカラをどうやって60mの高さまで引き揚げたのか？

大チョーラ朝寺院群のなかでも目を引くのが、チョーラ朝の首都であったタンジャーヴールにあってシヴァ神を祀るブリハディーシュヴァラ寺院の本堂（ヴィマーナ）です。350㎡のレンガ塀で囲まれ、祠堂が並ぶ境内の中心にそびえる本堂の高さは60m。さらに驚くべきは最頂部に置かれたシカラ（冠石）です。吉兆を表わす八角形の聖杯を伏せた形状で、壺型のカラシャ（頂華）を戴きます。なによりシカラ、なんと80tもの重さがあるのです。

圧倒的な重さに加え、花崗岩の一枚岩を削ってできているので、分割することはできません。どうやって60mの高所まで引き揚げたのでしょうか。

これには、最頂部まで達するスロープを造り大勢でシカラを引く方法と、本堂全体を土で覆って周囲に螺旋状のスロープを設ける方法のふたつが考えられています。しかし、前者だとスロープの長さが6㎞以上に達してしまうこと、後者だと膨大な量の土が必要になってしまうことから、まだ確証は得られていません。

もっと知りたい！ ブリハディーシュヴァラ寺院の建設者は、この地に興ったチョーラ朝の王、ラージャラージャ1世です。わずか7年でこの大寺院を完成させました。チョーラ朝は13世紀後半に滅亡しましたが、寺院にはその後も、門塔や祠堂が新たに建てられ続けました。

本日のテーマ　自然の不思議と驚異の技術を学ぶ！

4月11日

102

パンテオン（ローマ歴史地区、教皇領とサン・パオロ・フォーリ・レ・ムーラ大聖堂）

所在地　イタリア共和国ラツィオ州ローマ県・ヴァチカン市国

登録基準　文化遺産／1980年、1990年／①②③④⑥

現在も現役のパンテオンは、歴史のなかで多くの建築デザインの模範となりました。

ドーム屋根を可能にしたローマン・コンクリート

パンテオンは、紀元前1〜後3世紀にかけて築かれた古代ローマ時代の建造物です。

パンテオンとは、ローマ人の神をすべて祀る「万神殿」という意味。紀元前27年にローマ帝国の重臣アグリッパが建て、ローマ皇帝ハドリアヌスにより改築されました。

当時の8本の円柱が立つ外観を抜けると、直径44mの球体が入る円堂とドームの大きさに驚かされます。

これほど巨大なドームの建築を可能にしたのは、コンクリートの発明でした。それは「ローマン・コンクリート」と呼ばれ、ナポリ付近から産出した火山性の土と石灰や割石などの骨材を混ぜたものに水を加えて突き固めた素材です。これにより建物の強度が飛躍的に向上し、より自由なデザインも可能になりました。

さらにドームにも、コンクリートの骨材に軽石や凝灰を用いて重量を軽くしたり、頂点付近の壁の肉厚を抑えたりといった工夫が施され、当時のままの外観を維持し続けることにひと役買っています。

もっと知りたい！　ローマン・コンクリートで築かれたパンテオンは、ローマ建築の傑作として後世からも高く評価され、「人工的な一枚岩」と称されました。ルネサンス期の芸術家ミケランジェロも「天使の設計」とたたえています。

本日のテーマ ドラマを味わう!

シドニー・オペラハウス

所在地 オーストラリア連邦ニューサウスウェールズ州

登録基準 文化遺産／2007年／①

シドニー・オペラハウス。屋根の下には、歌劇場、コンサートホール、レストランなどがあります。

14年もの歳月をかけて建設されたシドニーのランドマーク

シドニー湾に突き出すように建つオペラハウスの屋根は、風をはらんだヨットの帆のようです。シドニー・オペラハウスのデザインは、国際コンペによって選ばれたデンマークの建築家ヨーン・ウッツォンの手によるもの。ところが、1959年に工事が始まると、曲線を重ねた斬新で複雑なデザインは何度も変更しなければならず、費用もかさみ続けました。

構造分析にコンピュータを用いたのも新しい試みでしたが、それでも当時はこうした計算に時間がかかりました。1966年、ついにはウッツォンが辞任を余儀なくされ、オペラハウスは別の建築家のチームによって1973年に完成したのです。建設は予定よりも9年延びて14年かかり、費用は14倍にふくらんでしまいました。

それでも、風景との調和や開放的な美しさ、都市建築としての完成度などから、このオペラハウスはシドニーのみならず、オーストラリアを代表する建築となりました。

2007年に世界遺産に登録されたときも、構造年代がもっとも新しい世界遺産として話題になりました。

もっと知りたい! 途中で辞任したウッツォンは、再びオーストラリアには渡らず、完成したオペラハウスを訪れることもありませんでした。しかし、2003年にはオペラハウス設計の栄誉を称えられてシドニー大学から名誉博士号が授与され、建築界のノーベル賞と言われるプリツカー賞も授賞しました。

本日のテーマ　ゆかりの人物に出会う！

4月13日

セゴビア旧市街とローマ水道橋

104

所在地　スペイン王国カスティーリャ・イ・レオン州セゴビア県

登録基準　文化遺産／1985年／①③④

セゴビアの町は、レコンキスタの終結と新大陸の発見という2大事業を成し遂げた女王の原点です。

強国スペイン誕生の分岐点となった女王イサベル1世の行動力

川を巧みに利用して造られたスペインの要塞都市セゴビアは、古くからイベリア半島の交通の要衝として栄え、ローマ帝国領時代に築かれた水道橋が残されています。12世紀にカスティーリャ王国のアルカサル（王宮）が築かれましたが、15世紀にここがスペインの歴史の分岐点の舞台となりました。それはイサベル1世の戴冠です。

1474年、兄のエンリケ4世の訃報をこの城で聞いたイサベルは、間髪入れずに広場で戴冠式を催し、カスティーリャ王国の王に即位したことを内外に宣言したのです。ほかにも後継者候補がいましたが、迅速な行動で機先を制して即位した女王イサベル1世の登場が、のちのスペインの発展につながります。隣国アラゴンの王子フェルナンドと結婚していたイサベルはカスティーリャ・アラゴン連合を実現し、レコンキスタの総仕上げに尽力。1492年にイベリア半島に唯一残るイスラーム国家ナスル朝の首都グラナダを陥落させ、イベリア半島の諸国が718年以来続けていたイベリア半島の制圧を完遂したのです。また、イサベル1世は、コロンブスの新大陸発見を支援した人物としても有名で、のちの強国スペインを導く礎を築きました。

もっと知りたい！　イサベルは異母兄のエンリケ4世に疎まれ、幼い頃に母と弟とともに宮廷を追われ、小さな城で不遇な生活を強いられました。しかし、思慮深く聡明に育ったイサベルは、自らの意思で兄の反対を押し切ってまでアラゴン王子と結婚。この結婚がアラゴンとカスティーリャを結びつけ、夫婦二人三脚でレコンキスタを成し遂げる契機となりました。

本日のテーマ 暮らし・文化に触れる！

105

コロッセオ
（ローマ歴史地区、教皇領とサン・パオロ・フオーリ・レ・ムーラ大聖堂）

所在地 イタリア共和国ラツィオ州ローマ県・ヴァチカン市国

登録基準 文化遺産／1980年、1990年／①②③④⑥

コロッセオのアリーナの地下は通路になっていて、檻の中の猛獣を綱と滑車で引き上げ、絶妙のタイミングで登場させることができました。また観客たちには番号札が渡され、混乱なく席に着くことができました。

民衆の不満を解消したパンとサーカスによるローマの統治

帝政ローマの頽廃の象徴とされるのがコロッセオです。建築が始まったのは紀元70年のヴェスパシアヌス帝の時代で、およそ10年で工事が仕上がりました。

その頃の政策を端的に表した言葉が「パンとサーカス」。「民衆にはパン（食糧の小麦）とサーカス（見世物）を与えておけば、不満から目をそらさせることができる」という意味で、実際にしばしば食糧の無料配布が行なわれ、闘技場への入場も無料でした。

闘技場で行なわれたのは、人間同士、あるいは人間と動物との殺し合い、さらには馬車による戦車競争などです。闘技場での試合はただの娯楽ではなく国家的行事とされ、これを何度も主催する皇帝ほど民衆に人気があり、刺激的な見世物ほど好評でした。

ちなみに剣闘士のほとんどは、戦争捕虜や奴隷。各地の養成所に入所して元剣闘士や訓練士の指導のもと訓練を受け、闘技場での試合に出場しました。何度も戦いを勝ち抜いた強者は名声を得ることができましたが、日々の生活は過酷であり、紀元前73年にはカプアの剣闘士であるスパルタクスが養成所を脱して奴隷反乱を起こしています。

もっと知りたい！ ローマの巨大建築は、コンクリートの発見によって可能になりました。それまで使われていたのは石灰と砂と水を混ぜた石灰モルタルでしたが、砂を火山灰にしたところ付着力も耐久性も飛躍的に増したのです。この素材は「ローマン・コンクリート」と呼ばれています。

本日のテーマ　歴史を知る！

106

ランスのノートルダム大聖堂
（ランスのノートルダム大聖堂、サンレミ旧大修道院およびト宮殿）

所在地　フランス共和国北部グラン・テスト地域圏マルヌ県

登録基準　文化遺産／1991年／①②⑥

ランス大聖堂のステンドグラス。第2次世界大戦で破壊されましたが、戦後、シャガールらによって修復されました。

フランス王の戴冠式が行なわれた大聖堂

フランス北部にあるランス大聖堂は、2000体以上の彫刻群や直径12mのバラ窓が見事な「ゴシック建築の傑作」とも呼ばれる建物です。現在の建物は13世紀に建て替えられたもので、この大聖堂は歴代フランス王にとって重要な聖地として知られています。

4〜5世紀に興ったゲルマン民族の諸国家のなかで長く続いたのが、フランスのルーツとされるフランク王国でした。それを可能にしたのは、フランク王国を建国したクローヴィスが496年にゲルマン民族のなかで初めてカトリックに改宗したこと。これによりカトリック教会と信頼関係を築くことができ、安定した統治が可能になったのです。

クローヴィスが、家臣とともにキリスト教徒に改宗の儀を執り行なったのがこのランス大聖堂でした。

その由来にちなんで、ここでは9世紀以降のルイ1世から19世紀のシャルル10世に至るまで歴代のフランス王の戴冠式が行なわれてきました。大聖堂の西正面には大司教レミギウスから洗礼を受けるクローヴィスの像が彫られています。

もっと知りたい！　トゥルーネー（ベルギー南西部）にあるサリー・フランク族の小国の王だったクローヴィスは、領土拡大に乗り出してガリアを征服しました。北海からピレネー山脈にまで勢力を伸ばし、メロヴィング朝フランク王国を打ち立てた人物です。

カカドゥ国立公園

107

所在地 オーストラリア連邦ノーザンテリトリー準州

登録基準 複合遺産／1981年、1987年、1992年／①⑥⑦⑨⑩

透視画法（X線画法）で描かれたカカドゥの壁画。

アボリジニの精神世界を表わすX線画法の壁画群

オーストラリア北部の「カカドゥ国立公園」一帯は、熱帯雨林やサバンナなどの豊かな自然環境に恵まれ、多くの動植物が生息している貴重な自然遺産です。加えて、この一帯は文化遺産としても注目をされています。

公園一帯には今もオーストラリアの先住民であるアボリジニが暮らしていますが、彼らは遅くとも4万年前からここに住み始めていました。そんな彼らが残した貴重な文化遺産が、岩壁に描かれた5000か所以上の壁画です。オーストラリアでも、古い壁画がこれほど大量に残されているところは珍しく、なかには2万年前に描かれた作品もあり、世界最古のロックアートのひとつとなっています。その壁画は、赤・黄・白・黒の4色を使って、伝説上の動物や生活の知恵などが描かれています。

アボリジニ独特の文化として目を引くのが、身体内部の骨格や内臓までを線画で描く透視画法（X線画法）。文字を使わなかった彼らは、この手法を使って生物の食べられる部位を伝えていたとも考えられています。

もっと知りたい！ 広大なカカドゥ国立公園内にはいくつかの名所があります。岩壁画が残されているのは保存状態の良い「ノーランジー・ロック」や動物を描いた壁画が多い「ウビル・ロック」「オビリ・ロック」。ほかにも、カササギなどが集まる湿原の「マムカラ」、潟に水鳥が集まる「イエロー・ウオーター」、豪快な滝のある「ジム・ジム・フォールズ」などがあります。

108

王家の谷(古代都市テーベとその墓地遺跡)

所在地 エジプト・アラブ共和国ルクソール県

登録基準 文化遺産/1979年/①③⑥

カイロから南へ670km。ナイル川の中流域東岸に位置するルクソール。その対岸に広がるのが、新王朝時代のファラオたちの墓所である王家の谷です。

古代エジプトでもっとも有名な青年王の死因は?

1922年、古代エジプト第18王朝の王(ファラオ)ツタンカーメンの墓が発掘されると、世界中が驚嘆しました。それまでファラオの墓は、例外なく墓泥棒に荒らされていたのですが、ツタンカーメンの墓は盗掘を逃れていて、黄金のマスクや豪華な副葬品がそのまま出土したからです。

ツタンカーメンは幼くして即位し、18~19歳で没した人物。目立った事績はないものの、発掘の結果、歴代ファラオのなかでもっとも有名な存在になりました。

しかも、1968年にツタンカーメンのミイラをレントゲン撮影したところ、後頭部に影が見つかり、ここを殴打されたのが死因ではないかと発表され、短い一生を終えた若きファラオを巡る暗殺の噂に注目が集まりました。ツタンカーメンの次に王位についたのが、高齢の宰相アイだったことも疑いを深めました。ところが、最近のCTスキャンや放射線を使った研究では、ツタンカーメンの頭部には外傷がないことやマラリアの感染などが判明しました。こうして現在、生まれつきの虚弱体質で、マラリアによって命を落とした可能性が高まっています。

もっと知りたい! 「王家の谷」はテーベとナイル川西岸を挟んだ岩山で、紀元前16世紀~紀元前11世紀までのおよそ500年間、新王国時代の王たちが葬られました。現在までにタンカーメンの墓を含む、エジプト新王国時代の王墓が24基も発見されています。

本日のテーマ 自然の不思議と驚異の技術を学ぶ！

4月18日

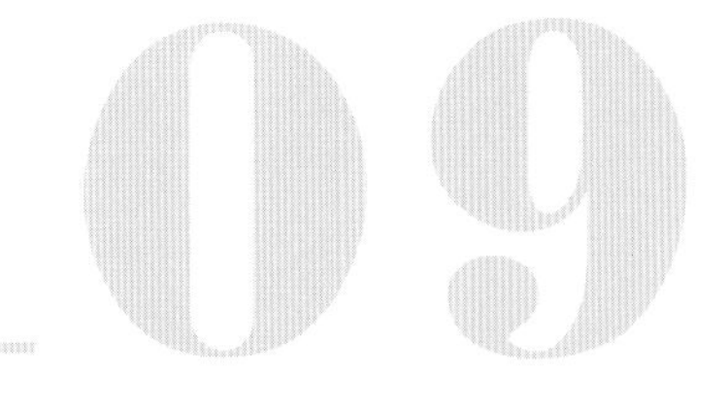

シュパイヤ大聖堂

所在地 ドイツ連邦共和国ラインラント・プファルツ州

登録基準 文化遺産／1981年／②

ロマネスク様式の建築をベースにさまざまな建築様式が混交したシュパイヤ大聖堂。

ドイツ・ロマネスク建築の魁となった大聖堂

11世紀の中世ヨーロッパで、新しい建築様式であるロマネスク様式が登場します。古代ローマ建築に使われた「アーチ」や「控え壁」、半円や交差の「ヴォールト（アーチ形の天井様式）」を駆使して建物の構造を強化する古代ローマの技術が再発見され、「回廊」「2列柱」「大きな窓」を持つ大規模な教会が建設されるようになったのです。

そうしたなかでも、ドイツのライン川沿いにある、均整の取れた姿が美しい「シュパイヤ大聖堂」は、ドイツにおけるロマネスク様式の草分け的存在とされています。神聖ローマ皇帝コンラート2世によって1030年頃から工事が始まり、その孫であるハインリヒ4世の改築によって基礎が築かれました。

その後、建物は破壊と再建を繰り返したため、今日の建物にはさまざまな様式が取り入れられていますが、石造りの交差ヴォールトによるアーチ天井や、柱を連結したアーチによる高窓アーチ型の天井を持つリズミカルな構造は、ヨーロッパ世界に影響を与え、ロマネスク様式の発展に貢献しました。

もっと知りたい！ シュパイヤ大聖堂には、コンラート2世とその妻をはじめ、神聖ローマ皇帝やドイツ王とその妻などが埋葬されており、「皇帝の大聖堂」とも呼ばれています。また、ドイツ最大とされる地下聖堂を有し、アーチが連なる静寂な空間が墓所となっており、棺などを見学することができます。

本日のテーマ ドラマを味わう!

110

メスキータ（コルドバ歴史地区）

所在地 スペイン王国アンダルシア州コルドバ県

登録基準 文化遺産／1984年、1994年／①②③④

10世紀に増改築された、赤いレンガと白の石灰岩を交互に並べた馬蹄型の二重アーチが果てしなく続く「円柱の森」。

キリスト教徒がイスラーム建築に敬意を表して生まれた奇観

コルドバは、イスラーム統治下の8世紀に大きく発展し、10世紀には50万もの人口を擁しました。街に建ち並ぶ300ものモスクのなかで最大なのがメスキータです。本来、メスキータとは「モスク」という意味ですが、コルドバの大モスクの固有名詞として使われるほど世に知れ渡った存在です。幅は約136m、奥行きは約186mで、2万5000人を収容でき、メッカにあるモスクを上回る大きさでした。

メスキータが建っているのは、ローマ帝国時代にはローマの神を祀る神殿が、その後はキリスト教の聖堂が建てられていた場所です。コルドバを占領したイスラーム教徒は、キリスト教徒と話し合い、まず聖堂の半分をモスクとして使いました。その後、キリスト教徒から聖堂を買い取って増改築を行ないました。つまり、イスラーム教徒とキリスト教徒の間で、平和のうちに受け渡しがなされたのです。13世紀、コルドバは再びキリスト教徒のものになり、メスキータは聖マリア大聖堂となりましたが、今度はキリスト教徒たちがメスキータに敬意を表し、改築こそすれ壊すことはせず、この奇観を守ったのです。

もっと知りたい! 異空間に迷い込んだような円柱の森には、現在856本の円柱が立っています。しかし、イスラーム時代にはさらに多い1012本の円柱が立っていたと言います。二重アーチはただの装飾ではなく、天井をより高くするための技術です。柱は古代の建築から流用されたため、よく見ると材質や太さ、装飾がそれぞれ異なっています。

本日のテーマ ゆかりの人物に出会う！

4月20日

蘇州古典園林

所在地 中華人民共和国江蘇省

登録基準 文化遺産／1997年、2000年／①②③④⑤

蘇州の名園のひとつ拙政園。5万㎡の敷地を持つ蘇州最大の庭園で、明代の官僚・王献臣が寺を買い取り庭園にしたものです。蓮池を中心に楼閣や廻廊が配されます。

大運河を開削して蘇州発展の礎を築いた煬帝の大事業

「東洋のベニス」ともうたわれた蘇州は、長江下流に位置し、いくつもの水路が街を流れ、古来より水を生かした庭園が点在する風光明媚な水の都です。

春秋時代の呉の都城に始まる蘇州を、今のような景勝地へと発展させたのは煬帝（ようだい）でした。

煬帝は581年に中国の再統一を果たした隋の2代皇帝で、国家事業として大運河の開削に取り組みます。

西は長安、北は北京、南の杭州を結ぶ2800kmにもおよぶ大運河が開削されたことで、南北の道がつながり、南北の物資流通を発展させることになりました。煬帝は、運河沿いに40余りの離宮を築いて季節ごとに移り住んだとも言われています。

蘇州はのちに貿易の拠点として発展し、明から清にかけてその風光明媚な景観に惚れ込んだ、富豪や貴族などがこぞって名園を建てるようになりました。庭園の数は200に及び、水に映る建物や木々が美しい蘇州最大の拙政園や留園、獅子林、網師園などが点在しています。

もっと知りたい！ 煬帝の度重なる高句麗遠征の失敗や土木工事により、重税と徴用を強いられた民衆は不満を募らせ、各地で反乱や暴動が頻発するようになりました。煬帝は江都（現在の揚州）に逃れましたが、618年に不満を抱く近衛の将軍による反乱が起こり、煬帝は兵士に殺され、隋は滅亡しました。

エローラ石窟群

所在地 インド共和国マハラーシュトラ州

登録基準 文化遺産／1983年／①③⑥

シヴァ神に捧げられたヒンドゥー教寺院のカイラーサナータ寺院。鑿と槌だけで掘り抜かれた石窟寺院で、完成までに100年以上の年月を費やしたと伝わります。

仏教、ヒンドゥー教、ジャイナ教が共存した不思議な石窟

デカン高原の岩山の裾で、34もの石窟が全長2㎞余りに渡って続いているのがエローラ石窟群です。玄武岩を彫り抜いた石窟は、時代が移るにつれ南から北へと築かれました。南から数えて第1〜12窟は3〜8世紀前後に造営された仏教の石窟、第13〜29窟は7〜9世紀前後のヒンドゥー教の石窟、第30〜34窟は9〜10世紀のジャイナ教の石窟です。

仏教窟は簡素で、奥行きのある空間が特徴。ヒンドゥー教窟は数も規模も大きく、建築は力作ぞろいで彫刻も躍動感にあふれています。ジャイナ教窟は比較的規模が小さく、繊細な彫刻で神々や開祖の姿を表し、第32・33窟には天井画があります。

造営時期は重なることもあったと思われますが、妨げ合うようなことはなかったようです。それぞれの宗教の石窟を巡ると、信仰だけでなく当時の風俗をも知ることができます。

ジャイナ教の石窟を最後に、新たな石窟の造営はなくなりました。それでも、3つの宗教はエローラで平和に共存し続け、他の遺跡のように荒らされたり忘れ去られたりすることはありませんでした。いつの時代も、参詣者が絶えることなく、現在に至っています。

もっと知りたい！ 第16窟のカイラーサナータ寺院は、岩山全体を丸ごと上から下へと彫り進めて、シヴァ神の住むカイラス山を模したものです。高さ34m、幅46m、奥行き80mで、全体が神々や神話の場面の浮き彫りで埋め尽くされています。もとがひとつの岩山なので、寺院そのものが世界一大きな彫刻と言うこともできます。

113

ラヴェンナの初期キリスト教建築物群

所在地 イタリア共和国エミリア＝ロマーニャ州ラヴェンナ

登録基準 文化遺産／1996年／①②③④

八角形の平面プランに建つラヴェンナのサン・ヴィターレ聖堂。

ローマ教皇領の始まりとなったピピンの寄進

北イタリアの港町であるラヴェンナは、8世紀の「ピピンの寄進」という出来事により、ローマ教皇に寄進された都市で、教皇領発祥の地として有名です。

もともとラヴェンナは402年、西ローマ帝国の首都になったのを契機に発展しました。聖堂や墓廟などのキリスト教の豪華な建造物が次々に建造されましたが、とくにウァレンティニアス3世の母で摂政のプラキディアが多くの聖堂を建築し、華やかな装いの都市になりました。初期のキリスト教建築であるバシリカ式（長方形の平面プランで後陣は半円状）や集中式（円形神殿を起源に円・六角・八角堂など）の建築物が多く残されています。

その後、ビザンツ帝国領となったラヴェンナはランゴバルド族に占拠されます。メロヴィング朝を倒し、フランク王国にカロリング朝を開いたピピンが、イタリア半島に遠征してラヴェンナをランゴバルド族から奪うと、王位を認めてもらうのと引き換えに、この地をローマ教皇に献上しました。これが「ピピンの寄進」と呼ばれ、19世紀まで続く教皇領の始まりとなりました。

もっと知りたい！ ラヴェンナの聖堂は美しいモザイク画で有名ですが、とくにサン・ヴィターレ聖堂のものが圧巻です。八角形の集中式の建物内部は、色鮮やかなモザイク画で覆われています。子羊を囲む天使たちや楽園で天使と並ぶイエス像といった聖書の物語のほか、ユスティニアヌス・ビザンツ皇帝とテオドラ皇妃などの姿が描かれています。

114

岩のドーム（エルサレムの旧市街とその城壁群）

所在地 エルサレム（ヨルダン・ハシェミット王国による申請遺産）

登録基準 文化遺産／1981年／②③⑥（危機遺産）

岩のドームにはムハンマドが神秘の旅に出たとされる神聖な岩が伝わります。

エルサレムはなぜイスラーム教の聖地なのか？

エルサレムは紀元前1000年頃、ダビデ王によってイスラエル王国の首都となって以降、王国の滅亡後もユダヤ人が帰還を夢見続けた聖地でした。また、イエス・キリストが十字架に処せられたキリスト教の聖地であり、イスラーム教においては開祖ムハマンドが神の啓示を受けて、ブラークという生き物に乗り、大天使ジブリール（ガブリエル）に先導されて昇天し舞い戻ったと伝わる重要な信仰の地です。

今ではムハマンドが昇天した場所に八角形の建物と丸いドームが壮麗な「岩のドーム」が建てられ、中央にはムハマンドが旅立った場である聖なる岩が置かれています。

岩のドームはウマイヤ朝のカリフ、アブド・アルマリクによって建てられました。ドームの頂上までの高さは35m。黄金色に輝いていますが、金に覆われたアルミで造られています。創建当初は純金で造られていましたが、その後何度も修復され、いつしか銅に変わり、さらに現在のようなアルミに置き換えられたのです。

もっと知りたい！ エルサレムは、7世紀以降、一時期を除いて20世紀までイスラーム教徒が支配してきました。現在、旧市街の東エルサレムはヨルダン領、新市街の西エルサレムはイスラエル領と定められていますが、東エルサレムもイスラエルが占領。そのためヨルダンが世界遺産として申請し、遺産保有国は実在していません。

115 モヘンジョ・ダロの遺跡群

所在地 パキスタン・イスラーム共和国シンド州
登録基準 文化遺産／1980年／②③

整然とした街並みの遺構だけが佇むモヘンジョ・ダロ。

整備された文明都市はなぜ唐突に滅亡を迎えたのか？

インダス文明を代表する都市遺跡モヘンジョ・ダロは紀元前2300年～紀元前1700年頃に栄えました。街区には碁盤目状の路が走り、レンガ造りの住居が建ち並んでいました。しかもそれぞれに井戸があって、排水専用の溝まで設けられていました。

公共の場と思われる区域には、沐浴場、学問所、穀物倉などもあります。また、上下水道も整備されていたことから、住民たちは快適な生活を送っていたことがうかがえます。

ところが、モヘンジョ・ダロの繁栄は唐突に終わりを迎えます。

これまでは、アーリア人の侵入で滅びたとされていましたが、放射性炭素年代測定法で調査したところ、アーリア人の侵入よりも200～300年前にすでにモヘンジョ・ダロは滅びていたことが判明したのです。

そこで大洪水を原因とする説、川の流れの変化に伴う乾燥化で食糧不足になったとする説などが挙げられました。しかし、徐々に衰退した痕跡はなく、住民たちがなぜ都市だけを残して消えたのか、有力な説が今も出ないままなのです。

もっと知りたい！ モヘンジョ・ダロの滅亡について、強い光と熱で、多くの人々と建物を破壊する「アグネアの武器」という『マハーバーラタ』に登場する武器に着目したある学者は、遺骨の一部から、通常の50倍もの放射能が検出され、出土したガラス状の物体を砂やレンガが2000度以上の高熱で溶けたものだと指摘。核戦争によって滅びたと結論付けました。

サナア旧市街

所在地　イエメン共和国サナア

登録基準　文化遺産／1986年／④⑤⑥

高層住宅が林立するイエメンのサナア旧市街。

1000年前と変わらぬ生活が営まれる中世の街並み

アラビア半島南部のイエメンのサナア旧市街を特徴付けるのは、なんといっても花崗岩などの岩と日干しレンガを積み上げて造った高層住宅が林立する光景でしょう。住宅の数は約6000棟にも及び、大部分が5階建て以上の高さです。しかも、鉄筋などの補強材がまったく使われていません。また、化粧漆喰の壁と高層階に開いたステンドグラスのカラフルな窓も見どころのひとつとなっています。

各棟の内部は、下層階が家族の居住空間、最上階が「マフラージ」と呼ばれる客人を迎える特別室として利用されています。

これらの特異な高層住宅は1000年以上前からこの地で築かれてきました。

紀元前10世紀頃、当時のイエメン地域にはシバの女王が君臨し、乳香交易によって繁栄を極めたものの、いつしか富を巡る争いが続くようになりました。そこで、部族主義の強いイエメンの人々は、防御のために町に集住するようになり、その結果、自衛と人口増加の対策として高層住宅が築かれるようになったのです。

もっと知りたい!　サナア旧市街のビル群は、実は2階以下に窓が設けられていません。これは、壁の強度を上げるための構造ですが、加えて侵入者や砂ぼこりが家に入らないようにするという目的もあります。ほかにもイスラームの戒律を守る国のため、女性の姿が外から見えないようにするという理由もあるようです。

本日のテーマ ドラマを味わう!

カトマンズの谷

所在地 ネパール連邦民主共和国カトマンズ郡

登録基準 文化遺産／1979年／③④⑥

チベット仏教の聖地ボダナート寺院のスワヤンブナートは、基壇の直径が27mある仏塔で、四方に描かれた目が強烈な印象を残します。これは、世界のすべてを見通す仏陀の目とされています。

マッラ三王国が文化的優位を競い合って発展した伝統芸術

ネパールの首都カトマンズがあるのがカトマンズ盆地です。この都市はヒマラヤ山脈の山々に囲まれた標高1300mという高所ながら、インドとチベットを結ぶ中継地として繁栄してきました。

直径20㎞ほどの地域に、ヒンドゥー教と仏教（チベット仏教）が宥和してできた建築物が、およそ900も林立しています。

15世紀後半、それまでカトマンズを治めていたマッラ朝が分裂して、カトマンズ、パタン、バードガオンという3つの国になりました。

これがマッラ三王国です。

パタンはカトマンズの南15㎞ほどのところ、バードガオンは東南東15㎞ほどのところに位置し、それぞれに王宮とダルバールと呼ばれる王宮広場があります。三王国は、建築や文化の面でも競い合い、より優れたものを生み出そうとしました。その結果、数々の寺院や王宮が軒を並べるようになったのです。

もっと知りたい! カトマンズでは、チベット仏教とヒンドゥー教の両方が信仰されてきました。チベットともインドとも人や物の往来が多く、王族同士の結婚もありました。そのためか、仏陀とシヴァ神は双子という独特の宗教観があり、互いの信仰に敬意を払っているのです。

本日のテーマ　ゆかりの人物に出会う！

4月27日

118

曲阜（きょくふ）の孔廟、孔林、孔府

所在地　中華人民共和国山東省

登録基準　文化遺産／1994年／①④⑥

孔林の「林」は墓所を意味し、周囲には塀が張り巡らされ、敷地内は2万本もの樹木で覆われています。

戦乱の世に登場して仁の道を説いた中国思想の源流

中国大陸に割拠した諸侯が覇権を争った春秋戦国時代に、各自の得意分野の考えを遊説する「諸子百家」と呼ばれる思想家が活躍しました。

各国は有能な諸子百家を求め、彼らを活用して国力を高めました。諸子百家のなかでも孔子を祖とする儒家は後世、中国思想の根本である儒教へと発展します。魯国出身の孔子は宰相代行まで務めるも、のちに諸国を巡り、魯に帰ると教育や典籍を整理して3000人の弟子に教えました。その教えは思いやりの仁を重視した仁政による理想国家を説くもので、その思想を著した『論語』は中国思想の源流となり、さらには東アジアに大きな影響を与えました。

その孔子を祀る「孔廟」は、死の翌年の紀元前478年に、魯の哀公が孔子の生誕・終焉の地である曲阜に大成殿を建てたのが始まりです。孔子が神格化されるなかで歴代皇帝が拡張し、9つの庭と466室、面積1836㎡という大建築になりました。孔廟の大正殿は清の18世紀に明時代のものを復元したもの。孔廟には、孔子一族の墓「孔林」、孔子一族の私邸と役所で孔家77代が過ごした「孔府」も併設されています。

もっと知りたい！　孔子は貧しい家に生まれましたが、その才を魯公に見いだされ、農事や司法長官、さらには宰相代行にまで出世します。しかし、改革を図り失敗して辞職をすると、諸国を遊説して回りましたが、諸国の厳しい政情は彼の説く徳治主義を受け入れられず、彼自身も何度も命の危険にさらされました。68歳のときに魯に戻り、以降は弟子の教育に専念しました。

聖地アヌラーダプラ

119

所在地 スリランカ民主社会主義共和国北中部州アヌラーダプラ県

登録基準 文化遺産／1982年／②③⑥

アヌラーダプラの3大仏塔のひとつルワンウェリセーヤ仏塔。世界最大級の仏塔で、75mの高さを誇ります。

上座部仏教の発信地となったスリランカ

シンハラ朝の最初の都アヌラーダプラは、スリランカへの仏教伝来の地です。

紀元前3世紀、シンハラ朝の第7代国王のデワーナンビヤ・ティッサは、仏教の擁護者として名高いアショカ王の王子マヒンダの説法に感銘を受けて仏教に帰依し、マハーヴィハーラ寺院を建立しました。仏陀（釈迦）がその下で悟りを開いたという菩提樹の枝を求めると、アショカ王の王女サンガミッターがその枝を壺に入れてやって来ました。菩提樹の枝はこの地に根づき、マハーヴィハーラ寺院と菩提樹はスリランカの仏教の基礎となりました。

その後も美しさと大きさで見る者を驚嘆させるルワンウェリセーヤ仏塔、アバヤギリ仏塔、ジェータワナ仏塔の3大仏塔が建てられ、スリランカの仏教は発展し続けました。大乗仏教や密教も伝来し、スリランカの中でも宗派の分裂はありましたが、上座部仏教はさかんであり続けました。

10〜11世紀にチョーラ朝の侵略によってシンハラ朝は遷都し、アヌラーダプラも一時は衰退しましたが、仏教の聖地としての復興をとげ、多くの参拝者が訪れています。

もっと知りたい！ 釈迦の菩提樹はインドのブッダガヤにあります。菩提樹は樹勢が強く、挿し木で容易に増やすことができるので、各地に運ばれて子孫が育っています。実は現在のブッダガヤにある木は、過去に枯れてしまい、3代目であると言われています。

本日のテーマ 歴史を知る！

4月29日

120 ザルツブルク市街の歴史地区

所在地 オーストリア共和国ザルツブルク州

登録基準 文化遺産／1996年／②④⑥

右上の丘の上にそびえるホーエンザルツブルク城は、教皇を匿うために建設されました。

叙任権闘争の渦中で要塞化した司教の館

ザルツブルクは9世紀以降、約1000年にわたって大司教が統治し、中部ヨーロッパの中心として栄えた教会都市です。

豪華な大聖堂や教会などが建ち並ぶなか、ひときわ壮大なホーエンザルツブルグ城は、1077年に起きたカノッサの屈辱をきっかけに建てられた城です。

当時、ローマ教皇グレゴリウス7世と神聖ローマ皇帝ハインリヒ4世は、聖職叙任権を巡り対立していました。帝国内の権力固めのため、自ら司教を任命したハインリヒ4世に対し、聖職の任命叙任権を独占したい教皇は破門をもって対抗します。動揺した帝国内の諸侯が教皇側についたためハインリヒ4世も屈するしかなく、教皇が滞在するカノッサ城に向かうと、雪のなかに3日間も佇んで許しを請い続けたのです。これが「カノッサの屈辱」です。

しかし、この後も対立が続いたため、教皇の避難先としてホーエンザルツブルク城が築かれました。元は簡素な館でしたが、歴代の大司教により増築され城砦化。内部も豪華に装飾され、黄金の間やオルガンの間のほか、拷問部屋などがあります。

もっと知りたい！ ザルツブルグは作曲家モーツアルトの生誕地としても有名です。神童として知られ、早くから頭角を現わしたモーツアルトは25歳までこの地で過ごしました。1920年から毎年夏、モーツアルトを記念する国際的な音楽祭「ザルツブルク記念祭」が開かれ、クラシックファンの聖地として多くの人が訪れます。

本日のテーマ 伝説に浸る！

アーヘン大聖堂

所在地 ドイツ連邦共和国ノルトライン＝ヴェストファーレン州

登録基準 文化遺産／1978年／①②④⑥

カール大帝の宮廷跡に建つアーヘン大聖堂。

カール大帝の宮廷跡として玉座が伝わる大聖堂

8〜9世紀にかけて領土を拡大して西ヨーロッパを統一し、イスラーム帝国や東ローマ（ビザンツ）帝国に接する大帝国を西ヨーロッパに築いたのが、フランク王国カロリング朝の王カール大帝です。800年には教皇からローマ皇帝の冠を授けられ、西ローマ帝国を復活させました。

カール大帝が都を置いたのはドイツ西部のアーヘン。805年にはアーヘンのシンボルとなる壮大な宮廷礼拝堂を築かせます。

この礼拝堂が以後、増改築を繰り返すなかで、ビザンチン、ドイツ・ロマネスク、ゴシックといった複数の建築様式が混在し、青いステンドグラスや八角形のドーム、黄金があしらわれた壁画など、独特な存在感を誇る現在の姿となりました。また、西構えの構造をとり、その入口に皇帝の玉座が置かれているのも画期的でした。

カール大帝は、夏は戦場に出ていたものの冬はこの大聖堂と結ばれた宮殿で過ごし、没後は大聖堂に葬られました。中世は歴代神聖ローマ皇帝の戴冠式もここで執り行なわれるなど、ヨーロッパの重要拠点となりました。

もっと知りたい！ アーヘン大聖堂に隣接する宝物館にはカール大帝の上半身の像が展示されていますが、この内部にはカール大帝の頭蓋骨が納められています。カール大帝はこの大聖堂に埋葬されましたが、死後500年以上経過した1349年に半身像が製作されました。このとき、頭蓋骨だけが像の内部に納められ、聖遺物として信仰されるようになったのです。

本日のテーマ 謎と不思議を愉しむ！

5月1日

122 カジュラーホの建造物群

所在地 インド共和国マディヤ・プラデーシュ州

登録基準 文化遺産／1986年／①③

官能的なミトゥナ像（男女一対の像）で埋め尽くされたカジュラーホのカンダーリヤ・マハーデーヴァ寺院。

寺院なのに官能的な彫刻で覆い尽くされているのはなぜ？

中部インドの小さな村カジュラーホに残る寺院群は、かつてこの地を支配したチャンデッラ朝によって10～11世紀に建設されました。中世インド建築の白眉とされ、現在は25の寺院が残されています。かつて85もの寺院があったと伝えられるこの寺院群は、西群、東群、南群に分けられ、その多くをヒンドゥー教の寺院が占めます。

これらの寺院は高い基壇の上に建てられた石積みの本堂と、天高くそびえる砲弾状の高塔を特徴とし、中心となるカンダーリヤ・マハーデーヴァ寺院の尖塔の高さは31mに達します。その形状は、シヴァ神が住まうカイラーサ山を表わすものと言われています。

もうひとつの特徴が、寺院の壁面をびっしりと埋め尽くす彫刻群。それは男女がさまざまな形で交合する官能的なもので、ミトゥナ像と呼ばれ、男女一対の像という意味を持ちます。寺院でありながら、こうした彫刻が許されたのは、ヒンドゥー教が性愛を神聖なものとみなしているため。当時、盛んだったタントリズムの男女の交歓が宇宙との一体化につながるという考えによるものなのです。

もっと知りたい！ 性愛を重視する考えは、後期密教にも影響を与えています。儀礼の中には、行者が女神と性交することを想ったり、性技のしぐさをするものがあります。また、秘儀中の秘儀である儀式では、実際の性交が行なわれたとも言われています。

本日のテーマ 自然の不思議と驚異の技術を学ぶ！

5月2日

ヒエラポリス-パムッカレ

123

所在地 トルコ共和国デニズリ県

登録基準 複合遺産／1988年／③④⑦

ローマ時代より愛されてきたパムッカレは、汚染と消滅の危機を乗り越え、美しさを取り戻しつつあります。

台地上に形成された幻想的な石灰の温泉

かつて歴代のローマ皇帝が愛し、今でもトルコ屈指の温泉地として知られる「パムッカレ（綿の城）」。綿を敷き詰めたかのように真っ白な100余りの石灰棚が、棚田のように何層も重なり、その内側にサファイヤブルーのお湯がたたえられた風景がじつに幻想的です。

この不思議な光景は、お湯が高さ100mほどの石灰岩の台地を流れ下り、湯に含まれた石灰分が岩に積もって石灰棚を形成してできたものです。

石灰棚近くの台地に眠る古代都市ヒエラポリスは、紀元前2世紀にペルガモン王国が建設した宗教都市でしたが、紀元前133年、ローマに譲渡されました。するとパムッカレはローマ皇帝たちのお気に入りの温泉地となり、神殿やローマ劇場、浴場、運動施設、凱旋門など、豪華施設が次々と築かれました。

その後、ヒエラポリスの繁栄は11世紀後半、セルジューク朝の侵入を受けて衰退するまで続きました。

今に残るローマ帝国時代の遺構が、往時の賑わいを伝えてくれます。

もっと知りたい！ パムッカレは20世紀に入り、一時消滅の危機に陥りました。観光開発が進み、大勢が入浴したり、周辺にホテルが多く建って温泉を引いたりしたため、温泉が枯れかけてしまったのです。それを救ったのが、1988年の世界遺産登録でした。これで温泉の入浴が禁止され、ホテルも閉館となり、現在、お湯は戻りつつあります。

本日のテーマ　ドラマを味わう！

5月3日

古都ホイアン

124

所在地　ベトナム社会主義共和国クアンナム省

登録基準　文化遺産／1999年／②⑤

古都ホイアンの来遠橋。日本人街と中国人街を結んでいた橋で、日本の職人が造ったと言われることから、今も「日本橋」「日本人橋」と呼ばれています。

朱印船も訪れた阮朝の貿易港

チャンパー王国の時代から貿易港として繁栄していたトゥボン川河口のホイアンには、アラブやヨーロッパなど、遠国からの船も来航しました。16世紀に成立した阮朝のもとで貿易はさらに活発になり、17世紀には日本の朱印船もさかん訪れました。

そして日本人街ができ、最盛期には1000人もの日本人が暮らしていたと言われています。江戸幕府が朱印船の渡航を禁じるようになったため、日本との行き来は途絶えてしまいましたが、郊外には日本人の墓も残されています。

ホイアンでは、絹、茶、コーヒーなどの奢侈品も多く取り引きされていました。1770年代の西山の乱で街は破壊され、現在の建物の多くはその後に建てられたものですが、通りにはベトナムの伝統的な建築と、日本、中国、フランスなどの建築が融合した木造家屋が連なり、エキゾチックな趣です。

とくに中国から移り住んだ華僑が建設した寺院、集会所、商人の家々が多く、色彩豊かな装飾を見ることができます。

もっと知りたい！　19世紀になると、トゥボン川は土砂の堆積のために水深が浅くなり、しかも、船が大型化する時代だったため、ホイアンは貿易港としての役割を果たすことができなくなりました。しかし、開発から取り残されたため戦争の被害も受けず、街並みが残されたのです。

本日のテーマ　ゆかりの人物に出会う！

5月4日

125

エディンバラの旧市街と新市街

所在地　英国スコットランド　ロージアン州

登録基準　文化遺産／1995年／②④

キャッスル・ロックと呼ばれる岩山の上に立つエディンバラ城とエディンバラの街並み。

イングランドからの独立を成し遂げたスコットランドの英雄

スコットランドの首都である大都市エディンバラ。その旧市街は、迷路のように入り組んだ石畳の坂道が続くなか、中心にはキャッスル・ロックと呼ばれる急峻な岩山の上にエディンバラ城がそびえています。

来る者を拒むかのようなこの城は、7世紀にスコットランド王の居城兼要塞として築かれて以降、イングランドとの戦いに備えて城塞化され、スコットランドの軍事拠点となりました。

そして13世紀、スコットランドはこの城を拠点にイングランドからの独立戦争を繰り広げます。その独立戦争の英雄が、城門に像が飾られているウィリアム・ウォレスとロバート・ブルースです。

13世紀末、スコットランドに進攻したイギリスのエドワード1世に対してウォレスが立ち上がり、スターリング・ブリッジでイングランド軍を撃破しました。その後、彼は敗れて処刑されますが、ブルースがその遺志を継いでスコットランド王位に就き、バノックバーンの戦いに勝利して、1328年に独立を勝ち得たのです。

もっと知りたい！　エディンバラ城では今も民族衣装をまとった衛兵が立ち、空砲を発射する儀式が行なわれています。また、この城には、城内最古のセント・マーガレット礼拝堂、宝器などが展示されたクラウン・ルーム、スコットランド女王メアリー・スチュアートの部屋、大砲などの見どころがあります。

本日のテーマ 暮らし・文化に触れる！

5月5日

フエの建造物群

所在地 ベトナム社会主義共和国トゥアティエン・フエ省

登録基準 文化遺産／1993年／④

フエの王宮。王宮の城壁は、その頃ヨーロッパで流行していたヴォーバン式という工法で築かれ、宮殿は北京の紫禁城を手本とし、その4分の3の縮尺で造られています。

中国と西洋の文化が融合した阮朝の王宮

ベトナム最後の王朝である阮朝が、1802年から首都としたのがフエです。

阮朝はフランスの援助を受けており、またベトナムは古くから中国と朝貢貿易をすることで独立を保ってきた経緯があるため、フランス文化と中国文化の両方の影響が強いのが特徴です。宮殿はのちに名称まで「紫禁城」となりました。

城壁の内外には、多くの寺院、庭園、霊廟があります。ティエンムー寺院、トゥーダム寺院など由緒ある寺が点在し、フエは「寺の街」と言われるほどです。庭園も、フランス風、中国風それぞれの特色があり、王の廟はどれも宮殿のようにきらびやかです。

第2次世界大戦が終結した1945年、革命政権の樹立によって阮朝の王は退位させられました。さらにベトナム戦争時の1968年、フエ市街は戦場となって多くの死者を出し、紫禁城もことごとく破壊されてしまいました。

しかしその後、儀式の場だった太和殿、石造りの正門で3つの門口がある午門などは、補修が行なわれ、現在は豪華な姿を甦らせています。

もっと知りたい！ ベトナム戦争時、南ベトナム政権が行っていた仏教への弾圧に抗議して、焼身自殺をとげた僧侶たちがいました。最初に自殺したのがティエンムー寺院のドゥク師で、炎に包まれながらも蓮華座を崩さないその姿は世界中に報道され、国際世論を動かしました。

本日のテーマ　歴史を知る！

5月6日

127

アヴィニヨン歴史地区
法王庁宮殿、司教関連建造物群およびアヴィニヨン橋

所在地　フランス共和国プロヴァンス=アルプ=コート・ダジュール地域圏ヴォクリューズ県

登録基準　文化遺産／1995年／①②④

ローヌ河にかかるアヴィニョン橋と教皇庁。

アヴィニョン教皇庁と教皇のバビロン捕囚

フランスのアヴィニヨン歴史地区には1309年から約70年間、教皇庁が置かれました。

十字軍遠征の度重なる失敗により教皇の権威が失墜しつつあった13世紀末、教皇ボニファティウス8世とフランス王フィリップ4世が聖職者の課税を巡り対立します。教皇はフィリップを破門しますが、逆にフィリップはアナーニに滞在していた教皇を捕らえて監禁するという暴挙に出ました。これがアナーニ事件です。

その後、フィリップは新教皇に選ばれたクレメンス5世に命じ、教皇庁をローマからアヴィニヨンに移転させます。以降約70年間、教皇はフランス王の監視下に置かれ、「教皇のバビロン捕囚」と呼ばれる事態に陥りました。

ただし、アヴィニヨンの教皇たちは芸術家のパトロンになり、宮殿の増改築などを繰り返すなど豪奢な生活を送ったようです。

外観は石造りの城塞ながら、内部のフレスコ画やタペストリーで装飾された広大な教皇宮殿などが当時の栄華を伝えています。

もっと知りたい！　アヴィニョンでは毎年夏に約3週間にわたり「アヴィョン演劇祭」が開催されます。会場は教皇宮殿の中庭や宮殿前の広場などを中心に約800か所もあり、飛び入り参加も可能です。古典演劇や前衛演劇、映画、ダンス、音楽などさまざまな催しが各地で繰り広げられ、真夜中も宮殿前の広場では大道芸やダンスなどで盛り上がります。

本日のテーマ　伝説に浸る！

5月7日

アクスム

128

所在地　エチオピア連邦民主共和国ティレグ州

登録基準　文化遺産／1980年／①④

マリア・シオン大聖堂には契約の箱が伝わり、年に一度、そのレプリカがティムカット祭りでが公開されます。

33mのオベリスクがそびえる「契約の箱」伝説

紀元前後、エチオピア北部に築かれたアクスム王国は紅海貿易で繁栄しましたが、イスラーム文化圏に取り込まれ、10世紀以降は衰退しました。

336年にキリスト教国に改宗していたため、王都アクスムにはキリスト教遺跡が多く残されています。そのひとつが130余りのオベリスク群。このオベリスクは高さが33mもある巨大なもので、断面は長方形の独特の形をしています。これについては祖先崇拝にかかわるもの、あるいは王の墓標とも言われていますが、詳細はわかっていません。

アクスムは、キリスト教全体にとって特別な場所です。なぜならアクスムにあるマリア・シオン大聖堂には、モーセが神から授かった十戒を納めた「契約の箱（聖櫃）」があるとされているからです。

紀元前10世紀頃、イスラエルの王ソロモンとシバの女王との間に生まれたエチオピアの初代国王メネリクが、聖櫃をイスラエルからアクスムに運んだと伝えられ、大聖堂では聖櫃にまつわるお祭りも催されています。

もっと知りたい！　アクスムには、オベリスクのほかにも、シバの女王の宮殿跡、彫刻、像の断片、シバ文字で記した銘文など、当時を知る貴重な遺跡が発見されています。なお、オベリスクの柱頭にみられる半月板の石板のシンボルは、ほかの遺構にもみられるものです。

本日のテーマ 謎と不思議を愉しむ！

5月8日

秦の始皇帝陵

129

所在地 中華人民共和国陝西省

登録基準 文化遺産／1987年／①③④⑥

兵馬俑の全景。別々に作られた顔や手足をあとから接合して作られていたことがわかっています。

いまだに全容が解明されない覇王の陵墓

紀元前221年に史上初めて中国を統一した秦の始皇帝が、1日に70万人もの囚人や職人を動員し、約40年をかけて造営したのが西安郊外にある始皇帝陵です。その規模は総面積200万㎡を誇り、墳丘のほか、祭祀施設、神殿などが発掘されています。

1974年に発見されて世界中に衝撃を与えた兵馬俑もその一部。陵の東側にあって、陶器でできた兵士、戦車、馬などが整然と並んでいます。兵士の身長は180㎝ほどと大型です。しかもポーズや顔つき、甲冑、武器、馬具に至るまで、一体一体異なっていることから、実在の兵士をモデルに製作されたと考えられています。これまでに発掘は3号坑まで進み、8000体近くもの兵士が出土しています。

司馬遷の『史記』には、始皇帝陵についての詳しい描写があり、遺体のそばに水銀の川や海を作ったという記述があります。

これまでは誇張した表現かと思われてきましたが、始皇帝陵の土の水銀含有量が非常に多いことが判明し、さらなる調査が期待されています。

もっと知りたい！ 始皇帝陵も兵馬俑の兵士も、すべて東を向いています。中国の君主は北に座して南を向く習慣があるので、これは異例のことです。この謎については、秦と敵対していた国がすべて東側にあったので、その方角に睨みをきかせているという説があります。また、東の海の彼方の蓬莱山には不老不死の薬があり、始皇帝はそれを求めていたという説もあります。

本日のテーマ 自然の不思議と驚異の技術を学ぶ！

ウルネスの木造教会

130

所在地 ノルウェー王国ソグン・オ・フィヨーラネ県

登録基準 文化遺産／1979年／①②③

フィヨルドを一望する丘の上にそびえるウルネスの木造教会。キリスト教の建築でありながら、北欧神話が共存しています。

ヴァイキングの伝統工法とキリスト教が融合した木造教会

中世、スカンジナビア半島のフィヨルド一帯を拠点に、ヨーロッパ各地を荒らしまわったノルマン人（ヴァイキング）。キリスト教に改宗した彼らは、キリスト教とヴァイキング文化が融合した北欧独特の建築様式を持つ「スターヴヒルケ」と呼ばれる木造教会を生み出しました。現在、スターヴヒルケはノルウェー国内に28棟残っています。なかでもルストラフィヨルドの上の断崖に建つウルネスの木造教会は、12世紀前半の建築で、ノルウェー最古の木造建造物でありながら保存状態が良く、「スターヴヒルケの女王」と呼ばれています。

建築方法は、堅牢な基石の上に立てられた土台梁に、支柱や外壁となる厚板をはめこむというヴァイキング独自の工法で、窓は上部にだけ設けられました。釘やねじを使わず造り上げているため、建物は弾力性が高く、強風にも柔軟に対応できる構造となっています。柱や壁には北欧神話を題材にした装飾が施されており、北欧独自の趣を伝えています。

もっと知りたい！ ウルネス木造教会の北側外壁には、蔓が絡み合うような装飾紋様が掘り込まれています。これは一般に北欧神話の世界樹「ユグドラシル」とその蔓をかじる鹿、もしくはニーズヘグ（北欧神話に登場する竜）を表現したものと言われています。

本日のテーマ ドラマを味わう！

5月10日

アマルフィ海岸

131

所在地 イタリア共和国カンパニア州
登録基準 文化遺産／1997年／②④⑤

アマルフィの全景。限られた陸地のなか、家々は急峻な崖にへばりつくように密集し、人々は狭い石段や坂道を通って行き来しています。街のあちこちに広場が設けられ、陽光に輝くティレニア海を見渡すことができます。

地中海世界に勢力を拡大して航海の法律を編纂した港湾都市

風光明媚なリゾート地として知られるアマルフィですが、かつてここは強力な海洋国家でした。急峻な絶壁と深い入り江という地形は、まさに天然の良港です。加えて街の背後の険しい崖を人や馬が越えるのは難しく、敵の襲来を阻む防壁ともなりました。

4世紀頃からローマ人がここに人が住み着き、集落は街へと発展。6世紀頃からビザンツ（東ローマ）帝国の支配下で海上交通を発達させると、9世紀には都市国家として独立したアマルフィ海運共和国が誕生しました。

最盛期を迎えた10〜11世紀には、ピサ、ジェノヴァ、ヴェネツィアと並んで四大海運都市国家のひとつとなり、地中海の覇権争いを展開。また航海に関する法律「アマルフィ法」を世界に先駆けて編纂し、これが後の国際的な海法の基本ともなりました。

しかし、11世紀末から12世紀にかけてノルマン人に侵略されてから勢いが衰え、12世紀には宿敵ピサとの戦いに敗れて都市国家たるアマルフィは衰退していきました。

もっと知りたい！ アマルフィはイスラーム諸国やオリエントともさかんに交易を行い、各地に商館を構えていました。大聖堂をはじめとするアマルフィの建物が、彩色タイルの幾何学模様で装飾され、エキゾチックな雰囲気が漂っているのは、アラブ・ノルマン様式の影響なのです。

本日のテーマ　ゆかりの人物に出会う！

5月11日

132

アッシージ、聖フランチェスコ聖堂と関連遺跡群

所在地　イタリア共和国ウンブリア州

登録基準　文化遺産／2000年／①②③④⑥

聖フランチェスコの生誕地であるアッシジの聖フランチェスコ聖堂。

権門化が進む教会の改革を行なった聖フランチェスコ

12世紀、イタリアに「キリストの再来」と呼ばれた人物が生まれます。アッシージの托鉢修道会であるフランチェスコ（フランシスコ）修道会を創立した聖フランチェスコです。

アッシージの裕福な家に生まれたフランチェスコは、サン・ダミアノ聖堂の前で神の啓示を受け、キリストの模範に従って生きる決意をします。そして世俗化・権門化された教会を改革すべく、自ら托鉢を行なって清貧の生活を送りながら、街頭で人々に神の教えを説いて回りました。彼はキリストが受けた十字架の刑の傷が体に現れる「聖痕」を受けた最初の人とされています。

やがてフランチェスコを慕って多くの人々が集まるようになり、イエスの教えに従って清貧に生きるフランチェスコ修道会が創設されます。ローマ教皇にも認められた修道会運動は、その後、ヨーロッパ中に拡大。こうして彼は、生涯のうちにヨーロッパに1100の修道院を残し、2万人以上の修道士を育てたのです。生誕地のアッシージには、洗礼を受けた教会やサン・ダミアノ聖堂などが残されています。

もっと知りたい！　アッシージのシンボル的な建物である聖フランチェスコ聖堂は、聖人に列せられたフランチェスコの功績をたたえるため、13世紀に当時の教皇が造らせた教会です。その上堂壁面には、ルネサンス初期の画家ジョットによって描かれた、聖人フランチェスコの生涯の28の場面のフレスコ画が飾られています。

本日のテーマ 暮らし・文化に触れる！

5月12日

133

ボロブドゥル寺院遺跡群

所在地 インドネシア共和国ジョグジャカルタ特例州

登録基準 文化遺産／1991年／①②⑥

ボロブドゥルの全景。10世紀頃、政治や経済の中心がジャワ島東部に移ると、ボロブドゥルは忘れ去られ、訪れる人もないままジャングルに埋もれてしまいました。

東南アジアに花開き消滅した大乗仏教を伝える立体曼陀羅

ジャワ島中部にあるボロブドゥル遺跡は、大乗仏教を信奉するシャイレンドラ朝が8〜9世紀に築いたもの。全体が9層の階段状になっており、基底部から6層目までは方形、上の3層は円形で、頂上には72基のストゥーパが並び、およそ500体の仏像が安置されています。

各層の回廊には、仏陀の生涯や説話を刻んだレリーフが2672面も配されています。経典を読めない人でも、これを見ながら歩くことで仏の教えがわかるというわけです。

通常の寺院なら中に入ることができますが、ボロブドゥル遺跡にはそのような空間がありません。また、内部に仏像や本尊を安置しているわけでもありません。外側から眺めるか、登るかしかできないのです。なぜ、こうした構造になっているのでしょうか。

これには、仏教の宇宙観である「三界」を具現化したもので、一番下の基壇は「欲界」、2〜6層は「色界」、7〜9層が悟りの世界に近い「無色界」を表しているという説があります。上からボロブドゥルを見ると、仏教の宇宙観を絵にした曼陀羅によく似ています。つまり、ボロブドゥルを登ることは、「三界」を体験することにつながるというわけです。

もっと知りたい！ ボロブドゥルをめぐる場合、東面の最下層から入ってレリーフの物語を右回りにたどるのが正しいコースです。そうすることで、「欲界」から「色界」を経て、頂上の「無色界」に至ることになります。悟りへ向かう釈迦の歩みを追体験できるかもしれません。

本日のテーマ 歴史を知る！

5月13日

ハノイ -タンロン王城遺跡中心地区

134

所在地 ベトナム社会主義共和国ハノイ市

登録基準 文化遺産／2010年／②③⑥

中国文化とチャンパー文化が融合したハノイ王城の夜景。

李朝大越国の独立を示すハノイの王城

ベトナムの首都ハノイの中心地にあるタンロン遺跡は、10世紀に中国支配から独立したあと、ベトナム最初の長期安定王朝となった李王朝の王城跡です。

ハノイの首都としての歴史は、リ・コン・ウアンが李王朝大越国を建国したことに始まります。1010年、タンロン（昇龍、現在のハノイ）の中国の砦の跡に王城を建設しました。中国からの独立を示した李王朝は13世紀に滅びますが、阮（グエン）朝がフエに遷都する19世紀までの約800年間、タンロンはベトナム歴代王朝の王城として栄えました。

現在、李王朝の建造物は残っていませんが、端門や龍の階段、監視塔だったフラッグタワー、グエン朝の北門など、往時をしのぶ諸王朝の建物を見ることができます。

また、王城の中心区域の地中からは、各時代の王城跡が重層的に発見されています。ここから北の中国文化と南の古代チャンパ王国の文化が融合し、独特の東南アジア文化が形成されていたことがわかります。

もっと知りたい！ 李王朝は皇帝制度の下に安定した政権を築きます。しかし、建国後も中国の宋からの侵攻を受けました。宋がベトナムの征服を狙って動き出すと、4代皇帝のリー・ニャントンは広東や広西に進攻。76年には宋軍を迎え撃ってこれを退けると、79年に講和を結びベトナムの独立を中国に改めて認めさせました。

本日のテーマ 伝説に浸る！

5月14日

ラリベラの岩窟教会群

135

所在地 エチオピア連邦民主共和国アムハラ州

登録基準 文化遺産／1978年／①②③

巨大な一枚岩を掘り下げて建てられたラリベラの教会。入口は地下にあります。

中世エチオピアにおけるキリスト教信仰の聖地

エチオピア北部の高原地帯には、巨大な一枚岩を掘り下げて造ったラリベラの岩窟教会群があります。これはキリスト教国だったエチオピア・ザグヴェ王朝の第7代国王ラリベラが12世紀に築かせた教会です。

ラリベラは誕生時にハチの大群に取り囲まれたことから、「ハチに選ばれた者」という意味の名をつけられます。やがて成人したラリベラは、「夢枕に立った神から建物を一個の岩で造り、この地を第二のエルサルムにするように」とのお告げを受け、いくつもの岩窟教会を築いたといわれています。ただし実際は、古来この地域の人々が洞窟で礼拝を捧げていた風習とキリスト教が融合して岩窟教会が建設されたとも考えられています。

これらの教会は凝灰岩を地表から掘り下げているため、地上の高さに屋根があり、回廊や地下壕を通って入る内部も岩をくりぬいて造られています。とくに11番目に完成した聖ギョルギス教会は、外観や室内も十字架をかたどった形で存在感があります。これらの教会群には現在でも多くの巡礼者が訪れ、キリスト教の聖地となっています。

もっと知りたい！ 岩盤の間に埋もれるようにして建つラリベラの岩窟教会群。この建設には25年以上の歳月がかかったと言われており、研究者によれば、4万人の労働者が必要だったという試算も出されています。そのためか、夜は天使が作業を引き継いでいたという伝承もあります。

136

マハーバリプラムの建造物群

所在地 インド共和国タミルナードゥ州

登録基準 文化遺産／1984年／①②③⑥

芸術性の高いマハーバリプラムの岩壁彫刻。

2つの説がある大レリーフの解釈

インド東南部のマハーバリプラムは、7〜8世紀にかけてパッラヴァ朝が築いた港湾都市で、海岸と岩山に多くの寺院や彫刻が残されています。

5つの寺院と動物の石像が祭りの行列のように並ぶ「5つのラタ」は、巨大な花崗岩から全体を丸ごと掘り出してひとつの堂としたものです。ラタとは山車のことで、それぞれのラタには古代インドの叙事詩『マハーバーラタ』の登場人物の名前がつけられています。

マハーバリプラムの謎とされるのが、遺跡群の中央にそびえる、長さ32m、高さ10mを超えるレリーフ。巨大な岩壁に、神々、人物、象などの動物、寺院などを浮き彫りにしたものですが、何を主題としているのか、解釈が2通りに分かれているのです。

解釈のひとつは『マハーバーラタ』の場面で、主人公の1人アルジュナが、片足で立ち続ける苦行を経てシヴァ神から武器を授けられるというもの。

もうひとつがインド神話で、バギーラタ王が苦行をして、神であるガンガーを天から降下させるところというものです。

もっと知りたい! パッラヴァ朝が滅亡すると遺跡群は放置され、砂に埋もれたり風雨にさらされたりしました。そのためレリーフは劣化し、欠けたり、すり減ったりしています。

本日のテーマ 自然の不思議と驚異の技術を学ぶ！

5月16日

フェス旧市街

所在地 モロッコ王国フェス・ダル・ドビベ州

登録基準 文化遺産／1981年／②⑤

迷宮都市フェスの夜景。街に足を踏み入れると、そこは迷路のようになっています。

外敵の侵入に備えた世界一複雑な迷宮都市

フェスは809年、フェス川沿いにイドリース朝が首都として築いたモロッコ最古のイスラーム系王都です。860年頃にスペインから亡命してきたイスラーム教徒が川の東側にアンダルーシャ・モスクを建て、西側にはチュニジアのカイラワーン出身者たちがカラウィーン・モスクを建てたことが発展の契機となりました。

フェス旧市街の特徴は、何といっても複雑な街並みにあります。密集した建物の間を車も通れないほど細い道が複雑に入り組み、曲がり角や袋小路も多く、見通しの悪い迷路のような街並みになっています。坂や階段の多さも複雑さに拍車をかけ、「世界一の迷宮都市」と言われてきました。

このような迷宮都市を作り上げた理由は、地中海に面した王都であったため、外敵を警戒して住民だけが通行しやすい街路にしたものと考えられています。旧市街には外部の人が夜間に侵入しないよう、地区ごとに街区門も設置されており、部外者にとってわかりにくい造りになっていたことがうかがえます。

もっと知りたい！ フェス旧市街のシンボルのひとつであるカラウィーン・モスクは9世紀以降、何度も増改築され、今では2万人以上の信徒を収容する大モスクになっています。内部の華麗な装飾も有名です。14世紀に築かれたブー・イナニア・マドラサはかつての教育機関。モザイクや漆喰で飾られた壁、大理石を敷き詰めた中庭などの美しさに定評があります。

本日のテーマ ドラマを味わう!

138

ハルシュタット-ダッハシュタイン／ザルツカンマーグートの文化的景観

所在地 オーストリア共和国オーバーエスターライヒ州、シュタイアーマルク州

登録基準 文化遺産／1997年／③④

ハルシュタットの遠景。3000m級の山々が連なるダッハシュタイン山塊には、巨大な氷穴や氷河で形成された洞窟があり、地質学的にも貴重な一帯です。

住民たちに課せられた「世界の湖岸で最も美しい街」を守る努力

アルプスの山々に囲まれ、76もの湖が点在するのが、オーストリアのザルツカンマーグート地方です。地名は「良い塩の産地」という意味で、古代から岩塩の生産で栄え、今も岩塩鉱の操業を続けています。

この地方にあるハルシュタットの街の近郊からは、紀元前10世紀頃の墓地と土器や金属器が出土しており、その文化は「ハルシュタット文化」と呼ばれています。

現在のハルシュタットは、山と湖、そして街並みが調和した景観から「世界の湖岸で最も美しい街」と呼ばれ、避暑地として、あるいはアルプス登山の拠点として人気です。

カラフルな可愛らしい家々が並ぶ童話の舞台のような光景は、住民たちの努力によるものです。

地元では、景観を損なうような建物や装飾が禁止されていて、ネオンサインや派手な看板などを設置するのはNG。個々の家の屋根の形まで、周囲に合った形が指定されるという徹底ぶりなのです。

もっと知りたい! 古代ハルシュタットでは、鉄製の剣や馬具などが使用されていました。当時の鉄器は大変高価で、持つことができるのは支配者だけでしたが、ハルシュタットは塩の交易で豊かだったため、一般住民までが装飾のついた鉄器を使っていたようです。

シギショアラ歴史地区

139

所在地 ルーマニア共和国ムレシュ県

登録基準 文化遺産/1999年/③⑤

ドラキュラの故郷でもあるシギショアラの街並み。中央にそびえる時計塔は、14世紀に建設されたのち、1670年の大火で焼失。その後再建されたものです。

吸血鬼ドラキュラのモデルとなった英雄の故郷

12世紀末、ルーマニアのトランシルヴァニア地方の小高い丘に、多くのドイツ人が入植してシギショアラの街を造ると、この街は城塞都市、やがて商業の街として興隆しました。

シギショアラの見どころのひとつが、現在、レストランを営業して公開されているヴラド=ドラクルの家。小説『吸血鬼ドラキュラ』のモデルとなった、ワラキア公ヴラド=ツェペシュの生家にして、彼の父ドラクルがハンガリー王に4年間幽閉されていた家です。

ヴラド=ツェペシュは、ワラキア公に就任した15世紀半ば、オスマン帝国に対抗するために公国内の中央集権を図り、反対者を容赦なく串刺しの刑に処したため「串刺し公」と恐れられました。こうした残虐な処刑の数々がスラヴの吸血鬼伝説と結びつき、小説『吸血鬼ドラキュラ』が生まれたのです。1462年、トルコへの貢納を拒否してメフメト2世自らが大軍を率いて攻め込んでくると、ヴラド公はゲリラ戦法でワラキアを守り切り英雄と称えられました。しかし、のちの内紛によってハンガリーへ逃亡。その後、一度は公位に復帰するも、オスマン帝国との戦いで戦死したとか、敵対する貴族に暗殺されたなどと言われています。

もっと知りたい! シギショアラのシンボル的存在と言えるのが、14世紀に自治都市になった記念に造られた時計塔。17世紀の火事で焼失しましたが、その後、再建されました。からくり時計になっているため、定時になると人形が出て動きます。現在、内部はロケットの模型や時計などを展示する博物館となっています。

本日のテーマ　暮らし・文化に触れる！

5月19日

140

カーナヴォン城（グウィネズのエドワード1世の城群と市城壁）

所在地　英国　ウェールズ　グウィネズ県

登録基準　文化遺産／1986年／①③④

カーナヴォン城の塔のいくつかは現在でも登ることができ、川と海をはるか彼方まで見渡すことができます。

ウェールズ征服と「プリンス・オブ・ウェールズ」

1283年、イングランド王エドワード1世はウェールズを征服し、抵抗を続けようとするウェールズの諸侯を封じるため、次々と城を築いていきました。環状に連なる城は「アイアンリング」と呼ばれています。

さらに王は、新しい街を建設し、イングランドから呼び寄せた職人や商人をそこに住まわせました。

セイオント川がメナイ海峡に注ぐ、戦略上重要で交通の便もいい場所に建てられたのがカーナヴォン城で、アイアンリングの中でも最大かつ最強の城と言われています。8基の塔が立ち、その間を厚さ7mの城壁が結んでいます。

ここは王の居城でもあり、建設途中でのちにエドワード2世となる王子がここで生まれました。王は息子に「プリンス・オブ・ウェールズ」の称号を与え、イングランドの皇太子が代々この称号を受け継ぐこととなったのです。

もっと知りたい！　エドワード1世は、生まれたばかりの息子をウェールズの人々の前に掲げ、「この子はウェールズ生まれだ。英語の話せない王だ」と紹介して反発を抑えたという伝説があります。現在のチャールズ皇太子のプリンス・オブ・ウェールズとしての叙任式も、1969年にこの城で行なわれました。

本日のテーマ 歴史を知る！

5月20日

カイロ歴史地区

141

所在地 エジプト・アラブ共和国カイロ県

登録基準 文化遺産／1979年／①⑤⑥

カイロを代表するアズハル・モスク。現在も大学として利用されています。

イスラーム教シーア派による最初の王朝の首都

7世紀、イスラーム教では教団の指導者の選び方や教義などの対立が激化し、ついにスンニー派とシーア派に分裂します。少数派のシーア派の最初の王朝となったのが10世紀のファーティマ朝でした。

チュニジアに興ったファーティマ朝は、エジプトを制圧すると北部に新たな都市を築き、ミスル・アル=カーヒラと名づけて首都にしました。そのカーヒラの英語読みである「カイロ」が現在の地名です。

カイロはエジプトにおけるイスラーム勢力の政治経済の中心となり、13世紀以降のマムルーク王朝時代のもとで絶頂期を迎えます。十字軍の侵入を阻止する傍ら、交易による富で繁栄し、世界最大のイスラーム都市となって賑わいました。14世紀には「1000のミナレット（塔）が立つ街」と称されるほど、多くのモスクやミナレットで町が彩られました。

カイロには今でも641年に築かれたアムル・モスクやファーティマ朝のアズハル・モスクなど、多数のモスクやミナレットがあり、見どころとなっています。

もっと知りたい！ 5本の塔が印象的なアズハル・モスクは、972年に建設されたファーティマ朝の代表的な建物で、マムルーク朝時代に大きく増改築されました。988年からは大学としても利用され、現在はアズハル大学としてアラブ世界における高等教育機関、イスラーム研究の中心的な存在です。世界各国のイスラーム教徒が集まって勉学に励んでいます。

本日のテーマ 伝説に浸る！

5月21日

九寨溝（きゅうさいこう）の渓谷の景観と歴史地域

142

所在地 中華人民共和国四川省

登録基準 自然遺産／1992年／⑦

九寨溝はジャイアントパンダの里としても知られるほか、ウンピョウなど珍しい動植物も多く、その点でも注目すべき自然遺産となっています。

古の伝説を彷彿とさせる奇跡の湖沼群

中国四川省、チベット高原の東端、標高2,000～5,000mの山岳地帯に広がる九寨溝は、全長50㎞にもわたる壮大な渓谷です。その見どころのひとつが、数mから全長7㎞のものまである、大小100以上もの湖沼の神秘的な絶景。湖底に沈んだ倒木がはっきり見えるほどの透明度を誇る五花海や、陽光を受けて1日に5度色を変える五彩池などが有名です。

湖は驚くほど青く透き通っており、水深30mの水底に沈んだ倒木まではっきり見えるほどの透明度を誇ります。湖水の美しさゆえか、天上で精霊が悪魔と戦ったときにあやまって魔法の鏡を割ってしまい、その欠片が湖に生まれ変わったという伝説が残されています。

この湖は氷河が溶解と凝結を繰り返してできたもので、透明度の高さは水中に多く含まれる炭酸カルシウムが水を浄化することで維持されています。倒木も炭酸カルシウムの働きで腐食せずに水底に元の姿のまま残り続けています。

自然の力で、まさに鏡のような美しさの湖を生み出しているのです。

もっと知りたい！ 九寨溝という地名は、この付近にチベットの集落（寨）が9つあったことにちなんで名づけられました。チベットの神話では、邪悪な妖怪を退治した神の9人の娘たちがチベット族の男性と結婚し、9つの集落の祖先となったため、この地は妖怪に毒されることがなくなったと伝えられています。

本日のテーマ 謎と不思議を愉しむ！

5月22日

143

ヴォロネツ修道院（モルドヴァ地方の教会群）

所在地 ルーマニア共和国スチャバ県

登録基準 文化遺産／1993年、2010年／①④

ヴォロネツ修道院。屋根のひさしが広く張り出しているのは、太陽の日射しや風雨からフレスコ画を守るためです。

「ヴォロネツの青」はどのようにして出されたのか？

14世紀に成立したモルドヴァ公国は、キリスト教文化圏の東端に位置し、オスマン帝国の侵攻にさらされながら何度もそれを退けました。最盛期はシュテファン大公の治世で、大公は戦いに勝利するたびに修道院を建て、後継者たちもそれに倣いました。そのため、モルドヴァには多くの修道院や聖堂が建つこととなりました。

いずれも素朴な外観ですが、建物の内側も外側もフレスコ画で埋め尽くされているのが特徴です。キリスト教の建築物には、内壁にフレスコ画をあしらったものが多くありますが、外壁にまでフレスコ画が、それも壁一面にあるのはこの地方の修道院や聖堂だけです。

そしてフレスコ画のなかで傑作として名高いのが、ヴォロネツ修道院の壁画『最後の審判』です。

色彩も美しく、ことに「ヴォロネツの青」と呼ばれる鮮やかな青は、見る者もため息をもらすほど。ただ、「ヴォロネツの青」が何を原料としているのかは不明で、現代の技術をもってしても作り出すことができません。

もっと知りたい！ フレスコ画には、キリスト教徒に襲いかかるペルシア軍を描いたものがありますが、兵士の外見や装備はペルシアではなくオスマン軍のものです。また、『最後の審判』でも煉獄に堕ちた者はトルコ風のターバンを巻いています。

144 ポン・デュ・ガール(ローマの水道橋)

所在地 フランス共和国ガール県

登録基準 文化遺産／1985年／①③④

ガルドン川に架かるローマ時代の水道橋ポン・デュ・ガール。

領内各地に張り巡らされた上水道とローマ人の技術力

ローマ帝国では、セゴビアやイスタンブールなど、石造りの水道橋を各地に張り巡らせて水を供給していました。

そのなかでも最古の水道橋が、フランス南部のガルドン川にかかる「ポン・デュ・ガール」。紀元前19年に、古代ローマの政治家アグリッパにより建設された、水源地ユゼスからニームの街までを結ぶ全長50㎞の水道橋の一部です。

水路の高低差が地形の影響でわずか17mしかないため、100mあたり34mmの勾配しか確保できない計算でしたが、緻密な設計を駆使して完成させ、1日に2万tの水を供給しました。

その構造は、3層アーチで上層に水路が設けられました。アーチの一部の開口部を広くし、上に軽い部材を使うことで、強度を落とさず最小限の部材で建造しています。

また、精巧に石を加工して隙間なくアーチ状に積み上げているため、2000年以上たった今も崩れず残されている驚異の橋です。全長のうち、保存状態のいい275mが世界遺産に登録されています。

もっと知りたい! ローマ帝国では兵士たちも高い建築の技術力を持っていました。ローマ兵はつるはしや杭を持って移動し、戦場や従軍途中で工兵へと早変わりして橋や道路、さらには防御壁などを築いたのです。カエサルのガリア遠征の際にも、3週間の間に包囲したガリアの街の周囲に堀や監視塔を築いて街を完全封鎖しました。

本日のテーマ ドラマを味わう！

ロベン島

145

所在地 南アフリカ共和国西ケープ州

登録基準 文化遺産／1999年／③⑥

現在ではロベン島全体が、過酷な歴史と差別撤廃への道を伝える博物館となっています。

ネルソン・マンデラも収監されたアパルトヘイトの象徴

ロベン島は、ケープタウンの沖合およそ11km、激しい海流に囲まれて浮かぶ小島です。ここにはかつて刑務所があり、1948年以降はアパルトヘイトに反対する政治犯を収容する場となっていました。南アフリカでは、白人とそれ以外の人間をあらゆる面で差別するアパルトヘイト政策がとられ、それに反対する者は脱出困難なこの島に送られていたのです。

彼らは採石場での重労働を課せられましたが、屈することなくアパルトヘイト撤廃と国の将来について語り合いました。のちに南アフリカ共和国の大統領となり、ノーベル平和賞を受賞したネルソン・マンデラもそのうちの1人。彼は終身刑を言い渡され、およそ20年間も収監されていたのですが、独房内で秘かに著書『自由への長い道』を書き続けました。

マンデラだけではなく釈放された政治犯たちは、混乱のさなかにあった南アフリカの民主化に邁進したため、ロベン島は「苦闘の大学」とも呼ばれています。

アパルトヘイトは世界中の非難を浴びるようになって撤廃され、刑務所は1996年に閉鎖されました。

もっと知りたい！ 博物館には、二重の柵と高さ5mの壁に囲まれた刑務所だけではなく、聖堂や灯台、管理側の住宅なども残されています。元囚人や元看守が案内役を務め、当時の体験談を聞いたり、マットと机とバケツがあるだけのマンデラの独房を見学したりすることもできます。

本日のテーマ　ゆかりの人物に出会う！

5月25日

ブリュージュ歴史地区

146

所在地　ベルギー王国ウエスト・フランデレン州

登録基準　文化遺産／2000年／②④⑥

毛織物産業で栄えたブリュージュの街並み。中世の面影が色濃く残ります。「水の都」とも呼ばれ、町中に水路が張り巡らされています。

毛織物産業と中継貿易に沸くブリュージュで生まれた油彩画

ベルギー西部からフランス北西にかけて広がるフランドル地方は中世、毛織物産業で繁栄しました。それを支えたのが、交易の中継港として栄えたブリュージュ（ブルッヘ）です。

ブリュージュは特産であるリネン生産の織物技術で毛織物産業を発達させる一方、北海の窓口としても繁栄。14世紀にはイギリスからの羊毛の輸入港となり、交易の港として北ヨーロッパ一の国際商業都市へと発展しました。

そのブリュージュで油彩画を確立したのが、初期フランドル派の祖とも呼ばれる巨匠の画家ヤン・ファン・エイクです。ブルゴーニュ公フィリップ3世の宮廷画家となり、ブリュージュで活躍したヤンは、溶き油を薄く塗って何度も重ね塗りする技法を駆使して、登場間もない油彩画の技術を完成させました。

この絵画革命により、透明感や深みのある微妙な色合いの表現が可能になり、立体感のある質感を持つ絵が生まれたのです。その業績をたたえ、ブリュージュの河川港近くにつくられたのが彼の名前を冠したヤン・ファン・エイク広場で、銅像も建てられています。

もっと知りたい！　運河が街を走り、「水の都」とも呼ばれるブリュージュは中世の街並みが残る美しい街です。その静かな町が一番賑わうのが、キリストの復活祭から数えて40日後の5月の木曜日に行なわれる「聖血祭」。12世紀に時のフランドル伯が入手したイエスの聖血とともに、中世の衣装を着た人々やイエスの生涯の仮装をした行列が街を練り歩きます。

本日のテーマ 暮らし・文化に触れる！

5月26日

ルアン・パバンの町

所在地 ラオス人民民主共和国ルアン・パバン県

登録基準 文化遺産／1995年／②④⑤

ルアンプラバンのワット・ハウパバーン。

カンボジアから輸入された仏教文化が栄えたラオス統一王国の都

小国が乱立していたラオスで、14世紀に初の統一を成し遂げたのがランサン王国です。

ランサン王国の初代国王ファーグムについては、こんな伝説が残されています。

なぜか父王に嫌われたファーグムはメコン川に流され、カンボジアのアンコール朝の宮廷で成長します。そこで王女を妻とし、クメール人を率いてラオスに戻ってランサンを建国したと言うのです。ファーグムは上座部仏教を国教とし、クメールから高僧を招いたため、多くの経典と黄金の仏像パバンを贈られます。そして、メコン川とナムカーン川の合流する地を都とし、「ルアン・パバン（パバン仏のある町）」を都の名前に定めたのです。

この伝説からもうかがえるように、ランサン文化はクメール文化の影響が濃く、ワット・ビスンナラートはじめ多くの寺院が建立されました。なだらかな曲線の屋根が重なったワット・シェントーンは、ランサン王国の領土を最大にしたセーターティラート王が16世紀に創建したものです。ランサン王国が3つに分裂すると、ワット・ビスンナラートをはじめ多くの建築物が混乱の中で失われましたが、パバン仏は人々の心の拠り所でした。

もっと知りたい！ ワット・シェントーンは、内装も黄金の塗料をたっぷり使った絢爛さで、塩を運んで財をなした商人の功績を称え、セーターティラート王が造営したと言われています。王国の最盛期を築いた王ですが、のちに都をビエンチャンに遷しました。

本日のテーマ 歴史を知る！

148

クラック・デ・シュヴァリエとサラディン城

所在地 シリア・アラブ共和国ホムス県、ラタキア県

登録基準 文化遺産／2006年／②④（危機遺産）

クラック・デ・シュヴァリエの内壁。ヨーロッパとイスラームの築城術が融合して生まれた様式です。

第1回十字軍と兵力不足に悩む十字軍国家

シリアにあるクラック・デ・シュヴァリエとサラディン城は、十字軍とイスラーム勢力それぞれを代表する城です。11世紀、イスラーム勢力の圧迫に悩むビザンツ帝国から救援要請を受けたローマ教皇は、正義の戦いを唱え、フランスやイタリアの諸侯らを中心に十字軍を編成。1096年以降、約200年間にわたり8回の十字軍をアラブ地域に送りました。

第1回十字軍は聖地エルサレムを奪回して王国を建国するなど、小国家を次々と樹立します。しかし、遠征軍が引き上げると兵力不足に陥り、イスラーム側の反撃をくらったことから十字軍はおよそ100におよぶ城塞を建設して防衛を強化しました。

その城塞の代表がクラック・デ・シュヴァリエです。12世紀には聖ヨハネ騎士団がシリアの要衝であるホムス間道沿いに塔と二重の城壁を持つ大城砦に造り替えました。その北にあるサラディン城は10世紀に建造され、イスラームの英雄サラディンが陥落させたことから彼の名で呼ばれるようになりました。それぞれイスラームとヨーロッパの様式が混在した装飾になっています。

もっと知りたい！ 十字軍はイスラーム勢力から奪取した砦に城塞を築きますが、そのなかで十字軍スタイルを生み出します。それはイスラーム側の四角形の城壁の四隅に塔を配置した機動性重視の伝統的な様式とヨーロッパの優れた石工技術を融合し、防御性を加えた城塞へと改良したものです。二重の城壁と視界が広がる円塔の採用などがその特徴です。

本日のテーマ 伝説に浸る！

5月28日

ハロン湾

所在地 ベトナム社会主義共和国クアンニン省

登録基準 自然遺産／1994年、2000年／⑦⑧

龍にまつわる起源伝承が伝わるハロン湾。

地名の由来となった龍の伝説

ベトナム北東部のトンキン湾に面したハロン湾には、大小何千もの鋭く切り立った断崖の島や岩が海から突き出した奇観が広がっています。島々は奇妙な形をしているため、「魔法使い」や「シャモ」など変わった名前が付けられた島もあり、カットバ島以外は無人島です。

ハロン湾の「ハロン」とは「龍が降り立った場所」という意味で、次のような伝説にちなんでいます。

その昔、空から降り立った龍の親子が外敵を蹴散らし、国や住民を守りました。そのときに龍が口から吐き出した宝の玉が無数の島々になったとも、炎の舌が触れたところが島々になったとも言われているのです。

実際には、石灰岩の隆起で約6000万年前に石灰岩の山々ができ、氷河期の海面上昇により石灰岩台地が沈没して海上に残された部分が浸食されてできた地形です。

この島には、固有種である猿のカットバラングールやフランソワリーフモンキーなどが生息しています。海中はサンゴ礁が豊かで、アワビやナマコなど多くの生物が生息しています。

もっと知りたい！ 近年のハロン湾は、石炭採掘に伴う汚染によって水質が悪化しサンゴ礁が大幅に減少しています。また、年間100万人が訪れる景勝地になっていますが、観光客による環境汚染や急激な農地拡大が生態系の破壊や生物相の変化を引き起こしており、早急な対応が求められています。

本日のテーマ　謎と不思議を愉しむ！

5月29日

150

莫高窟（ばっこうくつ）

所在地　中華人民共和国甘粛省敦煌市

登録基準　文化遺産／1987年／①②③④⑤⑥

莫高窟第275窟内の弥勒菩薩交脚塑像。最初期の作例で、化仏を表わす宝冠を被っています。イランの王侯の座法に基づく姿と言われ、東西文化の交流の跡がうかがえる像です。

敦煌文書は、なぜ隠し部屋に安置されていたのか？

莫高窟は、シルクロードの要衝として名高い敦煌の郊外にある石窟寺院です。山の斜面に開かれた石窟は、研究者によって整理番号がつけられたものだけでも492におよびます。

ここで大量の古文書が発見されたのは1900年のことでした。石窟に住み着いていた道教の僧・王円籙（おうえんろく）が、奥に隠し部屋のような空間があるのに気がつき、土砂を取り除いてみたところ、天井まで埋め尽くすほどの古文書や仏画、塑像が見つかったのです。このニュースは世界中に広がり、世界各国から学者や探検隊がやって来るほどのブームになりました。

しかし、貴重な文書や史料が、数多い石窟のなかで、なぜここに集められ、隠すように置かれていたのか疑問です。

この謎については諸説あります。井上靖の小説『敦煌』にあるように、敦煌が西夏の攻撃を受けたときに戦火を避けるために運び込まれたという説、この石窟が三界寺という寺院の蔵経庫だったという説、いくつも寺院の倉庫だったという説などです。しかしいずれにせよ、置き去りにされていた理由については、説明がつきません。

もっと知りたい！　現在、敦煌文書は世界に分散しています。それは、イギリスの考古学者スタイン、フランスの中国古典文学者ペリオ、それに日本の大谷探検隊などが、王円籙から大量に買い取ってそれぞれの国に持ち帰ったため。しかし、流出したことによってそれぞれの国で研究が進み、保存されるという結果にもなりました。

151

ロス・グラシアレス国立公園

所在地 アルゼンチン共和国パタゴニア地方サンタクルス州

登録基準 自然遺産／1981年／⑦⑧

アルヘンティノ湖に面したペリト・モレノ氷河の先端部。

世界で唯一活発に前進を続ける氷河

アルゼンチンのロス・グラシアレスは、南極、グリーンランドに次いで世界で3番目に大きな氷河地帯で、迫力ある氷河の崩壊が最大の見どころです。

太平洋から運ばれてきた湿気の多い雲がパタゴニア・アンデス山脈にぶつかり、通年で雪を降らせ、積もった雪が氷の層を作り、その重みで斜面を滑り下って氷河となり押し寄せます。そして、真夏になり気温が上昇すると、氷河が湖に流れ落ちるのです。

また、ロス・グラシアレスの氷は気泡が少なく透明度が高いため、青い光だけを反射してほかの色を吸収してしまうことから、濃い青色をした幻想的な氷河となります。

ロス・グラシアレスの氷河のなかでも、ペリト・モレノ氷河は現在も活発に活動している珍しい氷河。平均的な氷河の速度が年に数mなのに対し、ペリト・モレノは1年で600～800mほどの速さで移動するのです。その先端部はアルヘンティノ湖に接して切り立った断崖になっており、湖からは巨大な氷の塊が崩落する自然の驚異を目の当たりにできます。

もっと知りたい！ ロス・グラシアレス国立公園のあるパタゴニア・アンデスでは、真冬の8月でも気温は5℃からマイナス1℃前後で推移します。そのため、降り積もる雪は溶けてはすぐに固まる現象を繰り返し、巨大な氷の層を形作っていきます。

本日のテーマ ドラマを味わう!

5月31日

ミーソン聖域

所在地 ベトナム社会主義共和国クアンナム省
登録基準 文化遺産／1999年／②③

ミーソンの彫刻群には神像もあり、インドの古代グプタ美術や、カンボジアの先アンコール期の美術に近い様式です。

チャンパー王国の興亡を見つめ続けた聖域

2世紀末、ベトナム中部にチャンパー王国という国が生まれました。南方からこの地にやってきたマレー系のチャム民族が建てた国で、文化的にはインドの影響を強く受け、ヒンドゥー教に仏教や土着信仰が混交した宗教を持っていました。

その信仰の中心となったのが、ミーソン聖域です。

4世紀のバードラバルマン1世がシヴァ神を祀る堂を建てたのが始まりとされ、7世紀から13世紀頃にかけて70以上の塔が建てられました。塔は赤褐色のレンガを積み上げ、高さ10mほどのカランと呼ばれる方形の塔に錐形の尖塔を載せたものが多く、壁には写実的な人物や動植物、文様などが刻まれています。これらはレンガを組み上げてから、彫刻を施す手法で制作されました。

15世紀にチャンパー王国が滅亡すると、ミーソンも生い茂る草の中に取り残され、荒廃していきました。神像には、何者かによって破壊された跡が残っています。

もっと知りたい! チャンパー王国はチャキエウを首都に、ホイアンを貿易港にしていました。現在のチャキエウに首都の面影はなく、王城の城壁が残るだけですが、ホイアンはその後も繁栄を続けました。チャンパー王国の遺跡には、クアン・ナム、ビン・ディン、ポー・ナガールなどがあります。

本日のテーマ ゆかりの人物に出会う！

6月1日

サンクト・ペテルブルグ歴史地区と関連建造物群

所在地 ロシア連邦サンクト・ペテルブルグ連邦市

登録基準 文化遺産／1990年／①②④⑥

スウェーデンとの北方戦争の最中に建設されたペトロパヴロフスク要塞。のちに監獄として使用され、現在は複合博物館となっています。

戦争中に首都建設を命じたピョートル大帝の深謀遠慮

18世紀、ロシアの西欧化を推し進め、一大帝国へと飛躍させたのがピョートル1世です。ロシアの遅れを痛感して西欧化を目指したピョートル1世は、1697年の西欧諸国への使節団に自ら身分を隠して加わり、オランダでは造船所で働きながら造船技術を学んだと言われます。

海洋貿易立国を目指すピョートル1世は1700年、バルト海の覇権を握るべく、スウェーデンとの間に北方戦争の端緒を開きます。しかし、開戦まもなく、ナルヴァの戦いで大敗。そうした困難な状況のなか、ピョートル1世が計画したのが、西欧を模倣した新首都サンクト・ペテルブルグの建設でした。

新首都建設の目的は、西欧に近い場所に強固な要塞や軍港、造船所を持つ軍事的な先進都市を築いて、対北方戦争の拠点にすること。また海洋貿易立国を目指すにあたり、西欧への窓口を造る目的もありました。

以後、ピョートル1世はこの新首都を拠点にスウェーデンと北方戦争を続け、1721年、ついに勝利してバルト3国を獲得。バルト海進出の第一歩を記すことになったのです。

もっと知りたい！ サンクト・ペテルブルグは、西欧から一流の建築士を招いて建設した都市のため、美しさも際立っています。敷地内に聖堂を持つペトロパヴロフスク要塞や旧海軍省、北方戦争に勝利した際に建てられたアレクサンドル・ネフスキー修道院など、海洋貿易国の関連施設が今も残されています。

本日のテーマ 暮らし・文化に触れる！

6月2日

ヴァイマールとデッサウのバウハウスとその関連遺産群

所在地 ドイツ連邦共和国テューリンゲン州、ザクセン州

登録基準 文化遺産／1996年／②④⑥

建築家でありバウハウスの初代校長を務めたグロピウスの設計による、バウハウスのデッサウ校舎。白い箱状の外観で、素材は鉄やコンクリート、ガラスなど。横一線に連なる窓や、水平な屋根が特徴の建築です。

モダニズム建築に影響を与えた総合造形学校

バウハウスは第1次世界大戦後の1919年に、ドイツ中部のヴァイマール共和国に設立された美術学校です。バウハウスとは「建築の家」という意味で、それまで別々だった美術学校と工芸学校をひとつにし、工芸、写真、デザイン、美術、建築などの総合的な教育を行うことを目的としていました。

初代校長は建築家のヴァルター・グロピウス。機能的で合理的、かつ世界中のどこでも普遍性を持つシンプルで無駄な装飾を排したデザインを追求しました。1925年にはデッサウに移転。校舎は現代の感覚では見慣れた佇まいですが、当時は最先端の斬新な建築でした。それが普及して、私たちにも見慣れた建築になったのです。

しかし、ナチスはその先進的な教育を危険視して圧力を加え、バウハウスはいったん閉鎖してしまいます。その後、ベルリンで再度開校したものの、1933年には廃校に追い込まれました。わずか14年の教育でしたが、バウハウスの流れをくむモダンデザインは、今も世界中の建築や商業・工業デザインに大きな影響を残しています。

もっと知りたい！ 各学科は「工房」と呼ばれ、それぞれに2人の教授が置かれました。美術的分野を担当するのは画家などの芸術家で、技術を担当するのは職人というシステムだったのです。教授陣には、画家のワシリー・カンディンスキーやパウル・クレーなど、当代の一流芸術家が迎えられました。

古都アレッポ

所在地 シリア・アラブ共和国アレッポ県

登録基準 文化遺産／1986年／③④（危機遺産）

アレッポ城は十字軍の侵攻に備えて築造されました。

第3回十字軍とサラディンの戦い

シリア北部に位置するアレッポは、紀元前2世紀頃からシルクロードの要衝として発展した都市です。旧市街にある、多数の店舗やモスクを持つハーン・アル・ムジュルク（隊商の宿）がその歴史を今に伝えています。

そのアレッポのシンボルとも言えるのが、丘の上に建つアレッポ城。11世紀以降、イスラーム世界はヨーロッパの十字軍の侵攻にさらされていました。エジプトでサラディンが樹立したアイユーブ朝はシリアにも進出し、十字軍の攻撃に備えてアレッポを前線基地とします。アレッポ城は深く大きな濠と敵の侵入を防ぐさまざまな仕掛けを持つ難攻不落の城へと整備され、何度も十字軍の猛攻を防ぎました。

そのサラディンは1187年、十字軍との戦いに勝利してエルサレムを奪回します。ヨーロッパ側はエルサレムを取り戻そうと、イギリス王、フランス王、神聖ローマ皇帝が率いる最強の第3次十字軍を編成して遠征しましたが、サラディンは粘り強く抵抗。イギリスのリチャード王と休戦協定を結び、聖地を死守したのです。

もっと知りたい！ アレッポ城の見どころのひとつが、城門へと通じる石造りの橋。城の周囲は深い堀に囲まれた切り立った断崖にあり、この橋が城へと通じる唯一の道でした。アレッポ城には、ほかにも秘密の通路や曲折した通路、敵に上から攻撃を加える出し狭間など、敵の侵入を防ぐさまざまな仕掛けが隠されています。

本日のテーマ　伝説に浸る！

ヴェローナ市

所在地　イタリア共和国ヴェネト州
登録基準　文化遺産／2000年／②④

ヴェローナの夜景。アディジェ川沿いに街が広がります。

『ロミオとジュリエット』の舞台となった街

アルプス山脈の南麓にあるヴェローナは、古代ローマ時代のものから、ロマネスクやルネサンスと、さまざまな時代の建物が混在する中世の雰囲気を残した街です。直径150mあるローマ時代の円形劇場、14世紀のカステル・ヴェッキオ、商人たちの集会場や噴水など、見どころがたくさんあります。

そしてなにより、シェークスピアの戯曲で知られる『ロミオとジュリエット』の舞台として有名です。この物語は敵対する貴族の家の若い男女が愛し合うも引き裂かれ、最後はともに死を選んでしまう悲劇。実は、ヴェローナで起こった心中事件をモデルに創作されたと言われています。

中世のイタリアでは、各地で教皇派と皇帝派に分かれて抗争していましたが、ヴェローナでも教皇派のモンテッキ家と皇帝派のカッペッティ家が対立するなか、モンテッキ家の息子とカッペッティ家の娘が恋に落ちたものの将来を悲観して心中してしまったのです。今では「ジュリエットの家」や「ロミオの家」とされる館があり、多くの観光客が訪れています。

もっと知りたい！　ヴェローナには宗教建築も多く残されています。12世紀に建てられたサン・ゼーノ・マッジョーレ聖堂はイタリア・ロマネスク建築の傑作です。ドゥーモ大聖堂は、ロマネスクとゴシックが混じり合った様式で、このほかにもサン・フェルモ・マッジョーレ聖堂などが残されています。

バンディアガラの断崖（ドゴン人の地）

所在地　マリ共和国モプティ州

登録基準　複合遺産／1989年／⑤⑦

住居が建ち並ぶバンディアガラの断崖。

天体の動きを知っている!?　ドゴン族が持つ天文知識の謎

ドゴン族がバンディアガラの地にやって来たのは14～15世紀頃。イスラーム教への改宗を拒んで逃れてきたと言われています。そしてこの地の先住民を追い出すと、断崖に沿って住むようになりました。

ドゴン族の家は、日干しレンガを積み上げて表面を土でならした長方形で、藁で作ったとんがり帽子のような屋根が特徴です。切り立った崖の上や中腹にも、貼りつけるように家を築き、断崖と住居が一体になっているようにも見えます。

現在、ドゴン族の村落は約700あり、人口は25万ほどですが、昔と変わらず独自の神話を保っています。創造神アマンが、母なる大地との間に8人の精霊を宿し、これがドゴン人の始祖だとされているのです。

60年に一度催されるのがシギの祭りで、始祖の人数にちなんで8年間も続きます。この周期が、シリウスの周りに見える惑星の軌道周期と一致していることから、ドゴン族は天文学の知識を有しているのではないかとも考えられています。

もっと知りたい！　ドゴン族の集落は人間の体になぞらえた配置になっています。北端の頭頂部には鍛冶屋の炉が、顔の部分には集会所があります。胸には長老一族が、胴体部分には村人たちが住み、腰には女性性器のシンボルの油をしぼる石が、その横には男性性器のシンボルの祭壇が置かれ、手の部分には月経中の女性が過ごす家が、足の部分には集落の祭壇があります。

フィリピンのバロック様式教会群

所在地 フィリピン共和国マニラ、イロコス・ノルテ州、イロコススル州、イロイロ州

登録基準 文化遺産／1993年／②④

フィリピン各地に残るスペイン時代の教会のひとつ、ミアガオのビリャヌエバ教会。

天災にも耐えられる植民地時代の教会建築

フィリピン各地に見られるバロックの教会群は、16世紀以降のスペインの植民地時代に建てられたものです。これらはスペインの教会を基本にしながらも、フィリピンの環境に合わせた独自の様式を持つのが特徴です。

たとえば、フィリピンではモンスーン気候による台風や地震が多いため、身廊の天井を低くするなどシンプルな造りにして、災害に強い構造にしています。また、西欧列強の攻撃に備えて、太い柱を通した小塔を持つ強固な控え壁や、危険を住民に知らせる鐘楼を設けるなど、要塞としての機能も強化しています。

堅固で頑丈なだけではありません。その意匠にも独自の工夫が施されています。スペインはキリスト教とフィリピンの土着信仰との融合を図り、教会にも象牙をあしらった椅子を置くなど、ヨーロピアンテイストにアジアンテイストを調和させているのです。

現在ではフィリピン最古の現存する石造教会であるサン・アグスティン教会などを含めた4つの教会が世界遺産に登録されています。

もっと知りたい！ 現在、大地震や戦火などにも耐えて生き残ってきた教会群は、風化の危機にさらされています。砂によって削り取られているところや、雑草に覆われてしまっているところもあります。また、修復のために柱が加えられたり、天井の木組みが取り除かれたりと、人の手が入ることによって本来の姿が失われている教会もあります。

本日のテーマ　ドラマを味わう！

ケベック旧市街の歴史地区

所在地　カナダ連邦ケベック州

登録基準　文化遺産／1985年／④⑥

「フランスの古城がなぜここに」と思わせるシャトー・フロントナックは、フランスの城を模して1892年に建設されたホテルです。

英仏抗争の舞台となった「北米のフランス」

カナダは英語圏に含まれますが、ケベック州ではフランス語が公用語とされています。それはケベックがフランスの植民地として生まれた街だからです。1608年、フランスの探検家シャンプランが川の畔に丸太で砦を築いたのが、ケベックの始まりです。

当時のフランスとイギリスは、北アメリカで植民地を巡って激しい争いを繰り広げていました。砦はやがて大きな街となり、フランス植民地「ヌーベル・フランス（新しいフランス）」の中心となったため、イギリス軍の攻撃を受けました。1759年には敗れてイギリスの統治下に。その後、アメリカ独立戦争が起こると、アメリカ軍が押し寄せて来るようになりました。こうした相次ぐ戦いに備え、街に城塞と柵が巡らされていったのです。

今はお洒落な街並みで、そぞろ歩きを楽しむ人々が多いケベックも、もともとは北米でただひとつの城塞都市だったわけです。

北米のフランス領は、ほとんどがイギリスのものになりましたが、1774年に制定されたケベック法で、信仰の自由とフランス語の使用が認められ、これが現代まで引き継がれています。

もっと知りたい！　フランス語系住民が多数派のケベックでは、カナダからの分離独立を求める声が常にあり、それを掲げて活動する政党のケベック党もあります。1995年に行われた住民投票では、独立反対がわずかに多いという結果でした。

本日のテーマ　ゆかりの人物に出会う！

6月8日

マルボルクのドイツ騎士団の城

所在地　ポーランド共和国ポモージェ県

登録基準　文化遺産／1997年／②③④

ドイツ騎士団が拠点としたマルボルク城は、ヨーロッパ最大のゴシック様式レンガ造りの城です。

ドイツ騎士団の拠点として機能した中世屈指の名城

三大騎士団のひとつであるドイツ騎士団は、十字軍がエルサレムを占領した際、信者の保護や聖地の防衛に当たった宗教騎士団を前身とします。

1198年に発足し、13世紀にはポーランド王の招きを受けてバルト海沿岸の守備を担って領土を拡張。神聖ローマ皇帝からポーランド北部プロイセンの領有を認められ、マルボルクを中心にした騎士団国家を誕生させます。やがて町も多くのドイツ人を受け入れて発展し、バルト海貿易で繁栄しました。

マルボルク発展の礎となったドイツ騎士団の拠点が、1274年に建築が始まったマルボルク城です。この地域は氷河の影響で巨石が少ないためにレンガ造りの城として誕生し、200年以上かけて増築された結果、マルボルク城は難攻不落の要塞となり、武器庫や大砲鋳造所、牢獄、井戸も備え、1万人の騎士を収容できるほどの規模へと成長しました。

ドイツ騎士団の終焉は15世紀のこと。ポーランド・リトアニアとの戦いに敗れたドイツ騎士団は、ポーランドの支配下に入られてしまったのです。

もっと知りたい！　15世紀以降、マルボルク城はポーランドによって増改築が繰り返されました。第2次世界大戦末期にはドイツ軍が籠城し、ソ連軍との激闘の場となって建物の多くが破壊されましたが、戦後、ポーランド政府によって当時と同じ赤レンガを使って再建され、当時の佇まいを残しています。内部は騎士たちの武具などを展示する博物館になっています。

地下宮殿（イスタンブール歴史地区）

所在地 トルコ共和国イスタンブール県

登録基準 文化遺産／1985年／①②③④

地下宮殿の列柱を支えるメデューサの首。恐ろしさを封じ込める役割を果たしていたのかもしれません。

イスタンブールの地下に逆さにされて置かれるメドゥーサの首

アジアとヨーロッパの両方にまたがるイスタンブールは、ローマ帝国、ビザンツ帝国、オスマン帝国の3つの大帝国の都とされていた歴史ある都市です。この街の地下に、見る者が立ちすくむような彫刻があります。

そこはビザンツ帝国時代に造られた貯水池ですが、列柱と天井のアーチが美しいことから「地下宮殿」と呼ばれるようになりました。その柱の根元に、女性の頭部の大きな彫刻が逆さ向きにはめ込まれており、頭部をよく見ると、髪の毛の1本1本が蛇になっているのです。

これはギリシャ神話に登場する怪物メドゥーサで、見た者は石になってしまうという伝説があります。メドゥーサの首は、その恐ろしさゆえに魔除けになると考えられ、家の門や武器などの装飾にもされていました。

地下宮殿の列柱には、他の建造物の廃材を用いており、形や長さがまちまち。そのため長さを調整するために置かれた可能性もありますが、わざわざ逆さにした理由についてははっきりわかっていません。

もっと知りたい！　メドゥーサは大変な美少女だったのですが、女神アテナの神殿内で海神ポセイドンと交わったために、アテナの怒りを買ってしまい、醜い怪物にされてしまいました。ルーベンスやカラヴァッジョなど、多くの芸術家がメドゥーサの姿を絵にしています。

マラケシュ旧市街

所在地　モロッコ王国マラケシュ＝サフィ地方

登録基準　文化遺産／1985年／①②④⑤

マラケシュのクトゥビーヤ・モスク。

ベルベル人の興亡の跡が刻まれた赤レンガの古都

城壁で囲まれ、赤土色の住宅街が並ぶモロッコのマラケシュは、ベルベル人の興亡の歴史を垣間見ることができる都市遺跡です。

マラケシュの起源は11世紀に始まります。北アフリカのベルベル人が建てたイスラーム王朝のムラービト朝が、1070年に首都とすると、砂漠を横断するキャラバンのためのオアシス都市として発展し、モスクや宮殿が建てられました。

これらの建造物は12世紀に樹立された同じベルベル人のムワッヒド朝に壊され、現在残る建造物の多くはそのムワッヒド朝期に建てられたものです。

とくに古いのがマラケシュのシンボルとも言われる、12世紀のクトゥビーヤ・モスクです。世界三大ミナレットのひとつに数えられる77mの塔（ミナレット）がそびえたち、旧市街の中心であるフナ広場を見下ろしています。ほかにもスルタンを迎え入れるアグノー門が建てられました。

その後も王朝が移り変わる中、バディ宮殿やバイーヤ宮殿などが建造されました。

もっと知りたい！　旧市街の中心ジャマーア・エル・フナ広場は、アラビア語で「死者たちの集会」を意味する言葉。ムラービト朝時代は反逆者たちの公開処刑をする場で、処刑された首をさらす場でした。今はそんな凄惨な歴史を感じさせることなく屋台が建ち並び、大道芸人も多く集まる活気にあふれる場になっています。

本日のテーマ　伝説に浸る！

6月11日

トンガリロ国立公園

所在地　ニュージーランド北島マナワツ・ワンガヌイ
登録基準　複合遺産／1990年、1993年／⑥⑦⑧

標高2000m級のルアペフ山・トンガリロ山・ナウルホエ山の3つの活火山から構成されるトンガリロ国立公園。

マオリの人々が崇める3つの火山とその伝説

トンガリロは、ニュージーランド北島の標高2000m級のルアペフ山・トンガリロ山・ナウルホエ山の3つの活火山で構成された国立公園です。火山岩特有の地形と、独自の生態系を持つ場所です。

この地は、ポリネシアから渡ってきたニュージーランドの先住民マオリにとって、神官や首長を埋葬してきた聖地です。それゆえマオリの人々は、トンガリロとその高原一帯を大切に守ってきました。そうした歴史から、トンガリロは世界で初めて認められた「文化的景観」となりました。

マオリの伝説には3つの火山の火を立てた逸話が残されています。最高位の神官トンガ・ナガトロ・イ・ランギがトンガリロへ視察に出向いている間、断食の誓いを破った男たちが神の怒りに触れて氷柱に変えられてしまいました。戻ってきたトンガが氷柱を溶かす火を求めたところ、トンガリロ山とナウルホエ山から火柱が出たと伝えられています。この逸話を、マオリの人々は今も信じているのです。

もっと知りたい！　18世紀以降、島にはイギリスからの入植者が急増しました。マオリの首長は、このままでは神聖な土地を守れないと考え、1887年にこの土地をイギリス女王に寄進する代わりに保護地区にするよう求めました。その結果、1894年にニュージーランド初の国立公園として保護され、貴重な自然や文化が残されるようになりました。

大ジンバブエ遺跡

所在地 ジンバブエ共和国マシンゴ州

登録基準 文化遺産／1986年／①③⑥

大ジンバブエ遺跡のなかでも特にミステリアスな存在となっている円錐形の塔。約90万個の石材が使用され、石と石の間には接着剤の役割を果たすものが一切使用されていません。

謎に包まれた円錐塔の役割とは?

大ジンバブエは、アフリカ南部で発見された大規模な石造建築遺跡です。80万㎡の範囲に広がる遺跡は大きく3つに分かれ、それぞれ花崗岩の丘に建つ「アクロポリス」、石壁が囲む「神殿」、集落遺跡の「谷の家」と呼ばれています。

適切な建築場所の選定や隙間のない石積みの堅固さから、非常に高度な技術があったことが見てとれます。20世紀に入って科学的な調査がなされると、「アクロポリス」が12～15世紀頃にショナ族によって、その他の2つが15世紀頃にショナ族に代わってこの地を支配したロズウィ族によって築かれたことが判明しました。ロズウィ族は、近くで産出する金でアラビア商人と交易しており、遺跡からは中国製と思われるガラス玉や陶磁器の破片、アラビア貨幣などが出土しています。

発見当初から謎とされているのが、神殿内の円錐形の塔の建造目的です。高さ11mで壁から顔を出すかのように立っていて、男根を表わしているという説もあります。しかし、ロズウィ族がどのような宗教を奉じていたのかわからず出土品も少ないため、確証が得られていません。

もっと知りたい! 大ジンバブエの人口が増えた結果、周辺の燃料になる木を伐り尽くしてしまったため、土壌の砂漠化が進行。食糧不足から大ジンバブエは放棄され、忘れ去られてしまいました。ジンバブエとはショナ族の言葉で「石の家」を意味し、これが現在の国名になっています。

コモド国立公園

所在地 インドネシア共和国ヌサ・トゥンガラ・ティモール州コモド島

登録基準 自然遺産／1991年／⑦⑩

激しく戦う2頭のコモドドラゴン。獰猛な性格で、時に人を襲うこともあります。

体長3mのコモドドラゴンが闊歩する島

世界に生息するオオトカゲのなかでも最も大きいコモドドラゴン。オスは体長約3m、体重130kgにもなり、鋭い爪と牙、力強い足と長い尾を持ち、ドラゴンという名前の通り恐竜をほうふつとさせる生物です。約2億1300万年前に始まるジュラ紀に誕生し、20世紀にその存在が科学的に確認されました。

そのコモドドラゴンの生息地として知られるのが、インドネシアの小スンダ列島のコモド島。コモド島を中心としたコモド国立公園には、全部で約5700頭いるコモドドラゴンのうち、約2900頭が闊歩しています。

コモドドラゴンは、野生のシカやブタ、スイギュウなどを食べる肉食動物で、木の上にも登り、海でも活動します。獲物が通りかかると、鋭い牙で獲物の頭や腹にかみつき、鋭い牙で食いちぎります。しかも、逃げ足の速い獲物に逃げられても慌てることはありません。唾液中に血液を凝固させない毒が含まれているため、出血によって獲物が弱ったり、失血死したりしたところを捕食することもできるのです。

もっと知りたい! ふだんはおとなしいコモドドラゴンですが、身の危険を感じたり、獲物を狙ったりするときには獰猛になります。自分より大きいスイギュウも倒すほどで、もちろん人を襲うこともあります。21世紀に入っても、2007年に子供が噛みつかれて引きずり回され、2009年には猟師がジャングルで噛みつかれ、いずれも失血死しました。

本日のテーマ　ドラマを味わう！

6月14日

カミ遺跡群国立記念物

所在地　ジンバブエ共和国北マタベレランド州

登録基準　文化遺産／1986年／③④

花崗岩を直方体に切り出して交互に重ねた建造物が約40haに渡って広がり、出土品には、中国産の青磁や白磁、ドイツ産やポルトガル産の陶磁器、スペイン産の皿などがあって交易を行なっていたことがうかがえます。

遺跡をイギリス人による破壊から守ったンデベレ王国の秘策

石造建築で知られるグレート・ジンバブエ遺跡の西、カミ川の西岸に広がるのがカミ遺跡です。15～17世紀頃の遺跡で1867年頃に発見され、ほぼ手つかずの状態を保っています。

これは非常に貴重なことです。というのも、ジンバブエの遺跡の多くは、19世紀後半に発見されると「黄金や財宝が隠されている」という噂が広がり、ヨーロッパ人によってあっという間に盗掘され、荒らされてしまったからです。当時は、遺跡を研究して保存するという考えが、まだなかったのです。

カミ遺跡を守ったのは指導者の秘策でした。その頃、ジンバブエ南西部にあったンデベレ王国のローベングラ王は、国民に信頼され、実力も持ち合わせた王でした。王は、宝探ししようとする者たちを出し抜くかのように、遺跡のある土地に国民たちを移住させ、自らの保護区にしたのです。この秘策のおかげで、カミ遺跡は荒らされることがありませんでした。

カミ遺跡は、20世紀半ばに発掘調査されて以来、本格的で広範囲な発掘は行なわれていません。つまり、まだまだ多くの謎を秘めている遺跡でもあるのです。

もっと知りたい！　カミ遺跡の建築には、壁の上部に空間を設けて格子模様にしたり、色の異なる石を組み合わせたりと、グレート・ジンバブエ遺跡よりも洗練された技術が見られます。ところが住人たちは17世紀頃にここを放棄して姿を消してしまいました。その理由は、わかっていません。

アブ・シンベル大神殿
（アブ・シンベルからフィラエまでのヌビア遺跡群）

所在地 エジプト・アラブ共和国アスワン県

登録基準 文化遺産／1979年／①③⑥

4体の巨大なラメセス2世像がそびえるアブ・シンベル大神殿。それぞれの像の足下には王妃ネフェルタリのほか、王妃の母、王子、王女の像が立ち、入口上部には太陽神ラーの像が彫られています。

ラメセス2世が自身を称えるために刻んだ仕掛け

ナイル川の上流、ヌビアにそびえるアブ・シンベル大神殿は、高さ33m、幅38mの威容を誇る神殿です。入口の左右で睨みをきかせている4体の座像は、すべて神殿を築いたエジプトのラメセス2世自身の像とも言われています。

ラメセス2世は紀元前13世紀頃の第19王朝のファラオ。強大な軍事力を駆使して周辺諸国に遠征し、小アジアのヒッタイトなどと激戦を繰り広げました。壮大な神殿や宮殿などの記念碑的建築物を各地に残した建築王としても名を馳せ、アブ・シンベル大神殿もラメセス2世が建てた建築物のひとつです。ただし、なぜかエジプト中心ではなく、遥か南方、エジプト王朝の勢力の南限に近いヌビアに建設されています。その理由は、服属させたヌビアの住民にファラオの権威を誇示するためだったようで、神殿にはラメセス2世を称える仕掛けがあります。

春分と秋分の日には神殿の奥まで朝日が届き、神殿奥にある神格化されたラメセス2世と神々の像を順番に照らします。神秘的な光景は神々の降臨を思わせ、ラメセス2世が太陽の祝福を受けた王であることを示しているかのようでもあります。

もっと知りたい！　アブ・シンベル大神殿は元々現在の東の低い場所にありました。ところが1960年代、ここにアスワン・ハイ・ダムが造られることになり、遺跡も水没の危機に見舞われます。しかし、ユネスコの国際救済によりブロックに分けて高台の丘に移設され、ナセル湖の畔に佇んでいるのです。

本日のテーマ　暮らし・文化に触れる！

麗江旧市街（れいこう）

所在地 中華人民共和国雲南省

登録基準 文化遺産／1997年／②④⑤

麗江の街並み。建ち並ぶ民家は瓦屋根の木造2階建てで、石畳の小路を人々が行き来する、日本人にも懐かしさを感じる風景です。

象形文字で太古の宗教を伝えるナシ族の故郷

雲南省の麗江は少数民族ナシ族が築いたかつての王都で、現代でも古い街並みが残り、ナシ族の人々が暮らしています。標高5596mの高さに位置する山ふところの街には、玉龍雪山の雪解け水が流れる細い水路が走り、小さな石橋が架かっています。

街の看板や標識には、まるでマンガのような不思議な文字が書かれています。これはナシ族が考案したトンパ文字という独特の文字で、今も現役で使われている世界唯一の「生きた象形文字」です。

形だけでなく色にもそれぞれ意味があり、全部で約2800の文字があるとも、今なお新しい文字が生まれて増えているとも言われています。見ただけでおおよその意味がわかるものも多く、親しみやすい文字です。

ナシ族の族長は、明代に「木」という姓を与えられました。木府はかつての政庁で、北京の故宮をなぞらえたつくりになっています。市街も木府も1996年の大地震で大きな被害を受けましたが、現在、復興が進められています。

もっと知りたい！ トンパ文字とナシ族の文化を紹介しているのがトンパ博物館です。ナシ族にはトンパ教という独特の信仰があり、博物館ではトンパ文字で書かれた文献やトンパ教の経典を中国語に翻訳する作業を進めています。しかし、最近ではトンパ文字を読める人が少なくなりつつあり、今後が懸念されています。

シエナ大聖堂（シエナ歴史地区）

所在地 イタリア共和国トスカーナ州

登録基準 文化遺産／1995年／①②④

最上部はゴシック様式で、装飾が美しいシエナ大聖堂の正面。

ペストの大流行によって建設途中で放棄された大聖堂

イタリア中部のトスカーナ州にあるシエナは13〜14世紀、ヨーロッパの商業・金融業の中心地として繁栄しました。

そのシエナのシンボルが、12世紀半ばに着工したシエナ大聖堂。深緑色と白の大理石の横じま模様の壁や象眼の床などの美しい装飾が見どころです。

この大聖堂は、市民の心のよりどころでもありました。13世紀、シエナの市長や市民がこの大聖堂に集まって、宿敵フィレンツェとの戦いの勝利を祈ったところ、無事勝利を収めたという逸話も残されています。そのため、「フィレンツェの大聖堂をしのぐ世界一の規模にしたい」と、14世紀に大幅な拡張工事を始めます。

ところがその工事は途中で放棄されてしまい、完成には至りませんでした。なぜなら1348年にヨーロッパでペストが大流行し、多くの人が亡くなったからです。あわせて飢饉も追い打ちをかけ、人口減と財政難に陥って工事が続けられなくなったのです。

結局、工事は再開されぬままに終わり、現在も正面入口が未完成のまま残されています。

もっと知りたい！ シエナに打撃を与えたペストは、シルクロードを通って伝播し、1347年にコンスタンティノープルに侵入、翌年にはイタリアやフランスなどヨーロッパで猛威をふるいました。黒死病と恐れられたペストは、全世界で6000万人以上、ヨーロッパでも人口の約3分の1にあたる約3500万人の命を奪ったとも言われています。

エオリア諸島

所在地 イタリア共和国シチリア州メッシーナ県
登録基準 自然遺産／2000年／⑧

激しく溶岩を噴き上げるストロンボリ火山。

活発な火山活動を続ける火山島の風の神伝説

「火山学の発展に影響を与えた」という理由で世界遺産に登録されたのが、シチリア島北東のティレニア海に浮かぶエオリア諸島です。エオリア諸島は258万～1万年前に活動を始めた火山によって誕生したリパリ島やストロンボリ島などの7つの島で構成されています。この島々は今も一部の火山が短期間で小噴火を繰り返しているため、ときおり噴煙を上げ、溶岩流が流れ出る姿を目にすることができます。

また、エオリア諸島の噴火は学術用語にもなっています。単発で火山灰などを放出する大規模な爆発を「ブルカノ島型」、周期的に流動性の高いマグマを放出する噴火を「ストロンボリ島型」といい、それぞれの島の名が火山型の語源となっているのです。

古代の人々は恐ろしい噴火の景色を、神の仕業にたとえました。エオリア諸島については、ギリシャ神話では、風の神アイオロスの住まいとされ、その名前もアイオロスのイタリア名「エーオロ」から付けられたものです。ローマ神話ではブルカノ島の噴火は、火の神ウルカヌスの鍛冶場があった場所だとされています。

もっと知りたい！ エオリア諸島内で最大の面積を持つリパリ島の高台には、島内のどこからでも見えるバロック様式の美しい大聖堂がそびえています。大聖堂に隣接して考古学博物館もあり、エオリア諸島の歴史を垣間見ることができます。また、古代から要塞が築かれてきましたが、火山によってできた岩塊が堅固な要塞としての役割を果たしていました。

本日のテーマ 謎と不思議を愉しむ！

6月19日

古代都市パレンケと国立公園

所在地 メキシコ合衆国チアパス州

登録基準 文化遺産／1987年／①②③④

パレンケの全景。中央奥のピラミッドが翡翠の仮面をかぶせられた遺体が発見された「碑文の神殿」です。

パカル王の墓が発見されたマヤの都市センター

マヤ文明のピラミッドは、頂上に神殿を載せる形式になっているため、墓所ではないと考えられていました。その定説を覆したのが、パレンケ遺跡の「碑文の神殿」の発掘です。

パレンケの建造物はほかのマヤ遺跡に比べると小ぶりですが、頂上の屋根の上に透かし彫りの装飾があるのが特徴です。パレンケ遺跡を何年も調査し発掘を重ねていたメキシコの考古学者ルスは、1952年、ここの地下深くに安置されていた巨大な石棺の中に、男性の遺体が入れられているのを発見しました。遺体は、翡翠の仮面をかぶり、全身を翡翠や宝飾品で飾られ、赤く染め上げられていました。

マヤ文字の解読によって、このピラミッドは7世紀にパレンケの絶頂期を築いたパカル王の治世に建設が始まっていたことがわかっています。また、多くの副葬品も見つかっていることから、翡翠の仮面の人物はパカル王に間違いないとされました。

さらにその後の研究でも、遺体が老齢の男性のものと証明され、パカル王であることが確実になりました。

もっと知りたい！ 石棺上に刻まれたレリーフの図柄も一大センセーションを巻き起こしました。横向きに腰掛けた人物が、宇宙船の縦桿を握ってチューブに囲まれているように見えるのです。発見当時は、米ソの宇宙開発競争が繰り広げられていた宇宙ブームで、「マヤ人は宇宙からやって来た」「パカル王は宇宙人だった」という説も出たほどでした。

キジ島の木造教会

所在地 ロシア連邦カレリア共和国
登録基準 文化遺産／1990年／①④⑤

キジ島の木造教会のひとつプレオブラジェンスカヤ教会。当時の職人の建築技術に驚嘆する世界遺産です。

釘を1本も使わずに建てられた教会群

国土に広大な森林を持つロシアでは、古くから木造建築の文化が発達しました。なかでも「世界で最も美しい木造建築の島」と呼ばれているのが、ロシア連邦の北西にあるカレリア共和国のキジ島です。

いくつもの宗教木造建築が並んでいますが、そのうち、1714年建築のプレオブラジェンスカヤ教会と、その冬用の聖堂として1764年に建てられたポクロフスカヤ教会、さらにその間に建つ19世紀建築の鐘楼が世界遺産に登録されています。

プレオブラジェンスカヤ教会は、ロシア独特の玉ねぎ型のドームが22も重なり合う独特の意匠を誇ります。高さが37mもあり、堂々とそびえ立つ姿は、かつてオネガ湖を渡る船の目印となっていました。しかも、これらの建物には驚くべき建築技術が秘められています。

なんと職人たちは設計図を造らず目測で手掛けていました。しかも釘を1本も使わず、斧だけで木材を加工し、伝統の知恵と巧みな技で工夫しながら組み立てていたのです。

もっと知りたい！ 現在、キジ島の木造教会は老朽化して腐食が進み、崩壊の恐れがあります。しかし、ソ連時代に木の文化が軽んじられたことで木造の優れた建築技術は継承されませんでした。そのため、教会の修復や保存ができる技術を持つ職人がいなくなり、修復が難しくなっています。そこでキジ大工センターが設立され、木造建築の再興に取り組んでいます。

本日のテーマ　ドラマを味わう！

6月21日

ゴール旧市街とその要塞群

所在地　スリランカ民主社会主義共和国南部州ゴール県

登録基準　文化遺産／1988年／④

街を囲む城壁の上は、遊歩道になっています。堅牢な城壁は、2006年のスマトラ沖地震の大津波にも耐え、旧市街は大きな被害を逃れることができました。

17世紀以来の街並みが残る旧市街

スリランカのほぼ南端に位置する港町ゴールには、古代からペルシャ、アジア、ヨーロッパ、アラブなどから多くの船がやって来ていました。

16世紀末には、アジア進出を展開していたポルトガルが、ゴールを植民地として城壁の原型を築きました。17世紀にはオランダが攻め込んできて、ポルトガルに取って代わります。オランダは街を城壁で囲むと、道を碁盤の目のように走らせ、風車による排水設備を置くなど、自国とよく似た街造りを行ないました。

さらに19世紀初頭になると、今度はイギリスがゴールを領有。イギリスは、オランダが築いた街並みをそのまま用いつつ、国教会の聖堂など、イギリス風の建物を建てました。そのためゴールでは、異なる国の様式の建物が隣り合い、異なる宗派の教会がすぐ近くにある珍しい光景が見られるのです。

ちなみに、現代のゴール市民にはイスラーム教徒が多いので、モスクなどのイスラーム建築もたくさんあります。

もっと知りたい！　ゴールでは、植民地時代の建物の多くが現役で活躍しています。かつての総督府は企業の社屋に、病院は飲食店や商店に、兵舎は郵便局に、豪商の別荘はホテルに、東インド会社の倉庫は博物館にといったように転用されているのです。ちなみに、住民が家を建て替えるときは、街並みを保つために政府の許可が必要になります。

本日のテーマ　ゆかりの人物に出会う！

6月22日

ロードス島の中世都市

所在地　ギリシャ共和国ドネカネス諸島ロードス県

登録基準　文化遺産／1988年／②④⑤

ロードス島の城塞を守る城門。イスラーム勢力に対抗した聖ヨハネ騎士団によって建設されました。

エルサレム巡礼を見守り続けた聖ヨハネ騎士団

ドイツ騎士団（167ページ）とともに三大騎士団のひとつに数えられる聖ヨハネ騎士団は、第1回十字軍遠征で負傷した兵士や巡礼者を保護したエルサレムの聖ヨハネ救護院の修道士団が前身です。12世紀に教皇に認められ、諸侯や騎士からなる聖ヨハネ騎士団を結成しました。そしてエルサレムの常備十字軍としてイスラーム勢力と戦う一方、西欧各地に病院を建設して救護活動に当たり、領土を拡張していったのです。

しかし、13世紀の十字軍の終焉とともにエルサレムを逃れ、キプロスを経て、1309年にかつてエーゲ海の貿易拠点として栄えたロードス島に本拠を移しました。そして騎士団はイスラーム勢力の攻撃に備えて町の中心を全長4kmの城壁で囲んで要塞化します。

城壁内には、出身言語別に分かれた8つの騎士団の館、北側の騎士団長の館、施療院などが建設されました。騎士団長の館は見張りの塔や銃眼がいくつももうけられた堅牢な建物で、地下3階まで食糧や弾薬を保管できる地下倉庫がありました。

もっと知りたい！　ロードス島の港の入口には、この島で熱心に崇拝されたヘリオス像が建っていたと言われています。高さ約37mもある巨大なヘリオス像で、紀元前292年に建てられましたが、紀元前227年の地震で崩壊しました。像の存在は多くの記録に残されていますが、形や場所については諸説あり、真相はわかっていません。

ヴォルビリスの古代遺跡

所在地 モロッコ王国フェズ・メクネス地方
登録基準 文化遺産／1997年、2008年／②③④⑥

ヴォルビリス遺跡の大通りには、広間、個室、中庭を備えた豪邸が並び、中庭の床からは、世界最良の保存状態と言われる美しいモザイクが多数出土しています。ギリシャ神話をテーマとしたものが多く、生き生きした表情と動きの表現が見事です。

ローマのクラウディウス帝が保護した植民市の古代遺跡

アフリカ大陸にあるローマ帝国の遺跡で、ほぼ西端に位置するのがヴォルビリスです。周辺で反乱が起きたときも、ヴォルビリスはローマへの従属を誓ったため、クラウディウス帝から手篤い保護を受けて紀元40年頃から大きく発展しました。

街は8つの門と40以上の塔がある全長2359mの城壁に囲まれ、神殿、公衆浴場、広場などの公共の施設が建ち並んでいます。217年に築かれたカラカラ帝の凱旋門は、カラカラ帝が全属州の自由民にローマの市民権を与え、属州民税も廃止するという勅令を発したことに感謝して建てられたものです。属州民にとってこれほど喜ばしいことはなく、凱旋門は豊かな街のシンボルとなりました。

こうしたヴォルビリスの繁栄を支えていたのが農業です。あたりの土地が肥沃だったことから小麦やオリーブが大量に生産され、ローマに出荷されて富をもたらしたのです。遺跡からはオリーブの圧搾施設、粉挽き機、穀物倉庫なども出土し、ヴォルビリスが農業都市だったことを物語っています。

もっと知りたい！　この街のモザイク画には、動物を描いたものが多くあります。いずれも今にも動き出しそうに写実的です。ヴォルビリスは、ライオン、ヒョウ、象などの動物もローマに輸出していたので、これらの動物をよく観察する機会があったのだと考えられています。

ヴェネツィアとその潟

所在地 イタリア共和国ヴェネト州

登録基準 文化遺産／1987年／①②③④⑤⑥

ゴンドラやボートが行き交うヴェネツィアの大運河カナル＝グランデ。

地中海の覇権を握ったアドリア海の女王

ヴェネツィアはアドリア海の潟に浮かぶ120余りの島々を、運河と橋で結んで人工的に築いた海上都市です。6世紀頃、異民族の侵入から逃れたヴェネト人が、アルプスを越えてイタリア半島北東部に位置するこの地に至り、潟の上に都市を築いたのが始まりとされます。

9世紀までに都市国家の体裁を整えると、十字軍遠征をきっかけにビザンツとイスラームの東西を結ぶレヴァント（東方）貿易で財をなします。その後、第4次十字軍に船を提供してビザンツ帝国の首都コンスタンティノープルを攻略させ、莫大な利益を得ました。

イタリア本土にも進出し、16世紀にはイタリア北東部を支配下に収め、その繁栄は「アドリア海の女王」と称えられました。

ヴェネツィアの街は、政治経済のサン=マルコ地区、商業のリアルト地区、軍事のアルセナール地区の3地区が中心で、往時をしのぶ贅を尽くした建築物が残されています。富を象徴するかのような豪華絢爛な装飾が施されたサン・マルコ大聖堂、外観の幾何学模様が印象的な総督官邸のドゥカーレ宮殿、商業の中心だったリアルト橋周辺に残る外国商館などがあります。

もっと知りたい！　ヴェネツィアには独特の建設技術が用いられています。水際の砂洲の上に建物を造るために、その下の固い層に届くまで何本も杭を打ち込み、その上に石の基礎を配しレンガで壁を造りました。ただ、重量のある建物では沈んでしまうため、高さを控えて水に面した部分の開口部を多くして軽くなるようにしています。

ノヴゴロドの文化財とその周辺地区

所在地 ロシア連邦北西連邦管区ノヴゴロド州

登録基準 文化遺産／1992年／②④⑥

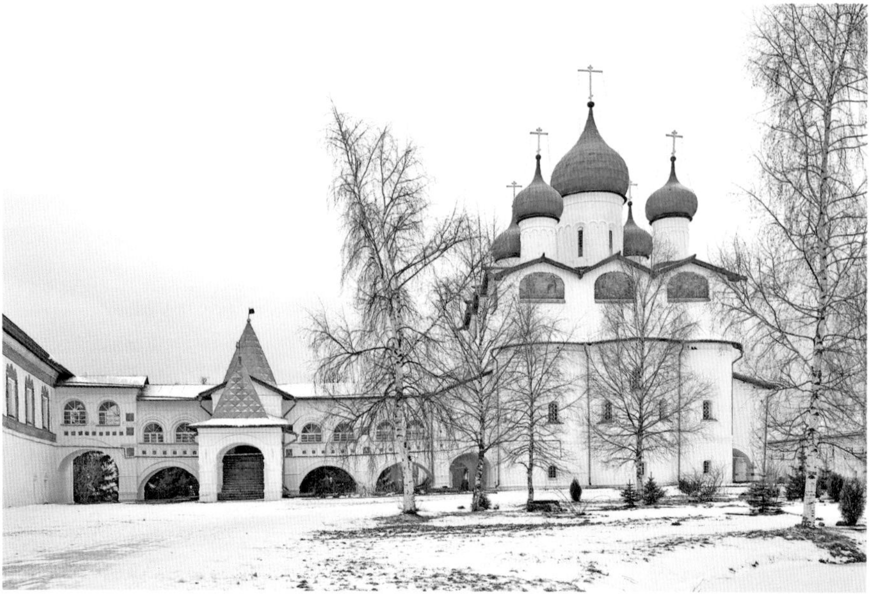

ノヴゴロドのシンボルとなっている聖ソファア聖堂。

ノヴゴロドに伝わるロシアの建国伝承

中世にバルト海と黒海を結ぶ中継貿易都市として発展し、自由都市として栄えたロシア北西部のノヴゴロドには、11世紀に建てられた聖ソフィア聖堂や14世紀に建てられたスパソ・プレオブラジェーニエ聖堂など、当時の威光を示す歴史的建造物も残されています。

ノヴゴロドの起源は、9世紀半ばに建国されたノヴゴロド公国。伝承によれば、当時、この地を支配していたノルマン（ワリャーギ）族を追い払った諸部族が内乱に悩み、「国は広くて豊かだが、秩序がない。この地を公として治めてほしい」と、海のかなたのノルマン族のもとから統治者を招きました。

そこで選び出された3人の兄弟は、家臣団を従えてこの地にやってきます。その長男のリューリクが、862年にノヴゴロド公国を建国し統治したのです。

実際には、リューリクがこの地を占領したとも言われていますが、これがロシア初の国家となりました。今ではロシアの故地として親しまれています。

もっと知りたい！ ノヴゴロドとその周辺にある歴史的建造物群が世界遺産に登録されています。16世紀の皇帝による破壊や第2次世界大戦で町は被災しましたが、そのたびに市民たちが修復してきたため公国時代からの街並みが残されています。5つのドームと十字架を中心にした聖ソフィア大聖堂も第2次世界大戦の被災後、修復され往時の姿を取り戻しています。

本日のテーマ　謎と不思議を愉しむ！

6月26日

ナン・マドール
東ミクロネシアの儀式の中心地

所在地　ミクロネシア連邦ポンペイ州（ポンペイ島）

登録基準　文化遺産／2016年／①③④⑥（危機遺産）

謎の人工島が無数に浮かぶナン・マドール。かつては太平洋に存在したムー大陸の痕跡とも噂されました。

海上に浮かぶ遺跡はムー大陸の痕跡か？

ミクロネシア島の主島、ポンペイ島の南東に築かれているナン・マドールは、大小92の人工島で形成されています。浅瀬に玄武岩を積んで枠組みとし、サンゴや石を敷き詰めて造成され、大きなものは100㎡。水路が巡っており、ヤシやマングローブが茂っています。

発見されたときは、いつ、誰が、何のために、このようなものを造ったのかまったくわからず、太平洋に沈んだムー大陸の都ヒラニプラではないかと古代史愛好家を喜ばせました。しかしその後、放射性炭素年代測定などの調査で、ナン・マドールが築かれたのはそう古い時代ではなく、12～13世紀、あるいは13～15世紀であることがわかりました。島にはそれぞれ王宮、神殿、食糧貯蔵庫、墓などの役割があることから、11～17世紀頃にこの地を統治したサウテロール王朝の都だったのではないかと考えられています。

しかし、なぜわざわざたくさんの人工島を築いたのかは依然として謎のままです。最近の調査では、近くの海底に石造建造物があり、ナン・マドールよりも古い時代のものと判明しています。ナン・マドールの下には、もっと古い遺跡が眠っているのかもしれません。

もっと知りたい！　ポンペイ島には、こんな民話があります。オロシーパとオロショーパの兄弟がやって来て、街を造ろうとしたのですが島内ではうまくいかず、海底に神々の都があるこの地に、ナン・マドールを築きました。兄オシローパは、完成前に世を去ったので、弟オロショーパがサウテロール王朝の王になりました。

リラ修道院

所在地 ブルガリア共和国キュステンディル州

登録基準 文化遺産／1983年／⑥

極彩色のフレスコ画で埋め尽くされた聖母聖堂。

オスマン帝国への対抗心から生まれたブルガリアの芸術

中世、オスマントルコ帝国の支配に対し、ブルガリア人の信仰を支え、精神的な支柱となったのが、リラ山脈中のブルガリアの最高峰ムサラ山（標高2925m）の山懐に抱かれた地に建つリラ修道院です。

その起源は10世紀、修道士のリルスキーが山中の洞窟で隠遁生活を始め、彼を慕って集まった人々が修道院を建てたことに始まります。ブルガリア帝国時代には王の庇護を受けて、ブルガリアの宗教の中心になりました。14世紀末にブルガリアを支配下に治めたオスマン帝国もこの信仰を尊重し、5世紀にわたる支配のなかでも活動を認めたのです。こうしてリラの修道院は、ブルガリア人の信仰と文化を守る、精神的な支えとなりました。

17世紀頃のフレスコ画に、悪魔や戦士たちが登場し、戦いをイメージしたものが多いのは、ブルガリア人の自立と反骨精神を示したもので、民族意識の高まりが生み出した芸術と言えます。その後も18世紀以降のブルガリア人の民族運動が盛んな時代には、活動家たちが民族統一の象徴として拠点にするなど、ブルガリア人の心のよりどころであり続けました。

もっと知りたい！ リラ修道院は19世紀に焼失しましたが、その後再建され現在に至ります。城壁としての役割も担った300にも及ぶ修道士の僧房や礼拝堂なども再建されました。重厚な外観のフレリヨの塔は唯一14世紀の建造物です。

本日のテーマ　ドラマを味わう！

ギョレメ国立公園とカッパドキアの岩窟群

所在地　トルコ共和国ネヴシェヒル県

登録基準　複合遺産／1985年／①③⑤⑦

凝灰岩の侵食によって形づくられた奇岩が林立するカッパドキア。気球に乗ると圧巻の絶景を堪能することができます。

キリスト教徒が掘り進めた驚異の地下都市

アナトリア高原のカッパドキア地方には、キノコのような形の岩々が林立した一帯があります。見渡すかぎりの奇観は、火山の爆発で降り積もった凝灰岩が気の遠くなるような歳月をかけて侵食されてできたものです。それだけではありません。この下には、人間が岩を掘り進んで造った地下都市があるのです。

4世紀、ローマ皇帝の迫害を逃れたキリスト教徒たちが、ここに隠れ住みました。彼らは比較的柔らかい凝灰岩を掘って住居とし、聖堂や修道院も地下に築きました。隠れ家は次第に広がり、深さ数十m、地下8階に及ぶものまでできました。中には食堂や炊事場、換気用の穴、汚水処理の溝まであります。それでも隠れ住むことは変わらず、敵を阻むための重い石の扉も取り付けられていました。

7世紀後半になると、今度はイスラーム教徒の攻撃を警戒してここに住む人が増え、人口は6万人にもなりました。安全で快適に造られた地下都市には、20世紀はじめまで人が暮らしていたのです。

もっと知りたい！　地下にある聖堂や修道院には、壁や天井にフレスコ画がびっしり描かれたものもあります。聖書の一場面や聖人の姿などで、赤や黄の色調が多いのは、ここで手に入れやすい鉱物性の顔料を使ったためと思われます。外光が射し込まないため傷みが少なく、良い状態で保存されています。

本日のテーマ ゆかりの人物に出会う！

6月29日

メテオラ

所在地 ギリシャ共和国トリカラ県

登録基準 複合遺産／1988年／①②④⑤⑦

垂直にそびえ立つメテオラの巨大な岩々は、自然遺産にも登録されています。

修道士たちの暮らしを今に伝える奇岩の上に立つ修道院群

ギリシャのテッサリア地方に位置するメテオラには、平地から高さ30〜500mもの巨大な岩の塔がいくつもそびえ立つ奇観が広がり、その岩の頂には無数の修道院が建てられています。

これらの修道院群は、9世紀頃、世俗と離れて神との交感を目指す「隠修士」と呼ばれる人々が岩場に隠遁したのが始まりです。14世紀頃にはセルビア人の侵入から逃れるため、シリアの聖者シメオンが塔の上で修行した伝説に倣って、頂に修道院を構え始めました。聖アタナシオスがメタモルフォシス修道院を建てたのを皮切りに、次々と24の修道院が建てられ、メテオラは東方正教会の聖地とみなされるようになったのです。

岩上にあるため、地上と岩の往来や建築資材の運搬には困難が伴いました。資材の運搬方法については、ロープを使った人力説、滑車による巻き上げ説など諸説あり、謎に包まれています。いずれにせよ、命がけの作業であり、まさに建設そのものが信仰心を確かめる修行の一部でした。そうした先達の信仰心を受け継ぎ、メテオラでは、今も6つの修道院で修道士たちが規律正しい信仰生活を送っています。

もっと知りたい！ 修道院内には修道士たちの遺骨である頭蓋骨が安置されている場所があります。修道士たちがこの岩の頂で、最期の瞬間を迎えるまで信仰生活を送っていたことがわかります。

アトス山

所在地 ギリシャ共和国カリエス

登録基準 複合遺産／1988年／①②④⑤⑥⑦

沖合から眺めるアトス山のシモノス・ペトラ修道院。アトス山を見学したいという人のためのクルーズ船がありますが、岸から500m以内に近づくことは禁じられています。

修道士たちが禁欲生活を送る女人禁制の聖地

俗世から逃れた修道士たちが修行に励んでいるのが、ギリシャ正教の聖地のアトス山です。近づくのも困難な険しい崖の頂や急な山の斜面に、20ほどの修道院が築かれており、別院や僧院は100を数えます。

ここには、女人禁制の厳しい掟があります。

男性の修道院なので女性が足を踏み入れられないのはもちろんですが、動物の雌も持ち込めませんし、未成年者も単独では入れません。一般の男性も、特別な許可証がないと入れないのです。アトス山がある半島は途中で封鎖されていて、聖地に入る手段は船だけですが、その許可証がないと乗船すらできません。

伝説によると、アトス山が聖地となったのは聖母マリアの乗った船が嵐に遭ってここに立ち寄ったから。「聖母休息の地」であるため、他の女性の立ち入りを認めないのだそうです。2000人ほどいる修道士たちは、中世とまったく変わらない祈りと労働、そしてイコン（聖画）やフレスコ画を制作して日々を送っています。

もっと知りたい！ 885年、ビザンツ帝国皇帝はアトス山を修道士たちの領土としました。これは自治国家として認めたということです。その後のオスマン帝国でさえ、アトス山には一定の自治を認めました。現在のアトス山もギリシャ国内に位置していますが、自治国家としての立場を保っています。

本日のテーマ　歴史を知る！

7月1日

アービラの旧市街と塁壁の外の教会群

所在地　スペイン王国カスティーリャ・イ・レオン州

登録基準　文化遺産／1985年／③④

アービラの城壁は88の塔と9の城門を持ちます。

レコンキスタの激闘を物語る堅固な城壁

スペイン中部、グレドス山脈のふもとの標高1100mの高原地帯にあるアービラの旧市街は、そびえるような堅固な城壁に囲まれた「石と聖者の街」です。

アービラのあるイベリア半島では、8世紀から15世紀まで約800年間、激しいレコンキスタ（キリスト教徒によるイスラーム教徒からの領土回復運動）が展開されました。11世紀、この戦いによりアービラを取り戻したキリスト教徒は、イスラーム教徒の再侵攻を恐れ、約9年の歳月をかけて旧市街を囲む堅固な城壁を築いて要塞化します。

それは全長約2.5km、高さ約12m、88の塔と9の城門を持つ大規模なものでした。城壁と連結させて大聖堂も造り、その後陣は城壁の塔の役目を果たしました。この街を防御した城壁は今もほぼ完全な姿で残されており、レコンキスタの激闘を今に伝えています。

ちなみに、アービラは16世紀に聖女テレサが城壁の外にサン・ホセ修道院を築くなど修道院改革の中心地となり、「聖者たちのアービラ」とも呼ばれました。

もっと知りたい！　16世紀、アービラの貴族の家に生まれたテレサは、早くから信仰に目覚め、20歳の頃に女子カルメン会の修道院に入ります。数々の神秘体験をしたテレサはこの思想を布教する一方、カルメン会の改革に着手。アービラにサン=ホセ修道院を築いたほか、スペインに16の女子修道院と2つの男子修道院を創設。死後、聖人に列せられました。

本日のテーマ 伝説に浸る！

7月2日

184

ハワイ火山国立公園

所在地 アメリカ合衆国ハワイ州ハワイ島

登録基準 自然遺産／1987年／⑧

太平洋へ流れ込む溶岩。キラウエア山は今も盛んに噴火を繰り返しています。

7000年にもわたり活動を続ける活火山に宿る女神の伝説

ハワイ諸島最大のハワイ島には、7000年にわたって噴火を繰り返すキラウエア山とマウナ・ロア山の2つの活火山があります。これらの火山はガスが少ないため、大きな爆発を起こしませんが、噴火の頻度が多いのが特徴です。

ハワイ島には、火山に宿る火の神ペレの伝承があります。夜、赤いムームーの美女の姿をした火の神ペレが現われるというのです。ペレはキラウエア山に住んでいたため、噴火が起こるたびに人々はペレが機嫌をそこねたと考え、レイなど彼女の好物を捧げて噴火を抑えようとしたと伝えられています。一方、別の伝説ではペレは姿を消した夫を探す旅に出ます。彼女は両親から与えられた海を頭上に乗せてハワイ地方に向かいました。このとき、ペレの流した海が大水となり、オセアニアの島々が生まれたと伝えられます。

ペレはカウアイ、モロカイ、プウライナ、ハレアカラ、キラウエアと順に移動していき、噴火口を作ってとどまりました。この移動の順番は火山活動と一致しており、ペレの物語は火山の活動記録だろうとも言われています。

もっと知りたい！ ハワイ諸島は、超人マウイが海の底から釣り上げたという伝承があります。それはマグマを吹き出すマントルにあるホットスポットのこと。流れ出した溶岩は海に流れ、急激に冷やされて固まって陸地になります。こうして陸地が増えるため、1969年以降だけでも、ハワイ島の面積は81万㎡も広くなっているのです。

タッシリ・ナジェール

185

所在地　アルジェリア民主人民共和国イリジ県

登録基準　複合遺産／1982年／①③⑦⑧

タッシリ・ナジェールのなかでも謎の多い壁画がこれ。動物たちとともに人間の姿も多く描かれていますが、「白い巨人」と呼ばれる右の人物は、身長が3mもあり角が生えているようにも、宇宙服を着ているようにも見えます。

サハラ砂漠の真ん中で描かれた砂漠にはいない動物

タッシリ・ナジェールの岩絵には、ゾウ、カバ、サイ、キリン、バイソン、ウシ、ヒツジ、ラクダなど、さまざまな種類の動物の姿を見ることができます。ところが、今この周辺の風景を眺めると、違和感を覚えるかもしれません。

というのも、タッシリ・ナジェールは、サハラ砂漠のほぼ中央の乾燥地帯で、標高2000m級の山々が連なるばかり。土壌はほぼ砂岩で占められている不毛の地で、多くの動物が生息するような環境ではないのです。

ではなぜ、描き手たちは、こうした動物の存在を知っていたのでしょうか。

それは、サハラ砂漠がかつては緑あふれる豊かな地だったからです。岩絵は、1万年前から2000年前までという長きにわたって描き続けられたもので、描かれた時代によって登場する動物も異なっています。もっとも古い時代の絵には、たくさんの野生動物が描かれ、ゾウやキリンなどの草食動物もいることから、餌になる植物も豊富だったことがうかがえます。そして時代が下るごとに乾燥化が進んだ様子をうかがわせる動物が登場するようになります。

もっと知りたい！　タッシリ・ナジェールとは、現地のトゥアレグ語で「水の台地」「川の多い台地」という意味です。かつてこの地が、砂漠ではない水の多い土地だったことをうかがわせます。

本日のテーマ　自然の不思議と驚異の技術を学ぶ！

7月4日

186

スオメンリンナの要塞群

所在地　フィンランド共和国ヘルシンキ

登録基準　文化遺産／1991年／④

スオメンリンナの要塞群は、ロシアの侵略に備え、18世紀当時の最先端の軍事技術をふんだんに用いて建設されました。

戦争の舞台となった歴史を伝える「フィンランドの城」

フィンランドの首都ヘルシンキの沖合の島に、スウェーデン統治時代に建てられた軍事要塞スオメンリンナがあります。

18世紀にスウェーデン国王フレデリック1世はロシアの侵略に備えるため、6つの無人島に大規模な要塞の建設を命じました。それにより島同士に防御網が張り巡らされ、約7.5kmにわたって堅牢な城壁が築かれました。起伏ある土地に建てられた変則的な形の星形要塞の稜堡や装甲室などに、当時の最先端の要塞建築の技術が使われています。

建設当初は「スヴェアボリ（スウェーデンの城）」と名づけられましたが、その後、変遷の歴史をたどります。1808年にはロシアに占領されて海軍基地となり、1917年にフィンランドが独立するとフィンランド領となって、「スオメンリンナ（フィンランドの城）」と改称されたのです。

現在は保存の良い6kmの城壁が歴史的遺構として保存される一方、周辺は公園として生まれ変わり、穏やかな平和なときを刻んでいます。

もっと知りたい！　スオメンリンナは、博物館や聖堂、レストランが点在する公園で、夏には大勢の海水浴客が訪れます。一方で、保存された城壁は一部内部も見学可能で、日本の砲台も展示されています。また、博物館には、要塞に関する資料や武器、第2次世界大戦で活躍した潜水艦などが展示されており、スオメンリンナが戦争の舞台であった歴史を伝えています。

本日のテーマ ドラマを味わう！

レヴォチャ歴史地区、スピシュスキー城およびその関連する文化財

187

所在地 スロバキア共和国プレショフ県

登録基準 文化遺産／1993年、2009年／④

現在、スピシュスキー城は少しずつ再建が進められています。ふもとには、聖堂、そして聖職者の居住用に築かれた街スピシュスケー・ポドフラジェがあります。

タタール人の襲撃に備えて築かれた絶景の城

大草原を見渡す高い丘の上に築かれた、中央ヨーロッパ最大規模の巨城がスピシュスキー城です。

古くから小さな城があったこの場所に、スピシュスキー城が建てられたのは12～13世紀にかけてのこと。その頃、モンゴルや東方民族のタタール人がヨーロッパに侵攻し、人々の脅威となっていました。スピシュスキー城は、タタール人の襲撃に備える要塞として建てられたのです。その後、時代を追うごとに、宮殿や聖堂が付け足され、ロマネスク様式をはじめ、ルネサンス様式やバロック様式の建物が増築され、巨大になっていきました。ところが、1780年に火災のために廃墟となってしまい、その後、再建されることがありませんでした。

スピシュスキー城の所有者は長い歴史の間に、ハンガリー王国、領主であった貴族たち、ポーランド王国などと、何度も変わっています。そして1945年、200年以上廃墟だった城はチェコスロバキア政府の管理下に入り、同国分裂後はスロバキア政府が引き継ぐことになりました。

もっと知りたい！ 最後にこの城に住んでいたのはツサースキー家ですが、火災が起きるずっと前の18世紀初頭に近くの村に邸宅を建て、そちらに転居していました。城に住んでいると、生活が不便だったのがその理由です。

本日のテーマ　ゆかりの人物に出会う！

188

東照宮（日光の社寺）

所在地　日本　栃木県

登録基準　文化遺産／1999年／①④⑥

日光東照宮の建造物のなかでも壮麗な装飾で知られる陽明門。故事逸話や聖人賢人などの浮き彫りが施され、いつまでも見飽きないことから「日暮の門」とも呼ばれます。

江戸を築き、江戸を守る守護神となった徳川家康

日光東照宮は、江戸幕府を創立した徳川家康を東照大権現として祀った霊廟です。

幼少期の人質時代を経て、激動の戦国時代を生き抜き、ついには豊臣家を倒して江戸260年の太平の世を打ち立てた家康は、自分の遺体の処遇についても細かく遺言を残していました。それに従って、1616年に駿府で没した家康の遺骸は静岡の久能山に埋葬され、翌年に日光東照宮に移されました。

それにしても、なぜ日光だったのでしょうか。

その理由は、霊山である久能山に埋葬されて神となった自分が日光に鎮座し、徳川家の守護神になろうとしたからと言われています。

幕府は、徳川家の権威を高めるため家康を神格化して東照大権現の神号を与えます。さらに家康の孫の3代将軍家光は、1636年からそれまでの日光の建物を大改修して、陽明門、唐門、回廊など、豪華絢爛で見事な彫刻を持つ社殿を造営し、徳川家の創始者にふさわしい日本最大級の壮麗な霊廟を完成させたのです。こうした動きからも、家康の真意がうかがえます。

もっと知りたい！　東照宮は防火対策も徹底しています。防火対策の一環で、東照宮本社と陽明門は、1654年に檜皮葺の屋根から銅瓦葺に改められました。扉も漆塗りの上に銅をかぶせた鉄火扉が使用され、ほかにも用水路や水槽の設置、石垣の巧みな配置など、当時としては先進的な防火技術が駆使されているのです。

本日のテーマ 暮らし・文化に触れる！

7月7日

189

大足石刻（だいそくせっこく）

所在地 中華人民共和国重慶市

登録基準 文化遺産／1999年／①②③

道教・仏教・儒教が混交した世界観が展開する大足石刻の石像群。

宋代の道教・儒教・仏教の融和を物語る父母恩重経変相龕（ぶもおんじゅうきょうへんそうがん）

中国三大宗教の道教・儒教・仏教の石像が居並ぶのが、重慶の北西にある大足石刻です。ここには、唐代末期から清代にわたって築かれた70か所を超える石刻群があり、石像は5万体以上、石碑文は10万点以上に及ぶと言われています。

注目すべきは、宝頂山の父母恩重経変相龕。父母が子を慈しんで養育する過程が11の龕に刻まれているのです。

仏教の石窟ですが、仏だけではなく、儒教の聖人や家族の姿が、生活の細部までストーリーをもって刻まれているので、まるで絵物語を見ているようです。テーマは儒教が説く親孝行の道で、仏教と儒教の融和がこのような形にしているのです。

宋の時代には、それまで対立していた道教・儒教・仏教の共存が説かれるようになりました。儒教と仏教は善を薦めるところで一致しているという儒仏一致の教えが生じ、それぞれの教えが病を治すと考えたり、3つの教えを3本の足がある器の鼎にたとえたりして、軋轢が避けられるようになったのです。

もっと知りたい！ 中国では、仏教、儒教、道教が、互いの優位性を主張して争った歴史があり、皇帝の考えひとつで、どの宗教が力を持つかが大きく違いました。道教に傾倒していた唐の武宗は、全国4600の寺を破壊し、20万人以上の僧尼を還俗させる弾圧を行いました。

アルハンブラ宮殿（グラナダのアルハンブラ、ヘネラリーフェ、アルバイシン地区）

190

所在地 スペイン王国アンダルシア州グラナダ県

登録基準 文化遺産／1984年、1994年／①③④

アルハンブラ宮殿の「アラヤネスの中庭」。池を囲む側面の建物は女性たちの住居。正面の北回廊の奥に見えるのが、高さが45mのコマレスの塔。アルハンブラ宮殿にそびえる塔のなかで最も高い塔です。

レコンキスタの終焉とグラナダ王国の滅亡

13〜14世紀、スペイン・グラナダ王国の宮殿兼城塞として丘の上に築かれたアルハンブラ宮殿は、アラベスクやムカルナスといったイスラーム芸術の粋を集めた華やかな建物です。宮殿は代々の王が住む宮殿と城塞、「ヘネラリーフェ」と呼ばれる離宮で構成され、住宅、モスク、役所、学校などもありました。

また、この宮殿はレコンキスタ（イベリア半島の領土回復運動）の終焉の地にもなりました。イベリア半島のイスラーム系の国々が次々とキリスト教の支配下に入るなか、イスラーム最後の王朝となったのがグラナダ王国。グラナダはイスラーム教徒の最後の砦として約200年間存続しますが、1492年にキリスト教徒のアラゴン王国とカスティーリャ王国の攻撃を受け陥落します。このときに激戦が繰り広げられたのが丘の下のアルバイシン地区でした。

その後、グラナダのムハマンド1世はアルハンブラ宮殿の「大使の間」で、宮殿のカギをスペイン側に渡します。城を去るムハマンド1世が、宮殿を振り返って涙を流した場所は「モーロ人の嘆き」と呼ばれています。

もっと知りたい！ アルハンブラ宮殿の天井には「ムカルナス」と呼ばれるイスラーム建築に用いられる鍾乳石飾りが用いられています。これは、数種類のタイルを組み合わせて立体的な蜂の巣のような形を表す高度で緻密な天井の装飾技法です。ドームと併用した場合、ドームから入る光がムカルナスに反射して不思議な陰影を見せてくれます。

本日のテーマ　伝説に浸る!

7月9日

センネジェム墓
テーベの墓地遺跡

所在地　エジプト・アラブ共和国ルクソール県

登録基準　文化遺産／1979年／①③⑥

センネジェム墓の壁画に描かれた死後の世界。現世と変わらぬ生活を営むことが古代エジプト人の願いでした。

色彩豊かに蘇るエジプト人が考えていた死後の世界

古代都市テーベと墓地遺跡に含まれているディル・エル・メディーナという村は、王家の谷の王墓の造営に従事した職人たちを中心に、100人以上が暮らした場所です。彼らは仕事の合間に自分たちの墓を築きました。

そのひとつであるセンネジェム墓には、挿絵が描かれた葬祭文書の『死者の書』が一緒に埋葬され、死後の世界を描いた壁画も残されています。壁画には死後の世界で農作業に従事するセンネジェム夫妻の姿が描かれています。

ただ、こうした生活を送るには死後の裁判を経ねばなりません。その裁判を伝えるのが『死者の書』で、そこには冥界の神オシリスが行なう死者の裁判の様子が詳細に描かれています。

裁判で死者は自分に罪がないことを神に告白しますが、ウソがあれば天秤が傾き、怪物アメミトに心臓を食べられてしまいます。古代エジプト人は死後、肉体をミイラとして保存しておけば復活して楽園へ導かれ、現世と同じ生活ができると考えていましたが、裁判で心臓を食べられてしまうと復活できません。オシリスの裁判はまさに生死の関門だったのです。

もっと知りたい!　死者が復活する楽園は「イアルの野」と呼ばれ、穀物が豊かに実り、自然に恵まれた豊穣の地と考えられていました。ただ、イアルの野がある場所については、時代によってナイル東岸、西の砂漠の先、地下などと変わっています。また、その全体像も湿原、田園、島など、複数の説があり、その実態は定まっていません。

本日のテーマ　謎と不思議を愉しむ!

7月10日

オークニー諸島の新石器時代遺跡中心地

192

所在地　英国 スコットランド オークニー諸島

登録基準　文化遺産／1999年／①②③④

約5000年前頃から人類が居住し始めたスカラ・ブラエの集落跡。最古のものは紀元前3100年頃の建造と言われます。

イギリス最古の村スカラ・ブラエと石器文化の謎

新石器時代のストーンサークルや墳墓が数多く残るオークニー諸島では、イギリス最古の村の遺跡、スカラ・ブラエの集落跡も発見されています。

スカラ・ブラエは1850年まで砂の中に埋もれていましたが、嵐で砂が吹き飛んで一部が露出。それが発掘のきっかけになりました。出土したのは10戸の石造りの家。砂に埋もれていたため、保存状態が良好でした。家は密集していながら、1戸ずつが土塁の中にあり、通路で結ばれています。入口は小さく、ほとんどの家に窓はありません。中央に暖炉が置かれているのは酷寒の地ゆえの防寒対策と考えられます。

家の中にはベッド、戸棚、椅子、収納箱などの石造家具があります。排水設備もあり、これがトイレだったら世界最古の室内トイレということになります。

発掘当初、ここは先史時代からスコットランドに住んでいたピクト人の村だと考えられていたのですが、調査の結果、さらに古い民族の村だと判明しました。石に刻まれたルーン文字のほか、祭祀のためのものか何か目的のわからない彫刻も出土しています。

もっと知りたい!　ゲルマン人の古い文字がルーン文字です。アルファベットのような表音文字で、主に直線の組み合わせからなり、3世紀頃から中世末まで広く用いられていました。地域や時代によって多少の違いはありますが、碑文や写本、木版、私文書など、ルーン文字が記された多くの資料が残っています。

歴史的城塞都市カルカッソンヌ

193

所在地 フランス共和国ラングドック地方オード県

登録基準 文化遺産／1997年／②④

カルカッソンヌは二重の城壁に囲まれています。

ルイ9世によって完成された二重の城壁

ヨーロッパに残る中世城塞都市のなかでも最大級の規模を誇るフランス南部のカルカッソンヌは、周囲を囲む二重の城壁と西と東の城門に守られながら発展してきました。

ピレネー山脈を背後に控え、地中海と大西洋を結ぶ交通の要衝にあったこの地に、都市が生まれたのはローマ時代。その後、453年に西ゴート族が二重の壁の内側の城壁を建造します。そして11世紀にはこの地を統治したトランカヴェル家が、大聖堂や城館を築き、城館を取り囲む全長1.5kmの城壁を有する城塞都市へと発展させました。

外側の城壁が築かれたのは13世紀、フランス王ルイ9世の支配下に入ってからです。カルカッソンヌはキリスト教の異端アルビジョワ派の信仰が盛んだったため、これを弾圧するアルビジョワ十字軍の攻撃を受け、その結果フランスの支配下に入りました。ルイ9世はピレネー山脈の向こう側で強大化するアラゴンに対抗するため、内壁を取り囲む外壁の建設に着手し、城門も整備。これ以降、カルカッソンヌは、二重の城壁に守られた城塞都市となり、スペインとの国境を定めたピレネー条約が結ばれる17世紀まで、要塞としての役割を果たしたのです。

もっと知りたい! 13世紀に外の壁を造る際、内壁の下を掘り、掘り出した土を使って外壁との間を平らにする工事が行われています。これにより、内壁と外壁の間の移動がスムーズになり、防御力も格段に高まりました。

本日のテーマ ドラマを味わう!

7月12日

194

古都グアナファトとその銀鉱群

所在地 メキシコ合衆国グアナファト州

登録基準 文化遺産／1988年／①②④⑥

鉱山主の邸宅は、いずれも当時の流行だったチュリゲラ様式で、黄金をふんだんに用い、まぶしいほどに装飾されています。

メキシコ独立運動で反乱軍勝利の場となった銀鉱都市

壮麗な聖堂がいくつも並び、豪華な邸宅が競うように並ぶグアナファトの街は、1548年に銀の鉱脈が発見されたことから発展しました。人口も一時は10万に膨れ上がり、世界中にあったスペイン植民地のなかでも、とりわけ美しく豊かな都市になったのです。

最盛期は17〜18世紀で、銀山からあがる利益を注ぎ込んで築かれた聖堂は、外観も内装も絢爛たる造りです。また、巨万の富を築いた鉱山主の多くはスペイン貴族で、富を誇示するかのように豪華な邸宅を建てました。

しかし、ありあまる富は鉱山主たちに独占されてしまいます。そして富の多くは本国スペインに贈られ、庶民は劣悪な環境のもと、低賃金の労働に苦しんでいました。

しかし1810年、グアナファト近郊の村で反乱が起こります。それはスペインからの独立を志向する動きで、反乱軍はグアナファトになだれこんで勝利を収めました。その後は一進一退が続きましたが、1821年、メキシコはついに独立を果たしたのです。

もっと知りたい! グアナファトの名は、先住民の言葉「カエルの丘」に由来します。もともとは標高2050mに位置する岩山に囲まれた不毛の地で、銀の鉱脈も道路を建設しているときに偶然発見されたのでした。この噂を聞いた人が押し寄せた、いわば「シルバー・ラッシュ」で、またたく間にきらびやかな街ができたのです。

本日のテーマ　ゆかりの人物に出会う！

7月13日

195

頤和園(いわえん)　北京の皇帝の庭園

所在地　中華人民共和国北京市

登録基準　文化遺産／1998年／①②③

杭州の西湖を模して開削された人造湖の昆明湖と、約40mの高さを持つ仏香閣。

稀代の悪女・西太后が莫大な予算を投じた庭園

中国・北京の郊外にある頤和園は、12世紀に造られた金王朝の離宮を、18世紀に清の乾隆帝が中国の名だたる庭園や建物を取り入れて整備した壮大な皇帝の庭園です。当時は「清漪園(せいいえん)」と呼ばれていました。19世紀のアロー戦争の際に英仏両軍によって破壊されると、30年後の1891年に莫大な予算を投じて西太后が再建しました。

西太后は清王朝の咸豊帝の妃になり、同治帝の生母として太后となり権力を握った女帝です。先帝の皇后が「東太后」と呼ばれたため、「西太后」と称され、垂簾聴政を始めて権力を独占しました。息子が崩御すると強引に甥を光緒帝に立て、さらにはその光緒帝が改革政治を行なうと、戊戌の政変を起こして側近を粛清し、皇帝を幽閉するなど専横をほしいままにしました。自らの隠居所とした頤和園の再建も彼女による専横のひとつ。海軍の経費を流用してまで巨額の費用を投じたため、これが日清戦争の敗北のひとつの要因とも言われています。

そんな西太后の栄光の夢は、西太后の執務室の仁寿殿、宴を開く徳和園など、華麗な建物として残されています。

もっと知りたい！　頤和園では庭園に加え、美しい自然景観も鑑賞できます。西湖を模倣した昆明湖と人造山の万寿山が中心となっています。昆明湖の中に浮かぶ小島は十七孔橋で陸地と結ばれています。高さ60mの万寿山の頂上からの眺望も見どころのひとつで、仏香閣や排雲殿など、全山が美しい建物で覆われています。

本日のテーマ　暮らし・文化に触れる！

7月14日

アジャンター石窟群

196

所在地　インド共和国マハラシュトラ州

登録基準　文化遺産／1983年／①②③⑥

アジャンター石窟群第26窟。高さ約10m、奥行き約21mの空間にストゥーパ（仏塔）が掘られています。

釈迦の伝承を描く壁画に彩られた石窟寺院群

古代インドの仏教美術は石像彫刻が多いのですが、アジャンター石窟では膨大な壁画も発見されています。しかも芸術性が高く、美術品としても傑作揃いなのです。

石窟はワーゴラー川の湾曲に沿うように大小30が築かれており、壁画の多くは仏陀（釈迦）の生涯をたどった仏伝と『ジャータカ』を中心としています。ジャータカとは、仏陀の前世と民話を結びつけた物語で、文字の読めない人にも仏の教えをわかりやすく説いたものです。

石窟が開削された時期は、紀元前1世紀から紀元1世紀と、5世紀から7世紀とに分かれており、前期は簡素、後期は豪奢なのが特徴です。後期の壁画は世俗の絵師の手によるもので、王侯貴族や富裕な商人の寄進によって描かれたと考えられ、顔料にもラピスラズリなどの高価なものが使われています。

アジャンターのシンボルでインド芸術の白眉とされているのが、蓮の花を手にした「蓮華手菩薩像」です。繊細な筆使いで官能性さえ感じられるこの像は、日本の法隆寺金堂の壁画にも影響を与えています。

もっと知りたい！　アジャンター石窟は、虎狩りに来ていたイギリスの軍人が発見しました。コウモリの棲み処になっていた石窟に偶然足を踏み入れ、壁画と列柱を見て仰天。興奮のあまり、そばにあった柱に自分の名前と所属部隊、それに日付を記しました。その走り書きは今も残っています。

197

インディアス古文書館
（セビージャの大聖堂、アルカサルとインディアス古文書館）

所在地 スペイン王国　アンダルシア州セビージャ県

登録基準 文化遺産／1987年／①②③⑥

セビージャの大聖堂にあるコロンブスの墓。棺を担ぐ4人は、イベリア半島にあった4つの国家、レオン、カスティーリャ、アラゴン、ナバラを象徴します。

大航海時代の貴重な資料が残る古文書館

スペインの女王イサベルは1492年、アジアを西廻りで目指すというコロンブスを支援して大西洋に送り出します。そしてコロンブスがたどり着いたのはアメリカ大陸。彼はインドと信じていましたが、違いました。しかし、これによりアメリカ大陸の利権を独占したスペインは、新大陸貿易に乗り出し、覇権国への第一歩をふみ出したのです。

その新大陸貿易の拠点となって栄えたのが、イベリア半島南部のセビージャでした。大モスクを改修したセビージャの大聖堂は町の代表的な建造物で、天井の高さが37mもある壮大な教会です。

ここにはコロンブスの棺が安置されています。この棺はイベリア半島の4つの国家を象徴し、レオン王国、カスティーリャ王国、ナバラ王国、アラゴン王国の騎士像に担がれているのが目を引きます。

また、16世紀に建てられたインディアス古文書館は18世紀以降、国王が集めた新大陸の文書を収蔵する古文書館となりました。

もっと知りたい！　宮殿のアルカサルは、スペインの大航海時代より少し前の時代を物語る建物です。もともとはイスラーム風の建物でしたが、13〜14世紀、カスティーリャ王らが次々と改築を施していきました。そのためイスラームやムデハル、ゴシック、ルネサンスといった多様な様式が混在した複雑な建物となっています。

本日のテーマ　伝説に浸る！

7月16日

198

メキシコ・シティ歴史地区とソチミルコ

所在地　メキシコ合衆国メキシコシティ

登録基準　文化遺産／1987年／②③④⑤

メキシコシティのメトロポリタン大聖堂。

メキシコシティの下にはアステカ帝国の首都が眠っている？

メキシコの首都であるメキシコシティは、16世紀にメキシコを征服したスペインが植民地ヌエバ・エスパーニャの首都として建設した都市です。ただし、その起源はもっと古く、13世紀頃からメキシコを支配し、のちにスペインに滅ぼされたアステカ帝国の首都テノチティトランにあります。

テスココ湖の湖上に土地を造成して建設されたテノチティトランには、神殿テンプロ・マヨールや皇帝の宮殿が建てられ、運河も走り、20万人以上が暮らして繁栄を謳歌していました。ところが、スペインの侵略を受けて陥落すると街は破壊され、その上にメキシコシティが建設されることになったのです。

かくしてテノチティトランの痕跡は消え去ります。宮殿の跡地には征服者の宮殿、神殿の跡地にはアメリカ大陸最古で最大となる大聖堂が建てられ、メキシコの中心都市となりました。

20世紀に入り、大聖堂付近からアステカの神殿跡やアステカ神話が彫られたアステカ時代の一枚岩が発掘されており、幻の都の全貌が少しずつ明らかにされつつあります。

もっと知りたい！　テノチティトランの南のソルミチコには、アステカ時代の農業技術「浮き畑」が残されています。浮き畑は、アシなどで作った筏の上に泥を入れて造った畑。土は浅いのですが、養分が豊かで、トウモロコシ、カボチャ、ジャガイモなどが栽培されていました。今はこの「浮き畑」の一部で花が栽培されています。

本日のテーマ 謎と不思議を愉しむ！

7月17日

リオ・ピントゥラスのクエバ・デ・ラス・マノス

1999

所在地 アルゼンチン共和国サンタクルス州

登録基準 文化遺産／1999年／③

1万3000～9500年前に生きた原始狩猟民族の手形が残された「手の洞窟（クエバ・デ・ラス・マノス）」。

無数の手形に込められた旧石器時代人の願い

むき出しの岩肌が続く荒涼とした光景のリオ・ピントゥラス渓谷には、先史時代の壁画が点在しています。これらは、紀元前1万1000年頃から紀元後700年頃までに描かれたものと考えられています。

なかでも特に見る者を驚かせるのがスペイン語で「手の洞窟」を意味するクエバ・デ・ラス・マノス。その名の通り、岸壁が800以上もの人間の手形で埋め尽くされているのです。赤や黒のものがほとんどですが、白や黄色のものもあります。

これらは手のひらを壁に押しあて、その上から顔料を吹き付けたり、手のひらに直接顔料を塗って壁に押しあてたりして描かれています。顔料は、細かい粘土の粉末に獣脂を混ぜたもので、吹き付けるためのストロー状の骨製パイプも発見されています。

手形を残したのは、何かを祈願するためか、成人の通過儀礼ではないかと考えられていますが、この地方に残っている先住民は17世紀にスペイン人に殺されたり追い出されたりして、激減した部族の末裔テウエルチェ族が少しだけ。もはやはっきりしたことはわからないのです。

もっと知りたい！ 手形のほとんどは左手で、右手のものは36しか見つかっていません。これは利き手に顔料を持ち、もう片方の手で型をつけたためと考えられています。手形のそばには、ラクダ科やネコ科の動物、狩りをしている人間、幾何学文様なども描かれています。

イグアス国立公園

200

所在地 アルゼンチン共和国ミシオネス州イグアス県

登録基準 自然遺産／1984年／⑦⑩

膨大な量の水が流れ落ちるイグアスの滝。大小合わせて275の滝があります。

巨大な瀑布はいかにしてできたのか？

イグアスの滝は、ブラジルとアルゼンチンにまたがるイグアス国立公園にある275の滝の総称です。ナイアガラの滝、ヴィクトリアの滝と並ぶ「世界三大瀑布」のひとつですが、幅2700m以上、最大落差約80mという大きさは、他の2つを圧倒するスケールです。

滝の起源は2億～1億4000万年前。南米大陸とアフリカ大陸が分離した際、南米大陸の亀裂から流れ出た溶岩で玄武岩の台地が造られ、冷却するときに垂直の割れ目が生じました。その後、地殻変動が起こり、イグアス川の流れが速くなると、その流れが割れ目を侵食し、滝が形成されたと考えられています。

この滝の形成は過去の話ではなく、現在も侵食が続いています。生成時と比べて28kmも上流へ移動していることがわかっており、現在も滝は後退し続けているのです。

なお、この国立公園は熱帯雨林で覆われており、ピューマ、ジャガー、カピバラなどの多様な動物が生息しています。

もっと知りたい！ グアラニー族には滝にまつわるこんな伝説があります。この地域で、ヘビ神ムボイへの生贄にされる寸前の村娘ナイピを勇士タロバが救い出し、カヌーでイグアス川を下ります。怒ったヘビ神が地中で身体をくねらせると地割れが起こり、2人の行く手に滝が現われました。2人は飲み込まれ、ナイピは滝つぼの岩に、タロバはヤシの木に変えられました。

本日のテーマ　ドラマを味わう！

7月19日

ベルン旧市街

201

所在地　スイス連邦

登録基準　文化遺産／1983年／③

中世の面影を残すベルン旧市街。15世紀初めに起こった大火をきっかけに再建され、赤褐色の瓦屋根の建物が建ち並びます。

独立国家スイスの首都となった時計塔と噴水の街

文豪ゲーテが「これまで訪れた中でもっとも美しい街」と称えたのが、スイスの首都ベルンです。1191年、領主のツェーリンゲン公が狩りに出て、最初に熊を捕らえたことから、熊を意味する「ベール」が街の名の由来となりました。

現在の石造りの建物のほとんどは、15世紀以降に築かれたものです。1405年の大火で街の大半が焼失してしまい、それまで木造の茅葺き屋根だった家々を、近くで産する砂岩で再建することになったのです。旧市街を貫くマルクト通りにある石造りのアーケードは、このときに築かれたもの。入口にあるからくり時計には、音階別にいくつもの鐘が取り付けられていて、澄んだ音色を街に響かせています。街のあちこちに民話や聖書にちなんだ彫像をあしらったたくさんの噴水があり、道行く人を楽しませています。

中世のベルンは、神聖ローマ帝国の統治下にありましたが、他の州と同盟して独立運動を展開しました。1848年にスイス連邦が誕生するとその首都となり、緑色の重厚なドームが特徴の連邦議事堂が建てられました。

もっと知りたい！　聖ヴィンセンツ大聖堂のファサードには、彫刻家エルハルト・キュングの『最後の審判』があります。234体もの小像からなり、向かって左側には天国に行く者が、右側には地獄に堕ちる者が、大胆な構図と鮮やかな色彩で生き生きと表現されています。宗教改革でカトリックの芸術品がことごとく破壊されたときでさえ、この彫刻は残されました。

本日のテーマ　ゆかりの人物に出会う！

7月20日

サマルカンド文化交差路

202

所在地　ウズベキスタン共和国サマルカンド州

登録基準　文化遺産／2001年／①②④

サマルカンド・ブルーと呼ばれる青色の美しい3つのマドラサが建ち並ぶサマルカンドのレギスタン広場。左がウルグ・ベク・マドラサ、中央がティリャー・コリーモスクマドラサ、右がシェル・ドル・マドラサ。

モンゴル帝国の再現を目指したティムールとサマルカンドの街づくり

14世紀、モンゴル帝国が衰退するなか、その末裔と称するティムールが西チャガタイ・ハン国に登場し、1370年にティムール朝を樹立します。

ティムールはわずか10年間で中央アジアを支配下に置くと、その後もイランやインドなどに積極的な遠征を敢行。15世紀初めに西アジアを統一し、中央アジア史上最大の領土を擁する大帝国を築きました。

ティムールは、大帝国にふさわしい首都建設を目指してサマルカンドに遷都します。サマルカンドは古くからシルクロードの途上にあって交易の中継地として栄えていましたが、13世紀にモンゴル軍に破壊されていました。

ティムールはそのサマルカンドを復興し、イスラーム文化の中心地にしようと尽力しました。征服地から一流の建築家や芸術家を連行して、イスラーム学者を強制移住させたのです。その結果、街にはサマルカンド・ブルーと呼ばれる青色が美しい華やかなイスラーム建造物が建ち並び、イスラーム文化が花開いた国際都市として繁栄のときを迎えました。

もっと知りたい！　サマルカンドの壮麗なイスラーム建築のなかでも、深いブルーのドームがひときわ目立つのが15世紀に建築されたグーリ・アミール廟です。ティムールとその一族が埋葬されており、内部は二重殻構造になっています。黄金に輝く大広間など、ティムールの栄光を感じることができる建物です。

本日のテーマ 暮らし・文化に触れる！

7月21日

203

ハフパトとサナヒンの修道院群

所在地 アルメニア共和国ロリ地方

登録基準 文化遺産／1996年、2000年／②④

石造りのサナヒン修道院ハリストス聖堂の内観。サナヒン修道院はハリハトス聖堂、会堂、教会、大図書館で構成されています。

キリスト教を世界で初めて国教とした国の教会

アルメニアは、4世紀はじめに世界で一番早くキリスト教を国教とした国です。

大国に囲まれたアルメニアは、4世紀終わりにはササン朝ペルシアとビザンティン帝国によって分割され、その後も大国の間で翻弄され続けます。それでも9世紀後半にアルメニア王国が成立すると、その時代にハフパト修道院とサナヒン修道院が建築されました。どちらも5〜7世紀に創建されたもののアラブ人によって破壊され、このとき新たに建てられたとされています。

ハフパトとは、アルメニア語で「強い壁」という意味。玄武岩で築かれた重厚な造りの聖堂、教会、鐘楼、図書館、写字室が建ち並んでいます。「ハフパトの聖十字架」とも呼ばれ、かつては500人の修道士が祈りと労働の毎日を過ごしていたと伝わります。

サナヒン修道院も、石を積み上げ、周囲の自然に溶け込むような建築。どちらの修道院も高原の奥にあり、「ハチュカル」と呼ばれる十字架を刻んだ石板がいくつもあるのが特徴です。

アルメニア教会は、キリスト教界の中でも独自の一派を形成しており、2つの修道院にはアルメニアの矜持が凝縮されているのです。

もっと知りたい！ サナヒンとは、「こちらの方が古い」という意味だと伝えられています。ハフパトとサナヒンの修道院はほぼ同時期に創建され、距離も20㎞足らずと近いのですが、まったく別々の独立した修道院なのだそうです。もしかしたら、ひそかな対抗意識があったのかもしれません。

ベレンの塔
（リスボンのジェロニモス修道院とベレンの塔）

204

所在地 ポルトガル共和国リスボン市

登録基準 文化遺産／1983年／③⑥

1520年にヴァスコ・ダ・ガマのインド航路発見を記念して建設されたベレンの塔。

インド航路発見を記念して建設された監視塔

15世紀初め、いち早くレコンキスタを完了させたポルトガルは、アジア原産のコショウをはじめとする貴重な香辛料を求め、オスマン帝国の支配下にある地中海を経由しないインド航路の開拓に乗り出しました。そこでポルトガルのエンリケ航海王子は、天文台や航海士養成学校を設立し、帆船の開発を奨励するとともに自らも西スーダンの黄金貿易を視野に入れてアフリカ探検を敢行。こうした動きが15世紀末の喜望峰の発見や、ヴァスコ・ダ・ガマのインド航路発見につながりました。

この航路開拓によりインドに到達したポルトガルは、アフリカや東南アジアを経由した東方貿易で莫大な富を手に入れ、首都のリスボンはヨーロッパ商業の中心地になります。

こうした航路開拓事業の成果を称えて16世紀、マヌエル1世の命でリスボン西のベレン地区に建てられたのが、ジェロニモス修道院とベレンの塔です。白い切石でできたこの塔は船の監視塔や要塞としての機能をもち、砲台や地下の水牢を備えていました。修道院も塔もどちらも「マヌエル様式」と呼ばれるロープや貝など海洋に関わる華やかな彫刻で装飾されています。

もっと知りたい！ ヴァスコ・ダ・ガマは1497年、ポルトガル国王にインド渡航の司令官に任じられ、3隻の船団でリスボンを出港します。喜望峰を迂回してアフリカの東岸を北上。インド洋を渡って、1498年インド西海岸のカリカットに到着しました。イスラーム商人の妨害や暴風雨などの災難もあり船1隻を失うも、持ち帰った香辛料や宝石は元値の60倍になりました。

本日のテーマ　伝説に浸る！

クスコ市街

所在地　ペルー共和国クスコ県

登録基準　文化遺産／1983年／③④

隙間なく積み上げられたインカのサクサイワマン遺跡。

インカ帝国の首都周辺に残る石積みのミステリー

12〜16世紀前半、中央アンデスではケチュア族によって建てられたインカ帝国が君臨していました。その都が標高3500mの高地に位置するクスコです。

クスコでは石積みの建造物が多く建てられました。その多くは16世紀に中南米を征服したスペインによって破壊されてしまいましたが、今でもその一部が残されています。

注目したいのは、石造りの加工技術。接着剤を使っていないにもかかわらず、石同士がピッタリ接合され、「カミソリの刃一枚も通さない」と形容されるほどの見事さなのです。この石組みは、「石を平面になるように加工し、石の上に重ねてノミなどを使って面が合うように石同士を削り、最後に砥石で研磨して合わせる」というとてつもない手間と時間をかけた緻密な製法で造られたと考えられています。

ただし、多角形の石や、クスコの近くにある遺跡では5mもの巨石が使われているため、この手法では説明できない謎も残されています。当時の人々はどのような方法で石積みを行なったのでしょうか。

もっと知りたい！　今もクスコに残る大規模な石造りの建造物は、15世紀から約100年かけて築かれた「サクサイワマン」と呼ばれる砦です。3層の石組みが全長300mにわたって築かれており、城塞としての機能を担っていました。高さ9m、厚さ4mの巨石もある大規模なもので、12角形の複雑な形をした石も、周囲の石とピッタリと組み合わさっています。

本日のテーマ　謎と不思議を愉しむ！

7月24日

古代都市ウシュマル

206

所在地　メキシコ合衆国ユカタン州

登録基準　文化遺産／1996年／①②③

ウシュマル遺跡の魔法使いのピラミッド。一晩で完成したという伝説が伝わります。

マヤ文明の遺跡にもかかわらず文字も壁画もない不思議

マヤ文明の都市で、7～10世紀にかけて繁栄し、最盛時に2万5000人の人口を数えるに至ったのがウシュマルです。建造物の保存状態がよく、デザインが優雅なことでも知られています。

ウシュマルには、他のマヤ文明の遺跡とは異なる特徴があります。文字がごくわずかしか発見されていない上に、歴史的な出来事を描いた壁画がないのです。

マヤ文明の諸遺跡では、高度に発達した象形文字を石碑に浮き彫りにして、王の事績やさまざまな記録を残しています。暦法も発達していたので、遺跡の年代も比較的特定しやすくなっています。

ところがウシュマルでは、建物がほとんど損壊されていないにもかかわらず、そうした文字資料がないのです。そのため考古学者の間でも、「謎の遺跡」と呼ばれています。

ただし、ウシュマルでは、神殿ピラミッドや方形の回廊に囲まれた建物、石碑などがジャングルに埋もれたままの状態になっています。調査が進めば、もしかしたら謎が解けるかもしれません。

もっと知りたい！　ウシュマルを特徴づける建築様式は「プウク式」と呼ばれ、平屋根の水平な稜線とモザイク文様の透かし彫りが特徴です。「総督の家」「尼僧院」などがその傑作として知られています。また、楕円形という珍しい基壇の上に118段ある階段が築かれた「魔法使いのピラミッド」も見逃せない遺構のひとつです。

自然の不思議と驚異の技術を学ぶ！

7月25日

チャン・チャン遺跡地帯

207

所在地　ペルー共和国ラ・リベルタ県

登録基準　文化遺産／1986年／①③（危機遺産）

日干しレンガで造られたチャン・チャンの建物の壁は、砂漠の暑さ対策として網目状になっています。

3つの文明を融合したチャン・チャン文明の都市遺跡

都市遺跡チャン・チャンは、13世紀から15世紀にかけて、今のペルー北部の砂漠地帯に栄えていたチムー王国の都です。

南北1,000kmという広大な地域を支配したチムー王国は、15世紀に最盛期を迎え、チャン・チャンは10万の人口を擁する大都市として繁栄しました。

面積約20㎢のチャン・チャンの中心部は、「シウダデラ（城塞）」と呼ばれる9つの大区域と多くの小区画で構成されます。シウダデラは最高で12mの高さの壁に囲まれ、内部には神殿、倉庫、食堂、貯水池といった都市機能が備えられていました。

チムー王国では、前身のワリ文明とモチーカ文明、さらに北のシカン文明を融合して冶金や陶芸の工芸文化が発展しました。とくに黄金の斧や首飾りなど、冶金技術に卓越した技能が見られますが、これは黄金の仮面などで知られる北のシカン文明を14世紀に滅ぼし、その技術を導入したためと考えられています。

もっと知りたい！　チャン・チャンの都市遺跡の建物は、日干しレンガとしては世界屈指の大きさを誇ります。日干しレンガの壁にはレリーフが彫られている部分もあり、当時の人々の様子を垣間見ることができます。しかし、風化による損傷が激しく、また盗掘などもあって破壊が進み、「危機にさらされている世界遺産」にも登録されています。

本日のテーマ　ドラマを味わう!

7月26日

ユッセ城（シュリー＝シュル＝ロワールとシャロンヌ間のロワール渓谷）

208

所在地　フランス共和国アンドル・エ・ロワール県

登録基準　文化遺産／2000年／①②④

童話の中に登場しそうなメルヘンチックな外観のユッセ城。

『眠れる森の美女』の城のモデルとなった古城

深い森に囲まれた城で、魔法使いによって眠らされていた王女が、王子の愛で100年の眠りから目覚める……。17世紀のフランスの詩人シャルル・ペローの『眠れる森の美女』は、バレエやアニメ映画にもなって、世界中で親しまれています。

ユッセ城はその王女が眠る城のモデルがユッセ城です。しかもペローは、この城の一室で『眠れる森の美女』を書いたのです。

ユッセ城の起源は、1004年にヴァイキングが建てた木製の要塞だと言われています。15世紀、国王シャルル7世に仕えていたジャン・ドゥ・バイユが廃墟となっていた要塞跡に城を築き、17世紀まで増改築が繰り返されました。

『眠れる森の美女』は、もともとはヨーロッパに伝わる民話でしたが、ペローが生き生きした筆致で書いたことから、広く知られるようになりました。ペローはこの城を見て感性を刺激されたのでしょうか。背後を鬱蒼たる森に囲まれた高台の上に建ち、白い壁に青い屋根の塔が並ぶ城は、ロマンチックなおとぎ話の舞台にぴったりです。

もっと知りたい!　敷地内には美しい庭園があり、これを作ったのはヴェルサイユ宮殿の庭をも手がけたル・ノートルです。城内の大階段は、やはりヴェルサイユ宮殿の増築に携わったマンサールが設計しました。城内では、かつての貴族の暮らしを再現した様子が見られます。

本日のテーマ　ゆかりの人物に出会う！

7月27日

ウルビーノ歴史地区

209

所在地　イタリア共和国マルケ州

登録基準　文化遺産／1998年／②④

ウルビーノの街の南東側の丘にそびえるドゥカーレ宮殿。モンテフェルトロ家の居館として建設されました。

傭兵隊長が築き上げた芸術の町と巨匠ラファエロ

イタリア中部のウルビーノは、ローマの植民都市を起源とし、15世紀にモンテフェルトロ家の公国として発展した都市国家です。中世には、ヨーロッパ随一の洗練された文化都市として名を馳せました。

文化都市ウルビーノを生み出したのは、15世紀にモンテフェルトロ家の当主になったフェデリーコです。彼はフィレンツェの傭兵隊長を務めた生粋の武人でしたが、文化にも造詣が深く、芸術や文化を厚く庇護しました。さらにマントヴァやフェッラーラに匹敵する文化都市を造りたいと、1472年にルネサンス様式のドゥカーレ宮殿を建設。以降、この宮殿を舞台にルネサンスを代表する宮廷文化が花開き、多くの文化人や芸術家が集まって、イタリアの知識階級も注目する都市へと発展したのです。

ウルビーノは、ルネサンスの巨匠ラファエロの出身地でもあります。15世紀後半、ラファエロは宮廷画家の息子に生まれ、ペルジーノに学び才能を開花させました。ウルビーノの文化的水準の高さが、早熟の天才の芸術性を育んだのかもしれません。

もっと知りたい！　左右対称の円筒が美しいドゥカーレ宮殿はイタリアルネサンス屈指の宮殿です。今は宮殿内にマルケ国立美術館が置かれ、中世に制作された作品を中心にした質の高い絵画が展示されています。ここにはラファエロの作品『貴婦人の肖像』のほか、彼の父の作品も残されています。

本日のテーマ　暮らし・文化に触れる!

7月28日

210

サン・ジミニャーノ歴史地区

所在地 イタリア共和国トスカーナ地方

登録基準 文化遺産／1990年／①③④

無数の塔が林立するサン・ジミニャーノの風景。皇帝派と教皇派が激しく争った中世の歴史を今に伝えます。

皇帝党と教皇党の争いから塔が乱立した街

サン・ジミニャーノは東西350m、南北700mという小さな街ですが、14基もの塔が立っています。しかも、かつては72基もあったと言います。

事の起こりは、クロッカスに似た美しい花を咲かせるサフランでした。サフランは香料や染料として珍重され、市民はその取引で裕福になりました。それを背景に、街は12世紀に自治都市として独立を果たします。

ところが市民たちは、神聖ローマ皇帝を支持する皇帝党とローマ教皇につく教皇党に分かれて内戦状態になります。両派とも相手方の襲撃に備えて高い塔を建て、それが富と権力の誇示になり、お互い負けてはならじと競って高い塔を建てたのです。

しかし、市は無益な争いを終わらせようと、「グロッサの塔より高くしてはいけない」という布告を出しました。グロッサの塔とは市庁舎ポポロ宮にある塔で、54mの高さがあります。すでにある塔もグロッサの塔より高ければ改築が命じられたというから徹底していました。

このグロッサの塔は今も立っていて、上ればトスカナ平野を一望することができます。

もっと知りたい! 街の中央にあるチステルナ広場には、13世紀前半に掘られて第2次世界大戦時まで使われていた井戸があります。チステルナとは「井戸」という意味で、この井戸はいったん地下貯水池に貯まった水を汲み上げるシステムでした。街は丘の上にあるため水不足になりやすく、また火事や戦争への備えとしても大切にされました。

本日のテーマ 歴史を知る！

7月29日

211

ビエルタンの教会（トランシルヴァニア地方の要塞教会群のある集落）

所在地 ルーマニア共和国トランシルヴァニア地方シビウ県

登録基準 文化遺産／1993年、1999年／④

城壁に囲まれたビエルタンの教会。常にオスマン帝国の脅威にさらされてきた当時の緊張感を伝えます。

なぜ教会を高い城壁で囲んだのか？

『吸血鬼ドラキュラ』の舞台として知られるルーマニアのトランシルヴァニア地方。その地方の街のひとつビエルタンの丘の上にある教会は、三重の城壁に囲まれた要塞とも言うべき建物です。城壁の高さは7m前後、幅も2m前後と本格的なしつらえです。

教会をここまで堅固に防御した理由は、15世紀以降、勢力を拡大してきたオスマン帝国の脅威から逃れるためでした。当時はオスマン帝国が隣国ブルガリアを攻略して北上していたため、ビエルタンだけでなく周辺の諸都市も城壁を巡らせて防御を固めていました。そうした時代背景のなか、“要塞教会”は200ほどあったようです。

ビエルタンの教会の城壁は15世紀から17世紀の間に築かれたもので、見張り台や食糧倉庫と教会との間に抜け道も設けられていました。

町ではなく教会のみを城壁で囲んだのは、いざというときに住民が立て籠もって戦う最後の砦と位置付けられていたためと考えられています。要塞教会は鉄壁の備えのおかげで、実際に攻撃を受けることはほとんどありませんでした。

もっと知りたい！ トランシルヴァニア地方は、第1次世界大戦後にルーマニア領になるまでは長い間ハンガリー領でした。12世紀から積極的にドイツ人を入植させていたためドイツ風の都市がいくつも建設され、商業の拠点としても発展しました。侵略を逃れたため、教会や住居などは中世の姿をよくとどめており、伝統文化も継承されています。

黄山（こうざん）

所在地 中華人民共和国安徽省
登録基準 複合遺産／1990年／②⑦⑩

中国の神仙世界が広がる黄山。

奇岩が連続する黄帝伝説の景勝地

中国安徽省の山岳地帯にそびえる黄山は、「天下の名勝が集まる」と言われた世界屈指の景勝地。1800m級の高さを誇る蓮花峰・光明峰・天都峰を中心に69の峰々が連なり、2つの湖、3つの滝、24の渓谷が織りなす圧巻の絶景が広がっています。

黄山の岩石は、約5億9000万年前から始まる古生代のもので、長い年月をかけた地殻変動や侵食により、独特の姿へと形を変えたもの。とくに垂直方向の割れ目が強く、石柱や石林などが切り立った奇妙な岩山が林立する独特の険しい光景を生み出しました。

雲海の中に岩の峰々が浮かぶ光景は、中国に伝わる仙境を思わせる幻想的な雰囲気を漂わせています。

その雰囲気のためか、黄山には中国の伝説の帝王である黄帝が不老不死の薬を飲んで仙人になったという伝承が伝えられています。8世紀、唐の玄宗は、黄帝にあやかりたいということで、この地を黄山と改称しました。以来、神聖な山として信仰され、山々には多くの寺院が建立されることになったのです。

もっと知りたい！ 黄山は古来より名称が変遷してきました。古来はその岩石のためか、「黒い山」と呼ばれましたが、秦の時代には「黟山」と呼ばれるようになります。そして、唐の玄宗が仙人になったという伝説上の黄帝にちなんで「黄山」と改称して以来、今に至るまで黄山として親しまれています。

本日のテーマ 謎と不思議を愉しむ！

7月31日

213

バーミヤン渓谷の文化的景観と古代遺跡群

所在地 アフガニスタン・イスラーム共和国バーミヤン州

登録基準 文化遺産／2003年／①②③④⑥（危機遺産）

バーミヤン渓谷仏教遺跡の全景。5〜6世紀にかけて無数の仏像が彫り込まれ、大石窟寺院へと発展しました。

信仰の暴走により消え去った石仏群

バーミヤンはシルクロードの要所にあり、岩壁に彫り込まれた高さ38mの東大仏と高さ55m西大仏の2体を中心に、1000を超える石窟寺院跡がある仏教の一大発信地でした。

大仏や石窟が、いつ誰の手によって築かれたのかわかっていませんが、ガンダーラ様式やペルシア様式の影響が見られます。石窟は1世紀頃に造営が始まり、大仏や他の仏像は5〜6世紀に彫られたと考えられています。

7世紀にこの地を訪れた唐の僧・玄奘は、その著書『大唐西域記』にバーミヤンの様子を記しています。2体の大仏は金色に光り輝き、ほかに千尺ある涅槃仏もあり、仏教だけでなく他の宗教も称えられ、何千人もの僧が暮らしていたと言います。

ところが、8世紀から始まったイスラーム勢力の侵略で、多くの仏像や宝物が持ち去られ、大仏の顔面も崩落。13世紀には、モンゴル軍によって壊滅的な打撃を受け、長年にわたる廃墟となってしまいました。

もっと知りたい！ 2001年、イスラーム原理主義のタリバン政権がバーミヤンの2体の大仏を破壊した映像は、世界に衝撃を与えました。その後、ユネスコが中心となって修復が計画されていますが、再建すべきか否かは、まだ決定していません。

本日のテーマ　自然の不思議と驚異の技術を学ぶ！

8月1日

214

グランド・キャニオン国立公園

所在地　アメリカ合衆国アリゾナ州

登録基準　自然遺産／1979年／⑦⑧⑨⑩

雄大な眺めが広がるグランド・キャニオン。

コロラド川の浸食が作り出した深さ1,700mの大渓谷

アメリカのアリゾナ州にあるグランド・キャニオンは、総面積4,930㎢、深さ1,700mという世界最大級の大峡谷で、岩石が続くダイナミックな景観に圧倒されます。

この一帯は約20億年前のカンブリア紀から隆起と沈降を繰り返し、約1億年前の隆起で、コロラド川が柔らかい地表を削り、浸食されてできました。

現在の深さになったのは120万年前で、2万5000年ほど前に人類が住み着いたと考えられています。

何度も隆起と沈降を繰り返すことで陸と海の時代が繰り返されたため、断崖には多様な地層が重なっていきました。最下層には20億年前の片岩があり、地球最古の露出した地層とされています。片岩に続いて、赤砂岩、緑灰の頁岩、白い石灰岩と古生代の地層が重なっており、これらの地層からは古生代の三葉虫の化石も出土しました。

グランド・キャニオン国立公園は、まさに地球の大地の歴史が刻まれた場所であると言えるのです。

もっと知りたい！　岩がむき出しになり不毛の大地かと思われるグランド・キャニオンですが、多種多様な動植物が生息しています。深さが1,700mもあるため多様な気候帯が存在し、それぞれ適した環境の中に生息しています。動物は約500種、植物は約1000種で、アメリカグマ、カナダオオヤマネコ、ピューマ、ハヤブサなどが生息しています。

ヴァチカン市国
（ローマ歴史地区、教皇領とサン・パオロ・フオーリ・レ・ムーラ大聖堂）

215

所在地 イタリア共和国・ヴァチカン市国

登録基準 文化遺産／1980年、1990年／①②③④⑥

ヴァチカン市国にはローマ教皇の住まいがあります。世界で10億人を超えるローマ・カトリック信者の聖地であり、キリスト教徒ならずともおごそかな気持ちになる場所です。

ルネサンスの天才たちが共演したキリスト教世界の最重要都市

面積はわずか0.44㎢ながら、世界中に大きな影響力を持つのがヴァチカン市国です。ここは、国全体が美術品と言っても過言ではありません。しかも造り手は、イタリア・ルネサンスの錚々たる天才たちなのです。

大円蓋を戴くサン・ピエトロ大聖堂は、建築家ブラマンテの設計で、それをミケランジェロが引き継ぎました。完成は1626年で、およそ6万人を収容できます。

その手前のサン・ピエトロ広場は、楕円形の広場の周囲を円柱が囲む荘厳でありながら開放的な雰囲気で、彫刻家としても名高いバロック期の建築家であるベルニーニが建設しました。教皇の居館であるヴァチカン宮殿、システィナ礼拝堂など、どちらを向いてもボッティチェリ、ミケランジェロ、ラファエロといった天才たちの壁画や天井画で埋め尽くされ、各所に彫刻も飾られています。

ヴァチカン市国は、天才たちがパトロンであるローマ教皇のもとで、思う存分腕をふるった美の宝庫なのです。

もっと知りたい！ 教皇の護衛にあたっているのは、スイス人衛兵です。スイス人には、独立戦争での勇猛さが評判となり、各国の傭兵として活躍した歴史があるのです。ヴァチカン市国の衛兵は全員がローマ・カトリック教徒で、黄・赤・青の華やかな制服はミケランジェロのデザインと伝えられています。

本日のテーマ ゆかりの人物に出会う!

8月3日

ヨセミテ国立公園

216

所在地 アメリカ合衆国カリフォルニア州

登録基準 自然遺産／1984年／⑦⑧

ヨセミテ国立公園の絶景。写真左の岩山エル・キャピタンは標高914mの一枚岩で、ロック・クライマー憧れのスポットとなっています。

国立公園に受け継がれる自然保護の精神

標高3000m級の山岳地帯に圧巻の大自然が広がるアメリカのヨセミテ国立公園。花崗岩の切り立った岩山、大瀑布を見せる滝、巨木の森、大小の川など、全長13kmのヨセミテ渓谷を中心にした手つかずの大自然の威容と素晴らしさを感じることができる公園です。

この公園は「自然保護運動の聖地」としても知られています。「自然保護の父」と称えられる学者のジョン・ミューアとセオドア・ルーズベルト大統領の手によって、自然保護の先駆けとなったからです。

19世紀半ば、この地が広く知られるようになると、ミューアはヨセミテ渓谷に住んで研究を始め、この地が氷河で形成されたという仮説を立て保護を訴えます。その結果、1890年にはヨセミテ渓谷などを除く高山帯が、ヨセミテ国立公園に指定されました。これは景観を残すのではなく、「自然をまるごと保存すること」を目的にした点でも画期的でした。さらにミューアの意を受けたルーズベルトも「人間は大自然を台なしにするだけだ」と語り、ヨセミテ渓谷も国立公園に編入させるなど、数々の自然保護法案を成立させ、ミューアの運動に応えました。

もっと知りたい! ヨセミテ国立公園の成り立ちについて、かつては地殻変動説が唱えられていましたが、ミューアは氷河形成説を主張しました。今では、この岩山は200万年前からの氷河時代のもので、氷河によって谷が削り取られて造られた岩山とみられています。ヨセミテ渓谷にはU字に削られた跡や両側の断崖などに氷河谷の面影が残されています。

本日のテーマ　暮らし・文化に触れる！

8月4日

泰山（たいざん）

217

所在地　中華人民共和国山東省

登録基準　複合遺産／1987年／①②③④⑤⑥⑦

泰山山頂付近。ふもとから高さ1524mの山頂に至るまでの6293段の石段は、古くから整備されてきたものです。

歴代皇帝が重んじた封禅の儀式の舞台

中国の歴代皇帝が、名君のみが実施できるという封禅の儀を行なってきたのが、山東省にある泰山です。

『史記』には、秦の始皇帝が山頂で天を祀る「封」を、山麓で地の神を祀る「禅」を行なったとあります。その後、前漢の武帝が治世中に7回もこの儀式を行なうと、それ以降、清の康熙帝まで封禅の儀が続くことになったのです。

儀式は秘儀とされ、詳しいことは伝えられていませんが、天下泰平を感謝し、皇帝個人の不老長寿を祈るものだったと言います。

山麓にある岱廟は、皇帝たちが「禅」の儀式を行った場所。10万㎡近い敷地には宋代に創建された正殿があり、城壁の4隅には角楼が立って8基の門が設けられています。泰山は道教の聖地でもあり、ほかにも多様な信仰の場となってきたため、寺院や祠、廟、碑が数多くあります。それぞれに利益があると言われ、広く民衆の信仰も集めてきました。

もっと知りたい！　文化遺産の登録基準をすべて満たしている泰山は、自然遺産としての価値も認められた複合遺産です。赤松や黒松などの針葉樹をはじめ豊富な植物相が見られ、その間には奇岩が顔をのぞかせています。「泰山国家地質公園」は、地球科学的に重要な地質や地形であるとして、世界ジオパークにも認定されています。

本日のテーマ 歴史を知る！

8月5日

ヴァルトブルク城

所在地 ドイツ連邦共和国チューリンゲン州

登録基準 文化遺産／1999年／③⑥

ルターゆかりの部屋も残るヴァルトブルク城。

ルターがドイツ語訳『新約聖書』を完成させた城

ドイツ中部、アイゼナハを見下ろすように建つヴァルトブルク城は、11世紀半ばに城塞として創建され、12世紀半ばに大幅に改築された後期ロマネスク様式の建築物です。

この城は16世紀のドイツの宗教改革において重要なスポットとなりました。

ヨーロッパ史上の大転機となる宗教改革は、カトリック教会がサン・ピエトロ大聖堂の建設資金を得るため、購入すれば過去の罪が許されるという「贖宥状」をドイツで売り出したのが発端でした。これに憤慨したのがヴィッテンベルク大学の教授マルティン・ルターです。1517年、ルターは神以外に贖宥はできないと主張し、教会の腐敗を批判。ここから宗教改革が始まったのです。

ルターの改革はドイツの諸侯や市民から支持されますが、ローマ教皇や神聖ローマ皇帝からは迫害されます。そのためルターはザクセン選帝侯にヴァルトブルク城で保護され、ここから宗教改革を指導。庶民に聖書を広めるために『新約聖書』のドイツ語訳を行なったのもこの城でした。

もっと知りたい！ このほかの宗教関連施設にヴィッテンベルクの「アイスレーベンとヴィッテンベルクにあるルターの記念建造物群」があります。ヴィッテンベルク城付属聖堂に、贖宥状を批判する「95か条の論題」をルターが貼り出したことが改革運動の端緒となりました。ルターの生誕＆終焉地であるアイスレーベンも世界遺産になっています。

本日のテーマ 伝説に浸る！

8月6日

クロンボー城

219

所在地 デンマーク王国ヘルシンオア

登録基準 文化遺産／2000年／④

『ハムレット』の舞台となったクロンボー城には、ふたつの不思議な伝説が伝わります。

ハムレットの舞台として名高い海峡の城

デンマークの首都コペンハーゲンの北にある港湾都市ヘルシンオアには、対岸のスウェーデンへの備えとして16世紀に建てられたクロンボー城があります。

シェークスピアの『ハムレット』の舞台として名高い城ですが、シェークスピアの時代のものとは異なります。城塞としての威厳とルネサンスの優美さを兼ね備えた美しい城で、今も多くの観光客が訪れます。

この城の地下牢には不思議な伝説があります。それは地下牢の入口で椅子に座り、剣を握りしめる巨大な石像にまつわるもの。この像はホルガー・ダンスクという実在の騎士で、スペインとの戦いでデンマークに勝利をもたらした立役者と言われており、デンマーク人にとっては英雄です。しかし、顔を覗き込むと目を見開いて睨まれるという怖い像でもあるのです。

国に危機が起きると彼が救ってくれると言われ、最終兵器として隠されているともまことしやかに囁かれていますが、真相は謎に包まれています。

もっと知りたい！ 地下牢には18世紀末のクリスティアン7世の妻マティルダ王妃の幽霊が出ると噂されています。王との夫婦仲が悪かったマティルダは、王の側近のドイツ人医師と不倫関係に陥ります。しかしそれがばれてマティルダは地下に幽閉されたあとに城を追放され、若くして亡くなりました。その後、地下牢で彼女の泣く声を聞いたという噂が絶えません。

本日のテーマ　謎と不思議を愉しむ！

8月7日

220

平城京跡（古都奈良の文化財）

所在地　日本　奈良県

登録基準　文化遺産／1998年／②③④⑥

ロウソクによってライトアップされた平城宮大極殿。

藤原京が、たった16年で捨てられたのはなぜ？

古くから日本の政治・文化の中心だった奈良の世界遺産登録物件のひとつが、平城宮跡です。平城宮跡とは、あまり聞き慣れない言葉ですが、平城京の大内裏のことです。

奈良は「平城京」として、710（元明3）年から都となりました。それまでの都である藤原京をたった16年で放棄してまでの遷都でした。その理由として、これまでは藤原京が手狭になったための遷都と考えられていましたが、近年の発掘調査によって、藤原京は平城京や平安京よりも広いことが判明しました。

遷都の真の理由は、手本にしたはずの唐の都・長安とは異なる部分が多すぎたことです。宮殿は北に置いて南に向くべきところを中央に置いてしまい、メインストリートの朱雀大路の幅も狭いなど、律令国家の都としてふさわしくないとされたのです。

そこで選ばれたのが平城京。元明天皇の詔に「四神が吉相に配され、占いによっても都にふさわしい土地」とあるように、陰陽思想に基づいて平城京は建設されました。人口は5万～10万人ほどで、その7割ほどが官人とその家族という、いわば公務員の都市でした。

もっと知りたい！　「平城京」は「へいじょうきょう」と読むのが一般的ですが、かつては「へいぜいきょう」と読んでいたのではという説があります。「平城天皇」は「へいぜいてんのう」と読むことからも、「へいぜいきょう」かもしれないのです。また、木簡などには「奈良京」という文字もあり、都はこうも呼ばれていたようです。

アンコール・トム（アンコール）

221

所在地 カンボジア王国シェムリアップ州

登録基準 文化遺産／1992年／①②③④

アンコール・トムには「南大門」「北大門」「西大門」「死者の門」「勝利の門」の5つの城門が外部と接続し、各城門には四面に観音菩薩の彫刻が施されています。

都市の盛衰に大きくかかわった水利システム

9世紀から約600年にわたり、インドシナ半島を支配したアンコール朝の都市遺跡がアンコールで、その中心が12世紀に築かれたアンコール・トムです。周囲12㎞の環濠と高さ8mの城壁に囲まれ、5つの城門を持つ王宮で、寺院も備えていました。

アンコール朝の王位は、ときには武力で決められました。そのため、王の血統が変わると信仰も変わり、遺跡にもさまざまな宗教が混淆しています。王宮内の寺院や王城内のアンコール・ワットは、最初ヒンドゥー教の寺院でしたが、12世紀末に仏教を信仰する王が即位すると、仏教寺院に置き換えられました。

そんなアンコールの盛衰を左右したのは、水利施設だったとも言われています。水路を造り、堤防を築くことで農業が発展し国も富みましたが、次第にこの水利施設の工事や修築に動員されることを負担に感じた農民たちがアンコールから逃げ出していきます。そのため荒れ地が増え、都市が弱体化する一因になりました。そして15世紀にタイのアユタヤ朝に滅ぼされると、アンコールは19世紀に発見されるまで密林の中に眠り続けることとなったのです。

もっと知りたい！ アンコール・トムの中央にそびえるバイヨンはヒンドゥー教寺院として創建されました。12世紀末に仏教信者のジャヤヴァルマン7世が即位すると、ヒンドゥー教の神王信仰が仏教に変えられます。その際に彫られたのが、塔の4面などの壁面にあり、アンコール・トムの象徴ともなっている観音菩薩の仏面像です。

本日のテーマ　ドラマを味わう！

8月9日

アボメイの王宮群

222

所在地　ベナン共和国ズー県

登録基準　文化遺産／1985年／③④

アボメイの王宮の壁は、国王の業績を讃える彩色画や浮き彫りで飾られています。

奴隷貿易によって武器を手に入れた軍事国家の都

17世紀に建国されたアボメイ王国は、初代から12代目までの王が君臨し、200年にわたってアフリカ西岸でもっとも富んだ強国でした。2代目の王が、高さ6mもの粘土質の壁を巡らせた王宮を建てると、歴代の王もそれぞれ王宮を築いて権力を誇示しました。

アボメイ繁栄の基盤となったのが奴隷貿易です。近隣の国に戦いをしかけては捕らえた者を奴隷とし、ヨーロッパ商人に売ったのです。

当時ヨーロッパ諸国は、植民地の大規模農園で働かせるために、大量の労働力を求めていました。アボメイ王国は、奴隷を引き渡してはその見返りに大砲や銃などの火器を手に入れたのです。しかも、その武器を使ってまた戦いを繰り返し、隣国の港を手に入れたり、奥地まで侵略したりして版図を広げ、ヨーロッパ人はアボメイ周辺の海岸のことを「奴隷海岸」と呼ぶほどでした。

奴隷貿易は、19世紀初頭になると名目上は国際的に禁止されます。アボメイ王国は、1894年にフランス軍に敗れて植民地となりました。

もっと知りたい！　王宮群は1985年に世界遺産に登録されたのですが、前年に竜巻で大きな被害を受けていたため、同時に危機遺産としても登録されました。その後、復旧作業が行なわれ、危機遺産リストからは外れています。現在では、王宮群は博物館となっています。

223

モンティセロ（シャーロットヴィルのモンティセロとヴァージニア大学）

所在地 アメリカ合衆国バージニア州

登録基準 文化遺産／1987年／①④⑥

モンティセロの外観。イタリアの建築家アンドレア・パッラーディオ（251ページ）の様式の影響を受けたデザインとなっています。

世界遺産を自ら設計したアメリカ大統領

歴代アメリカ大統領には多才な人が多くいますが、なかには自ら私邸を設計した大統領もいました。

それがアメリカ合衆国初期の第3代大統領のトマス・ジェファソンです。

ジェファソンは1774年のアメリカ独立宣言の起草者として知られています。フランス公使、国務長官などを歴任して、1801年に大統領に就任すると、ルイジアナをフランスから購入し、アメリカの領土を倍増させました。

プライベートでは芸術や建築に造詣が深く、ついには自宅の設計まで行ないます。彼自身が設計した自宅「モンティセロ」は、フランス公使時代に接したパッラーディオ様式の影響を受けた建物で、赤レンガに白いドーム屋根、玄関の円柱がローマ神殿を思わせる、33もの部屋を持つ大邸宅でした。

ほかに自らが設立したヴァージニア大学の設計も手掛け、ロトンダという図書館にもパッラーディオ様式が取り入れられています。

もっと知りたい！ ジェファソンは、暗号盤、回転いす、耕運機など、さまざまなものを発明していて、耕運機は賞を受賞しています。ジェファソン記念館として一般公開されるモンティセロにも、滑車式の昇降機、回転式洋服掛け、自動引き分け扉、回転式本棚など、実用的な発明の数々が取り入れられています。

224

明・清朝の皇帝陵墓群

所在地 中華人民共和国北京市

登録基準 文化遺産／2000年、2003年～2004年／①②③④⑥

明の十三陵のひとつで、永楽帝が眠る長陵。

明・清代の葬送儀礼を伝える陵園

明と、清の前身である後金、そして清の皇帝や皇后、妃、皇子、公主らが眠る墓所が、明・清朝の皇帝陵墓群です。

中国には皇帝陵がたくさんありますが、明・清は陵墓建設の最盛期であり、湖北省の「明顕陵」、河北省の「清東陵」と「清西陵」、北京市の「明十三陵」、江蘇省の「明孝陵」、遼寧省の「関外三陵」の6つが世界遺産に登録されています。いずれも広大な土地に豪華な宮殿や楼閣、地下宮殿などが建ち並んだもので、明・清代の葬送儀礼や建築様式を今に伝えています。なかでも明十三陵は、明代の13人の皇帝とその皇后らが眠る中国最大の陵です。

中国では墓は死者の住まいと考えられ、生きている人間も心地よく思うような場所に墓を建てます。皇帝陵ともなると、風水の思想によって土地を選びます。風水によると、中国には龍脈という地脈があって、それに沿って地中に生気が流れます。生気が特にあふれる地を「穴」と言い、都や陵墓はそこを選んで造営されてきました。明代の陵墓は、すべて龍脈の思想にのっとって築かれたものなのです。

もっと知りたい！ 明には17人の皇帝がいますが、初代皇帝の洪武帝は、当時の都だった南京の明孝陵に葬られています。2代皇帝の建文帝と7代皇帝の慶泰帝は政争に敗れて帝位を失い、最後の17代皇帝の崇禎帝は、明の滅亡のときに自害しました。よって明十三陵に祀られている皇帝は、この4人を除いた13人なのです。

本日のテーマ 歴史を知る！

8月12日

プラハ歴史地区

所在地 チェコ共和国プラハ市

登録基準 文化遺産／1992年／②④⑥

ティーンの聖母聖堂（右奥）と旧市庁舎の天文時計台。

最後の宗教戦争となった30年戦争開戦の舞台

チェコの首都プラハは9世紀頃、プラハ城の前身である城砦が築かれ、14世紀に神聖ローマ帝国の首都となり、中部ヨーロッパ一の都市へと発展しました。神聖ローマ皇帝カール4世は、イタリアやドイツから優れた芸術家を招き、旧市庁舎の塔（今の天文時計塔）や聖ヴィート大聖堂など、帝都にふさわしい建物を次々と築かせています。

そのプラハは17世紀、最後の宗教戦争と呼ばれた30年戦争の開戦の舞台となりました。当時、プラハはボヘミア王国の首都で、同国国王を兼ねる神聖ローマ皇帝フェルディナンド2世がプロテスタントを弾圧していました。

これに反発した新教徒が国王の使者を市庁舎の窓から投げ落とした事件をきっかけに、イタリアやスペインなどのカトリック国から援軍が送り込まれ、新教徒をデンマークとスウェーデンが支援し、戦いの火ぶたが切られたのです。

プラハでは新教徒が敗退しましたが、戦いは諸国の介入を招きながらドイツ全土に広がりドイツは荒廃。結局1648年に皇帝側が和平締結に追い込まれました。

もっと知りたい！ ヤン・フスは15世紀、プラハでローマカトリック教会の改革を訴えた人物です。1415年に処刑され、それに反発したフス派の人々が1419年に蜂起し、ドイツ軍との間でフス戦争へと突入します。15年に及んだ戦いは、フス派の穏健派がカトリック側と結び、急進派を破って収束しました。ティーン聖母聖堂はフス派の本拠地のひとつとなりました。

本日のテーマ 伝説に浸る！

8月13日

ビルカとホーヴゴーデン

226

所在地 スウェーデン王国ビョルケー島、アデルスユー島

登録基準 文化遺産／1993年／③④

ビルカ遺跡の高台にそびえる十字架。

都市遺跡から見えてきたヴァイキングの驚くべき交易範囲

8世紀末から12世紀にかけて木造船を巧みに操って外洋に進出し、ヨーロッパ各地で略奪を繰り返して恐れられたのが、スカンジナビア半島に住むヴァイキングでした。そのヴァイキングの根拠地のひとつで、彼らの生活の一端を伝える遺跡が残されているのが、スウェーデンの都市遺跡であるビルカとホーヴゴーデンです。

ビルカはスウェーデンの首都ストックホルムの西、ビョルケー島にあり、共同墓地や北欧神話の装飾品、数々の交易品などが発掘され、北欧交易の中心地であったことがわかっています。ヴァイキングは、略奪だけでなく、交易や植民も活発に行なっていたのです。ビルカでは毛皮や奴隷などを輸出し、イスラーム圏から銀などを輸入していましたが、アラブ銀貨をはじめ、中国の青銅製の仏像も出土しており、その交易範囲の広さに驚かされます。

一方、ホーヴゴーデンは行政の中心地として発展した都市で、王宮跡のほか、王墓などが残されています。

もっと知りたい！ ヴァイキングは男性的な権力が誇示されるなど、男社会と考えられていましたが、ビルカの墓から出土した戦士の遺骨のなかには女性の遺骨もありました。しかも、膝の骨の上にゲームのコマが置いてあり、この女性が戦術を考える立場にいたことも明らかになっています。ヴァイキングには、指導者的な女性戦士もいたようです。

227

アンソニー島（スカン・グアイ）

所在地 カナダ連邦ブリティッシュコロンビア州

登録基準 文化遺産／1981年／③

アンソニー島に残る先住民ハイダ族のトーテム・ポール。

無人島で発見されたトーテム・ポールの意味

日本の公園や学校でもしばしば見られるトーテム・ポールですが、もともとは氏族が祖先のことを特定の動植物と結びつける信仰のトーテミズムに起源を持ちます。そのためトーテム・ポールの先端には、氏族にゆかりのある動植物が刻まれています。

カナダ西部の無人島であるアンソニー島では、住居跡や貝塚とともに多くのトーテム・ポールが発見されています。高さ10mという長大なものもありますが、朽ちて倒れているものや、もともとの彩色が剥がれ落ちたものもたくさんあります。

アンソニー島のトーテム・ポールを建てたのは、先住民族のハイダ族。文字を持たないハイダ族にとって、トーテム・ポールは氏族の記録であり、住居の目印であり、記念碑であり、そして墓標でもありました。

18世紀、この地に金属製の工具が伝わるとトーテム・ポール造りはいっそうさかんになり、19世紀には最盛期を迎えました。ところが同じ頃、外部から持ち込まれた疫病のためにハイダ族の人口は激減し、残された人々はアンソニー島を出てほかの土地に移住してしまったのです。

もっと知りたい！ トーテム・ポール自体は信仰の対象ではなく、この前で祭祀が行われることはありませんでした。古くなると切ってしまい、建物や柵に使うこともありました。19世紀末になるとコレクションの対象となったり、博物館に持ち去られたり、異教のシンボルとしてキリスト教の宣教師に破壊されたりしました。

本日のテーマ 自然の不思議と驚異の技術を学ぶ！

8月15日

テ・ワヒポウナム -南西ニュージーランド

228

所在地 ニュージーランド南島サウスランド地方

登録基準 自然遺産／1990年／⑦⑧⑨⑩

テ・ワヒポウナムのなかでも最大の見どころとして知られるミルフォード・サウンド。

地殻変動と氷河の作用が形作るゴンドワナ大陸の名残

ニュージーランドにあるテ・ワヒポウナムは、4つの国立公園を中心にフィヨルド、山岳地帯、氷河など、変化に富んだ自然景観が広がる世界最大級の自然保護区です。ニュージーランドは約1億5000万年前と早くにオーストラリア大陸から切り離されたため、外部からの影響を受けにくく、針葉樹や肉食のカタツムリなど、ほぼ進化が止まっている固有の生物も残されています。

一帯は3000m級の山々が連なるサザン・アルプス山脈沿いに位置します。この山脈は、インド・オーストラリアプレートと太平洋プレートが衝突を繰り返して生まれ、風化や侵食で削られなければ、1万8000m級の山脈が形成されただろうとも言われています。

このサザン・アルプスから流れ出た氷河が谷を削り取り、そこに海水が入ってフィヨルドが形成されました。タスマン海に面したミルフォード・サウンドの景観は名高く、先住民マオリ族は神が創った自然造詣として崇めています。神秘性に富んだ絶景は、テ・ワヒポウナム最大の見どころとなっています。

もっと知りたい！ テ・ワヒポウナムには2種類のコウモリしか哺乳類が生息していません。鳥類の外敵が少ないため鳥類が繁栄しました。とくに飛べない鳥たちにとって楽園となり、絶滅したとされたクイナ科の飛べない鳥タカへもこの島でひっそり生きていました。国鳥のキウイやカカポなど、絶滅危惧種となっている固有種の鳥も多く、貴重な動物の宝庫となっています。

本日のテーマ ドラマを味わう！

8月16日

オフリド地域の自然遺産および文化遺産

229

所在地 北マケドニア共和国オフリド市

登録基準 複合遺産／1979年、1980年、2009年／①③④⑦

オフリド湖の絶景とヨハン・カネオ教会。

激動の歴史にさらされた東方正教会布教の中心地

古代ギリシャ人が住み着いて町としたオフリドでは、3世紀末には早くもキリスト教が信仰されていました。9世紀頃からは、東方正教会の布教がさかんに行なわれてビザンツ文化が開花し、365もの聖堂が建つ「マケドニアのエルサレム」と呼ばれました。ロシア語やブルガリア語で用いられているキリル文字は、この地で誕生したと考えられています。

やがて第1次ブルガリア帝国が成立すると、その首都としても要塞としても繁栄しました。しかし、支配者は何度も変わり、14世紀末にオスマン帝国に占領されると、住民の多くはイスラーム教徒となって聖堂はモスクに転用され、フレスコ画も塗りつぶされてしまいました。しかし、オフリドが1878年に自治公国となってトルコの支配から逃れると、聖堂は元に戻り、フレスコ画の修復も行なわれました。

オフリド最大の教会である聖ソフィア聖堂、オフリド湖南岸の聖ナウム修道院、聖クリメント聖堂などは復元され、かつての姿を取り戻しています。ブルガリア皇帝サミュエルが築いたサミュエル要塞からは、オフリド湖と旧市街、新市街を一望できます。

もっと知りたい！ マケドニア最高峰のコラブ山などのふもとで、標高700mの高さにあるオフリド湖は、ロシアのバイカル湖、アフリカのタンガニーカ湖と並ぶ世界最古の湖です。透明度が20mという高さで、水深も深く冬でも凍結しません。ほかの地域では絶滅した先史時代の水生生物も見ることができる、生物学的にも貴重な湖です。

本日のテーマ ゆかりの人物に出会う！

8月17日

ガラパゴス諸島

所在地 エクアドル共和国ガラパゴス県

登録基準 自然遺産／1978年、2001年／⑦⑧⑨⑩

ダーウィンの『進化論』で知られるガラパゴス諸島は、太平洋に浮かぶ19の火山島から成る諸島で、動物たちは海流や流木に乗って流れ着きました。

ダーウィンに『種の起原』の着想を与えた独自の動物相

進化論で知られる博物学者のダーウィンが、イギリスの海軍測量船ビーグル号で初めてガラパゴス諸島に上陸したのは1835年のことでした。飛べないガラパゴスコバネウ、島ごとに甲羅の形が違うゾウガメなど、今まで見たことのない動物やその種類の多様さに、ダーウィンは衝撃を受けます。彼らはいったいどこから来て、なぜこんなにも種類が多いのか……。ダーウィンはこの疑問に生涯をかけて取り組みました。

ダーウィンが衝撃を受けた太平洋に浮かぶガラパゴス諸島は、まさに陸の孤島です。500万年前以降に起こった噴火で島々が誕生し、19の火山島で構成されています。ほかの大陸と陸続きになったことがなく、動植物は、渡り鳥のほか、風や海流や流木などさまざまな方法で漂着して住み着きました。種子植物の53%、爬虫類の91%が固有種という独自の生態系が特徴で、ダーウィンは、「島で自然淘汰されながら独自の進化を遂げた」という進化論を導き出し、1859年『種の起原』を上梓します。神を創造主と信じる当時の信仰に反するため批判を浴びましたが、生物学においては歴史を変える転換点となりました。

もっと知りたい！ ガラパゴス諸島で生物は、自然淘汰されながら環境に合わせて独自の進化を遂げました。ガラパゴスコバネウは潜水術を手に入れた代わりに翼が退化し飛べない鳥になりました。ガラパゴスペンギンは寒流による低温の海のおかげで生息が可能になりましたが、体温を多く発散できる体の小さい種が生き残りました。

本日のテーマ 暮らし・文化に触れる！

8月18日

231 紀伊山地の霊場と参詣道

所在地 日本　和歌山県

登録基準 文化遺産／2004年／②③④⑥

熊野古道の路傍に佇む石仏。参詣道は、人間が下界から神域に入るために身を清める過程と考えられています。

山岳信仰と密教、熊野信仰が結びついて生まれた信仰空間

三重、奈良、和歌山の3県にまたがる紀伊山地では、1,000〜2,000m級の山々が居並び、年間を通して降る豊かな雨が深い森林を育んできました。

日本では古くから自然そのものを神とする信仰がさかんで、山や樹木も「霊山」「神木」とされました。伝来した仏教もまた、紀伊では独自の発展をとげ、高野山を根本道場とした真言密教の山岳修行が定着。そこに中国から伝わった道教の神仙思想が結びつき、修験道が成立しました。

こうして紀伊山地に熊野信仰の中心である熊野本宮大社、熊野速玉大社、熊野那智大社の「熊野三山」、空海が開いた真言密教の聖地である「高野山」、修験道の拠点である金峯山を中心とした「吉野・大峯」が生まれたのです。

紀伊山地への参詣道はたくさんありますが、なかでも三大霊場を結ぶのが熊野古道です。「大峯奥駈道」「高野山町石道」「熊野参詣道」などは、都のみならず日本中から多くの人が訪れてきた道で、ここを歩くことそのものが修行となると考えられています。

もっと知りたい！　「大峯奥駈道」は吉野と熊野を結ぶおよそ170kmの道のりです。修験者たちは、谷を渡り崖をよじ登って歩き続けます。熊野から吉野に向かうことを「順峰」、その逆を「逆峰」と言い、順峰は100日、逆峰は75日かけて行うとされています。

ポトシ市街

所在地 ボリビア多民族国ポトシ県

登録基準 文化遺産／1987年／②④⑥（危機遺産）

ポトシ銀山と、銀の採掘で賑わったポトシの街並み。

大量の銀産出によってヨーロッパに起こった価格革命

ボリビアのアンデス山脈に連なる標高約4000mの高所に位置するポトシは、16世紀に発見された銀山とともに栄えた街です。今も当時の建物や街並みの風情が残されています。

16世紀前半、アメリカ大陸に到達したスペインは、新大陸の征服に乗り出してユカタン半島のアステカ、次いで南米ペルーのインカを滅ぼし、広大な中南米の植民地を手に入れます。さらに彼らを潤したのが、1545年に発見されたポトシの銀鉱脈でした。

スペインはここにポトシの町を建設し、17世紀半ばまでに世界の産出量の半分とも言われる1万5000tの銀を採掘してスペインに運んだのです。ヨーロッパでは安い銀が大量に流入したため、物価高騰を引き起こし経済の混乱を招きました。

この銀の採掘は、インディオなどの先住民とアフリカの黒人奴隷の過酷な強制労働の上に成り立っていました。とくに16世紀後半には、ポトシ採掘の労働力を確保するため、「ミタ」と呼ばれる制度が導入されます。これはインディオの男子の7分の1を1年交代でポトシ銀山に派遣し、強制的に働かせる制度でした。

もっと知りたい！ ポトシ銀山ではインディオとアフリカの黒人奴隷に強制労働を課すことで安い銀を大量に産出していました。銀山では過酷な労働現場のなか、800万人もの労働者が亡くなっています。入植者たちは先住民の奴隷的な使役を正当化するために、先住民を野蛮人と位置づけ、人から支配される存在として造られていると考えていました。

本日のテーマ　伝説に浸る！

8月20日

古代都市ポロンナルワ

233

所在地　スリランカ民主社会主義共和国ポロンナルワ県

登録基準　文化遺産／1982年／①③⑥

ポロンナルワの円型寺院ワタダーゲ。

巨大な石仏に彩られるシンハラ朝第2の都

10世紀末、インドのチョーラ朝の侵攻を受けたスリランカのシンハラ朝は、荒廃した首都アヌーラダプラを捨ててポロンナルワに遷都しました。こうしてポロンナルワは、シンハラ王朝の第2の首都として11～13世紀に最盛期を迎え、仏都としても繁栄しました。

なかでも12世紀のパラークラマバーフ1世は、街に城壁をめぐらし、7階建ての宮殿を建てるなど華やかな時代を築きます。

また、王は仏教の復興を志し、王宮寺院のダラダーマルワに、現在はキャンディの寺院にある仏歯を、王権の象徴として祀って聖地としました。

ポロンナルワの最大の見どころは、石窟寺院のガル・ヴィハーラ寺院にある巨大な磨崖仏です。全長13mもある巨大な仏陀の涅槃像は、仏陀入滅の姿とされ、その脇の7mの立像は仏陀との別れを悲しむ弟子のアーナンダ像と言われています。見る人に圧倒的な存在感で迫るスリランカ仏教遺跡の傑作として知られています。

もっと知りたい！　ポロンナルワにもチョーラ朝はたびたび侵攻しました。その混乱で、僧の数が大幅に減少してしまい、仏教が途絶えそうになります。11世紀のヴィジャヤバーフ1世は、何とかスリランカ仏教の法灯を守ろうとミャンマーから僧を派遣してもらい、仏教の復興に取り組みました。仏教を逆輸入する形でスリランカ仏教を守ったのです。

チャコ文化

所在地 アメリカ合衆国ニューメキシコ州

登録基準 文化遺産／1987年／③

謎に包まれたアナサジ族の住居。

巨大な集合住宅を残して忽然と消えた文明の担い手たち

ニューメキシコ州のチャコ渓谷では、先住民アナサジ族の集落が多数発見されています。大きい集落は12、小さい集落は400もあり、それぞれに2〜5階建ての集合住宅が築かれていました。住宅は日干しレンガ、土、砂岩を建材とし、すべてに「キヴァ」と呼ばれる円形の半地下室があります。ここは集会所で、宗教儀式が行なわれるスペースでもあったようです。また、キヴァの暖炉の後ろ側、床の部分にはシパプという小さな穴が空いています。これはただの通風口ではなく、先祖の霊が現われるトンネルと考えられていました。

最大の集合住宅は「プエブロ・ボニート」で、5階建てで800以上の部屋があります。広い谷間に、中央広場を囲むように半円形に築かれていて、広場に面した側は1階建て、外側に向かうにつれて階段状に高くなっていて、現代の豪華マンションのようでもあります。

アナサジ族は、1000年近くこの地に住んでいたのですが、12世紀以降、なぜか忽然と姿を消してしまいました。

もっと知りたい！ アナサジ族がこの地を離れた理由は、人口増加のために周囲の森林を伐採し続けた結果、土壌が雨水を保持できなくなり、乾燥化が進んだためと考えられています。

235

サント・シャペル（パリのセーヌ河岸）

所在地 フランス共和国パリ市1区（シテ島）

登録基準 文化遺産／1991年／①②④

王の礼拝堂を飾るサント・シャペルのステンドグラス。

ゴシック建築を確立させた超美麗ステンドグラスの教会

パリのセーヌ河岸に建つサント・シャペルは13世紀、フランス国王のルイ9世がキリストの荊の冠と十字架の破片などの聖遺物を安置するために、王宮内に建造した聖堂です。高さ75mの尖塔と大きなバラ窓を持つ外観の調和が美しく、ゴシック建築の代表作とされています。

ゴシック建築は12世紀頃にフランスで発祥し、ヨーロッパ全土に広がった中世を代表する建築様式。従来の半円アーチと異なる、先のとがった尖頭アーチが天井に現われるのが特徴で、高い天井の重みを、「リブ」と呼ばれる対角線上に結んだ骨組みと、控え壁と柱全体で支える仕組みです。

これによって大きな窓を設けることが可能になり、壁全体をステンドグラスで埋め尽くした聖堂も多く誕生しました。

サント・シャペルの礼拝堂は、上下2つの礼拝堂に分かれ、2階の礼拝堂が王の専用。多彩色のステンドグラスが壁一面に広がり、光が入ると燦燦と輝くその美しさはゴシック建築随一と言われています。

もっと知りたい！ サント・シャペルのある敷地は現在、裁判所となっています。この裁判所は14世紀までは王宮だった建物を転用したもので、建設当初、王の部屋から直接、サント・シャペルの礼拝堂へつながる廊下が通っていました。

本日のテーマ　ドラマを味わう！

8月23日

カンタベリー大聖堂、聖オーガスティン大修道院および聖マーティン教会

236

所在地　英国　イングランド　ケント州

登録基準　文化遺産／1988年／①②⑥

イギリス最初のゴシック建築であるカンタベリー大聖堂。12世紀に発生したカンタベリー大司教の暗殺事件を契機に、イギリス有数の巡礼地となりました。

キリスト教の上陸地で起きた大司教暗殺事件

キリスト教がドーヴァー海峡を渡ってイギリスに伝わると、聖マーティン教会や聖オーガスティン大修道院などが建てられました。601年にはカンタベリー大聖堂が築かれたのですが、12世紀にここで国内外を揺るがす大事件が起こります。

大司教トマス・ベケットは、国王ヘンリー2世に深く信頼されていました。しかし、その意に背いて教会の自由を主張したため、王の怒りを買ってしまいます。一時はフランスに亡命したものの、ローマ教皇も民衆もベケットを支持したため、カンタベリーに戻っていたところ、1170年、王の4人の臣下によって、カンタベリー大聖堂の中で殺害されてしまったのです。

この衝撃的なニュースが全ヨーロッパに伝わると、ローマ教皇は激怒。ヘンリー2世は教皇に謝罪し、ベケットの墓前でも謝罪することになったのです。

ベケットは、教皇によって聖人に列せられ、やがてカンタベリー大聖堂には遠方からの巡礼者もやってくるようになりました。増改築を経た大聖堂の建物は、イギリス初のゴシック建築として知られ、内部にはベケットの生涯を描いたステンドグラスが飾られています。

もっと知りたい！　ヘンリー2世は、フランスにも領土を広げ、内政でも力をふるいましたが、40歳のときに、なんと王妃と王子たちが反乱を起こします。一度は収まったものの、フランス国王と手を組んだ3男のリチャードがまたもや反乱を起こし、ヘンリー2世は戦いのさなかに死亡してしまいました。

本日のテーマ　ゆかりの人物に出会う！

8月24日

パナマ・ビエホ古代遺跡とパナマの歴史地区

237

所在地　パナマ共和国パナマ県

登録基準　文化遺産／1997年、2003年／②④⑥

石造建築物の残骸が残るパナマ・ビエホ。

機略を駆使してパナマを攻略したカリブの海賊

17世紀、新大陸のスペイン植民地を次々と襲撃し、略奪し回って、その名をとどろかせたカリブの海賊がヘンリー・モーガンです。イギリス生まれのモーガンは若い頃、ジャマイカに渡り、海賊活動で頭角を現わして首領になると、ポルトベロやマラカイボなど、次々と新大陸の植民地を襲撃して名をあげます。

1671年にはジャマイカ総督からスペインの街の襲撃許可を受けると、金銀の貿易拠点として栄え、「全世界最大の金銀市場」と呼ばれて繁栄していたパナマを襲撃します。2000人の部下を従えたモーガンは守備隊を破って街に乱入し、森に逃げた住民から金銀のありかを白状させて大量の戦利品を手にしました。

その跡がパナマ・ビエホです。モーガンらによって当時の建物はほとんど失われましたが、石造建築の柱などの一部が残されています。襲撃の2年後、パナマ・ビエホの南西に今の歴史地区に当たる街が再建されました。コロニアル風の大聖堂や館など、植民地時代の建物が今も残されています。

もっと知りたい！　その後も新大陸を荒し回っていたモーガンでしたが捕らえられ、囚人としてイギリスに送られます。しかし、イギリスでは英雄として扱われ、「サー」の称号も授けられました。その後、ジャマイカ副総督となってジャマイカに戻ると、一転して海賊を取り締まる立場となりました。

本日のテーマ 暮らし・文化に触れる！

8月25日

福建の土楼

所在地 中華人民共和国福建省

登録基準 文化遺産／2008年／③④⑤

福建の土楼。大きな土楼には、800人が共同生活をしているものもあります。一族郎党数百人が共同生活をすることで結束を固め、敵を寄せつけまいとしたのです。

800人もの客家が生活する競技場のような集合住宅

福建省の南西部には、土楼と呼ばれる集合住宅があります。広場を囲んだ円形、楕円形、方形などの3～5階建てで、まるでスポーツの競技場か要塞のようにも見えます。こうした土楼が46あり、12～20世紀にかけて造られたものがほとんどです。

そこに住んでいるのは「客家」と呼ばれる人々です。客家は漢民族の一支流とされ、北方の異民族に圧迫されて中原から逃れ、各地に移住しました。

土楼の外側は土壁で厚さが180㎝以上あり、セメントよりも頑丈と言われています。窓は少なく、出入口は1か所で、それも鉄板で補強した厚さ10㎝ほどの板戸で守られており、基本的に外部の者が立ち入ることはできません。

あちこちに狭間が空けてあったり、隠し通路があったりして、井戸や食糧倉庫も備えられ、いざとなれば2か月間ほどは籠城することができると言われています。まさに住居と要塞を兼ねているのが土楼なのです。

もっと知りたい！ その土地で採れる素材を用い、その土地の気候風土の中で培われてきた建て方がヴァナキュラー建築です。長年繰り返されてきた建て方で、住む人の活動にも応じているため、建物全体のエネルギー消費が抑えられると注目されています。土楼は、ヴァナキュラー建築の典型的な例です。

本日のテーマ　歴史を知る！

8月26日

239

石見銀山遺跡とその文化的景観

所在地　日本　島根県

登録基準　文化遺産／2007年、2010年／②③⑤

17世紀、日本は石見銀山のおかげで世界第2位の銀産出国になりました。

世界第2位の産出量を誇った日本最大の銀山

島根県大田市大森町にある石見銀山は、16世紀に開発された日本最大の銀山です。開発当初は中国地方の領主がその領有権を争い、中国地方一帯を一時支配した毛利氏が支配したあと、江戸幕府の天領となりました。

灰吹法という新しい精錬技術の導入や新たな坑道の開発などにより、17世紀初頭には産出量がそれまでの年間約2tから約13tに増大。世界第2位の産出量を誇るまでになります。産出された銀は海外にも多く輸出され、良質ともてはやされました。

それに伴い石見銀山一帯には最盛期に20万人もの人が暮らし、大いに賑わいました。しかし、17世紀後半から銀の産出量が大幅に減少し、20世紀には休山しました。

石見銀山遺跡は大規模な開発が行なわれなかったため、伝統的技術を示す遺跡が残されているのが特徴です。採掘したノミの跡が生々しく残る「間歩」と呼ばれる坑道のほか、精錬所跡、代官所跡、屋敷跡などから銀山の生産活動や日々の暮らしの全容をしのぶことができます。

もっと知りたい！　16世紀に導入された灰吹法は、良質で大量の銀生産を可能にしました。灰吹法とは、鉱石から銀を吹き分けて取り出す手法。銀を粉砕して鉛に溶け込ませ溶解し、銀と鉛の合金を造ります。空気を吹き付けながら加熱して鉛を酸化させて灰にしみこませ、残った銀だけを取り出す方法です。

本日のテーマ 伝説に浸る！

武夷山（ぶいさん）

所在地 中華人民共和国福建省

登録基準 複合遺産／1999年／③⑥⑦⑩

神仙の武夷君が住んだとされる武夷山。

武夷君が生んだとされる水墨画のような景観

武夷山は、中国福建省にある独特の景観を持つ山系の景勝地です。36の峰、72の洞窟、99の険しい岩々が織りなす風光明媚な景観が広がり、「中国人なら生涯に一度は訪れたい地」というのも納得の美しさです。

この地は神仙の武夷君が生みだしたという伝説があることから「武夷山」と名付けられました。とくに九曲渓を下ったところには、「玉女峰」「大王峰」「鉄板鬼」などユニークな名前が付いた36の険しい奇岩がそびえ立ち、水墨画のような端正なたたずまいを見せています。

これらの岩々のユニークな形から、想像力がかきたてられたのでしょうか。不思議な伝説も生まれました。

玉女峰と大王峰は対岸にあり、恋人同士でしたが、その間にたちはだかったのが鉄板鬼という青黒い岩。この鉄板鬼が邪魔をして、大王と玉女は会うことができません。玉女はやむなく鏡台越しに大王を眺めるしかありませんでした。岩のふもとには、その鏡台とされる岩もあります。

もっと知りたい！ 武夷山は海抜350mと高度が低く、温暖な気候の場所に位置していたため、山頂部には亜熱帯の森林生態系が今も息づいています。そのため、珍しい動植物相が生息する貴重な自然遺産でもあり、少なくとも475種の脊椎動物、約5000種の昆虫、約2500種の植物が生息しています。また、ウーロン茶の原木とされる木もあります。

本日のテーマ　謎と不思議を愉しむ！

8月28日

法隆寺地域の仏教建造物

241

所在地　日本　奈良県

登録基準　文化遺産／1993年／①②④⑥

法隆寺の金堂と五重塔。飛鳥時代の創建とされる境内には、再建論争のほかにも七不思議などが伝わります。

若草伽藍の発見と法隆寺を巡る再建論争

世界最古の木造建築と言われるのが法隆寺です。創建の年代は諸説ありますが、聖徳太子が607年に建立したとされています。金堂を中心とする西院と夢殿のある東院にわかれる大寺で、多くの国宝と重要文化財を納めた日本美術の宝庫でもあります。

法隆寺については、長きにわたって再建・非再建論争が繰り広げられてきました。『日本書紀』には、法隆寺は670年の落雷で全焼したとあり、これが本当なら今ある法隆寺は、その後に再建されたものということになります。しかし、『日本書紀』には再建を示す記述はなく、そのため焼失も再建もしていないという主張もなされていたのです。

1939年、法隆寺の境内にある若草伽藍が発掘され、現在の法隆寺よりも古い様式であることから、再建説が有力となりました。しかし、そこには焼失した跡がなく、決め手にはならないとも言われました。

それでも2004年、若草伽藍の溝の跡から焼けた壁土や瓦などが発見され、法隆寺は一度焼失していたことが明らかになったのです。

もっと知りたい！　法隆寺の再建は、聖徳太子の怨霊を鎮めるためになされたという説があります。太子の没後、一族は政争に敗れて滅亡しました。代わって実権を握ったのが藤原氏です。737（天平9）年に藤原氏の4兄弟が次々に天然痘にかかって死亡したのですが、これを太子の祟りと恐れた藤原氏が、法隆寺を再建させたというのが梅原猛氏の説です。

242

白川郷・五箇山の合掌造り集落

所在地 日本　岐阜県・富山県

登録基準 文化遺産／1995年／④⑤

雪の中にライトアップされた白川郷の風景。合掌造りの家屋は、日本有数の豪雪地帯で生まれた独自の建築です。

養蚕のために屋内を多層化した豪雪地帯の伝統的集落

飛騨高地の白川郷と五箇山の集落は、今も三角形の屋根を持つ合掌造りの家々が建ち並ぶ独特の光景で有名です。合掌造りは、自然環境と社会・経済に即した伝統生活という点において日本でも古くから注目され、現在は10棟近くが公開されています。

かつて大家族制で一族や使用人たちが共に暮らしていた大規模な合掌造りの家屋は、数mの積雪がある豪雪地帯ゆえに生まれた建築様式。最大の特徴は、萱葺屋根が合掌をしているようにも見える約60度もの急こう配となっている点です。これは屋根の雪を滑りやすくして家の倒壊を防ぐための工夫です。また、建物には釘が使われていません。これは柔軟性を高めて家を強風から守るための工夫です。

一方、地域の特産である養蚕のための改良もあります。合掌造りには多層構造が多いのですが、これは多層化して蚕部屋を屋根裏に多く設けるとともに、一階の生活熱で上層階を温めて春蚕の飼育を可能にするためでもあるのです。このように、合掌造りは大家族が力を合わせて厳しい自然を生き抜くための知恵と工夫から生まれた建築様式でもあるのです。

もっと知りたい！ 日本各地の人里離れた地には平家の落人伝説が残されていますが、白川郷と五箇山にも伝えられています。ここには北陸の倶利伽羅峠の戦いで敗者となった平家の平維盛配下の兵が逃れて住み着いた伝説があります。また、江戸時代の地誌にも落武者が流れてきたと記され、彼らは音曲や踊りを現地の人に伝えたと言います。

本日のテーマ ドラマを味わう！

243 ストラスブールのグラン・ディルとノイシュタット

所在地 フランス共和国アルザス州

登録基準 文化遺産／1988年、2017年／②④

ストラスブールの街の南西、イル川が分岐する付近にあって、ハーフティンバー様式の家々が並ぶプティット・フランス。

ドイツとの国境に位置する激動の歴史を歩んだ都市

ライン川の支流イル川と、パリとプラハを結ぶ街道が交差する、水陸両方の交通の要衝がストラスブールです。

中世から自治権を獲得した都市で、木材、毛織物、ワイン、香辛料などが盛んに取り引きされ、ノートル・ダム大聖堂をはじめとする豪華な建物が築かれました。経済の中心がイル川の中洲に築かれたグラン・ディルで、現在の旧市街です。商人や職人たちの生活を物語るハーフティンバー様式の家々も見られます。

ここはドイツとの国境に近いため、領有権争いが絶え間なく繰り返されてきました。10世紀にはドイツ・オーストリアの前身である神聖ローマ帝国の領土となり、17世紀にはフランス領に、その後はまたドイツ領となり、第1次世界大戦後はフランス領、第2次世界大戦中にはドイツ領、その後はフランス領という激動の歴史を歩んできたのです。

街の周囲にある4本の塔は見張りのためのもので、かつてはこれが80本もあったと言われ、厳しい歴史を感じさせます。

もっと知りたい！ 2017年には、新市街であるノイシュタットも世界遺産に追加登録されました。ハーフティンバー様式とは、フランス語では「コロンバージュ」と言い、柱や梁などを家の外側に見えるように出し、その間を漆喰やレンガで埋めて壁とする建築法です。中世のフランスやドイツでは、このような木造家屋が多く建てられました。

ヴィチェンツァ市街とヴェネト地方のパッラーディオ様式の邸宅群

244

所在地 イタリア共和国ヴェネト州

登録基準 文化遺産／1994年、1996年／①②

遠近法が駆使されるテアトロ・オリンピコ（オリンピコ劇場）の内部。パッラーディオの没年に建設が始まり、弟子のスカモッティによって完成されました。

「石で築いたギリシャの夢」を残した天才建築家パッラーディオ

イタリア北東部、ヴェネト地方の中央に位置するヴィチェンツァは、1404年にヴェネツィア共和国の統治下に置かれたのち、有力市民の手で芸術や建築が発展しました。現在も16世紀のルネサンス期に流行したパッラーディオ様式と呼ばれる端麗な建物があふれた町並みが広がります。

パッラーディオ様式とは、ヴェネト地方出身の建築家アンドレア・パッラーディオが手掛けた建築様式のこと。古代ローマやギリシャの建築をルネサンス様式と融合させたスタイルで、正面にギリシャ建築の大きな円柱とアーチが続き、躍動感と優雅さが調和した美しさを特徴とします。

1543年、町の市議会場であるパラッツォ＝デッラ＝ラジョーネの改築の設計コンペに優勝したパッラーディオのもとに、ヴィチェンツァの有力市民たちから建築の依頼が殺到。結果、別荘のラ・ロトンダや古代ローマ劇場をイメージしたオリンピコ劇場など多くの建物が残されることとなり、ヴィチェンツァは「パッラーディオの街」とも呼ばれるようになりました。

もっと知りたい！ パッラーディオは建築の基本的な法則を記した『古代都市ローマ』やルネサンス建築をまとめた『建築四書』などの建築の理論書も残しました。パッラーディオ様式は、ヴェネト地方で熱狂的に受け入れられただけでなく、17世紀にはヨーロッパに広く伝わり、さらにアメリカでもホワイトハウスなどにも用いられました。

245

バガンの考古地域と記念建造物群

所在地 ミャンマー連邦共和国

登録基準 文化遺産／2019年／③④⑥

仏塔が林立するパガンの仏教遺跡群。カンボジアのアンコール・ワット、インドネシアのボロブドゥルとともに世界三大仏教遺跡のひとつとされています。

ビルマ仏教信仰の顕現

イラワジ川中流にあるパガン（現在のバガン）は、1057年にビルマ人が最初に建てた統一王朝、パガン朝の都です。

パガン朝では上座部仏教がさかんで、寺院、ストゥーパ、基壇を積み重ねてその上に塔を立てるパゴダなどを次々に建立。その結果、都はおびただしい数の仏教建造物で埋め尽くされるほどだったのです。

2300もある仏教遺跡は11～13世紀に築かれたもので、すべてレンガ造りです。かつては外壁に漆喰が塗られ、そこに蓮華模様などの装飾が施されていました。

内部には仏伝などの壁画があり、黄金の仏像や宝物が納められています。複雑に巡らせた回廊に仏像が並ぶアーナンダ寺院、寺院群を一望できるシュエサンドーパヤーなどが、40㎢の平野に見渡すかぎり続いています。

聖地として南アジア全域から多くの僧侶や信者が集まったパガンには、今も参詣者が絶えず、常に線香の煙が漂っています。

もっと知りたい！ かつてのパガンには、寺院や仏塔が400万基あったと伝えられています。しかし、度を超した建立は国家を疲弊させました。王家の財が際限なく投じられた上に、寺社に寄進された土地は税の対象とならず、労働力だった奴隷も寺社に多く寄進されて国家の力が及ばなかったのです。こうした中で元の侵攻を受け、パガン朝は滅亡してしまいました。

本日のテーマ 歴史を知る！

9月2日

246

オールド・ハバナとその要塞群

所在地 キューバ共和国ハバナ市
登録基準 文化遺産／1982年／④⑤

ハバナを守り抜いたモロ要塞。20mの高さを持つ城壁は圧巻です。

黄金船団を目当てに暴れたカリブの海賊と城塞都市

16～17世紀にかけて、カリブ海ではアメリカ大陸の銀などを運ぶスペイン船を狙った海賊行為が横行しました。いわゆるカリブの海賊です。

海賊たちは船を狙うだけではなく、時にはパナマやマラカイボなどの都市を攻略して略奪行為の限りを尽くします。しかし、そんな海賊たちでも攻略できなかったのがキューバのハバナです。16世紀に建設されたハバナは、砂糖などを生産する奴隷貿易で栄え、スペイン本国とアメリカ大陸を結ぶ交易路の拠点ともなりました。現存する大聖堂や劇場などのバロック様式の建物が、往時の繁栄を今に伝えています。

一方でハバナは、海賊や諸外国の襲来に備え、港にフエロサ、モロ、プンタ、カバーニャの4つの要塞を建設し、街を要塞化しました。とくに高さ20mの城壁を持つモロ要塞は対岸のプンタ要塞との間を太い鎖でつないで連携し、海に大砲を向けるなど「カリブ海最強の砦」と呼ばれる鉄壁の造りでした。これが海賊さえも退けたのです。こうしてカリブの海賊のハバナ湾侵入を阻止したハバナは18～19世紀に最盛期を迎えました。

もっと知りたい！ 海賊などの外敵に備えて要塞を築いたのはハバナだけではありません。プエルトリコ島のサン・ファンも高さ15mの城壁を築きました。コロンビアのサン・フェリペ要塞やキューバのサン・ペテロ・デ・ラ・ロカ城は、イギリス軍の攻撃を撃退しています。セントクリストファーのブリムストーン・ヒル要塞はイギリスの巨大要塞です。

本日のテーマ 伝説に浸る！

9月3日

ウェストミンスター宮殿
ウェストミンスター大寺院および聖マーガレット教会

247

所在地 英国イングランド　ロンドン

登録基準 文化遺産／1987年／①②④

現在、国会議事堂として利用されるウェストミンスター宮殿は、19世紀に再建されたネオ・ゴシック様式の建物です。

イギリスの戴冠椅子にはめ込まれた謎の巨石の来歴

イギリス国王の戴冠式が行なわれるウェストミンスター大寺院は、11世紀にエドワード懺悔王によって建てられました。この寺院に安置される国王が戴冠式の際に座る椅子には、かつて「スクーンの石」と呼ばれる聖石がはめ込まれていました。実はこの石は、イギリスとスコットランドの興亡を物語る石なのです。

「紀元前の中東のヨルダンで、ユダヤ人の長ヤコブがこの石を枕にして寝ていたところ、夢のなかで神からお告げを受けた」と伝わる聖石で、やがてアイルランド、さらにはスコットランドへと渡りました。スコットランドでは、王家を守護する聖石とみなされ、この石の上で戴冠式を挙げるようになりました。しかし、13世紀末、イギリスのエドワード1世がスコットランドを征服した際にイングランドへ持ち去って椅子にはめ込んでしまいます。スコットランドの人々は憤慨しましたが、以後も石はイングランドで保管され続けました。石がスコットランドへ返還されたのは、強奪から700年を経た1996年になってからのこと。現在はエディンバラ城に眠っています。

もっと知りたい！ ウェストミンスター大寺院とともに世界遺産に登録されている国会議事堂のウェストミンスター宮殿の併設建物のひとつに、高さ97mほどの巨大な時計塔「ビッグベン」があります。1859年の建造で、正式名称は「エリザベスタワー」。正午の鐘の音はBBCの時報に使われ、そのメロディは日本では学校のチャイムに多く使われています。

バールベック

所在地 レバノン共和国メルメル県

登録基準 文化遺産／1984年／①④

ひときわ大きな列柱が並ぶバールベックのユピテル神殿。1759年の地震で大部分が破壊されました。

800tもの巨大列柱をいかにして運んだのか？

紀元前64年、バールベックの地はローマ帝国の支配下に入りました。ローマ帝国は、以前からの住民であるフェニキア人の神々を、ローマの神々と同じ神殿で祀ることとします。征服された人々の神々を尊重しつつ、ローマの神々をも崇拝させることで、統治を円滑にしようとする習合策です。

そして200年の歳月をかけて建てられたのが、ローマの主神ユピテル（ジュピター）、酒の神バッコス（バッカス）、愛と美の女神ウェヌス（ヴィーナス）に捧げる巨大神殿でした。

いずれの神殿にも、ローマ帝国全盛期の力強さが投影され、ことにバッコス神殿とウェヌス神殿には、ダイナミックかつ精緻な装飾がふんだんになされています。

そのバールベック最大の謎は、ユピテル神殿の石柱。高さ20m、直径2.2mという太さで、石床には800tもの巨石が用いられています。これらの石は、近くの石切場から運ばれたもののようですが、石をいくつかに切って運び、それを組み上げる手法も採られていません。これほどの巨石をどうやって運んだのか、いまだに謎に包まれたままです。

もっと知りたい！ ユピテル神殿の設計には、ローマ帝国初代皇帝のアウグストゥスも関わったと伝えられており、国家の威信をかけた事業だったと考えられます。しかし、391年にローマ帝国の皇帝テオドシウス1世がキリスト教以外の宗教を異教として禁止したため、神殿の工事も終わりを告げました。未完成のままの柱頭が出土しているのは、そのためです。

249

グレート・バリア・リーフ

所在地 オーストラリア連邦クィーンズランド州

登録基準 自然遺産／1981年／⑦⑧⑨⑩

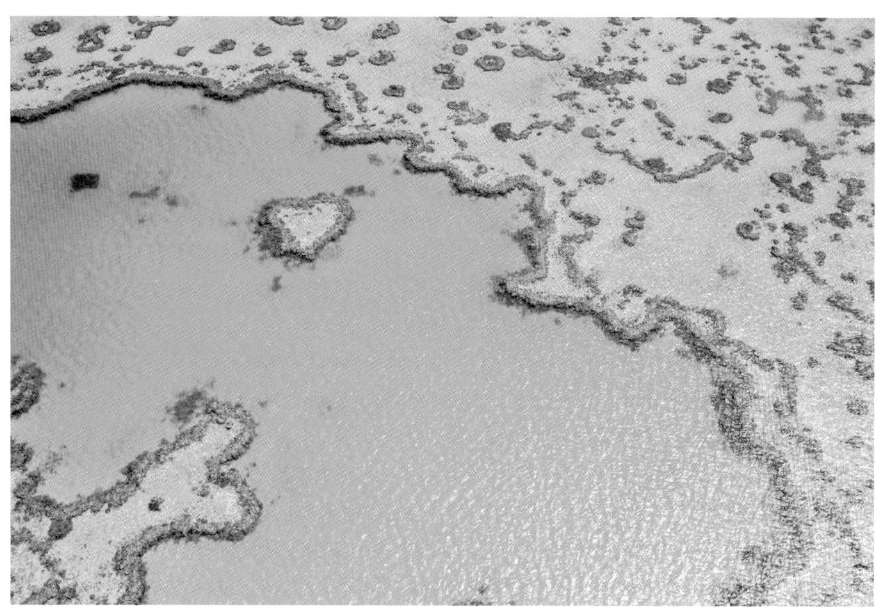

グレート・バリア・リーフのハミルトン島近くにあるハート形のサンゴ礁。

大量絶滅を救った世界最大のサンゴ礁

グレート・バリア・リーフは、オーストラリア大陸の北東部の海にあり、全長2000kmで、総面積は日本の国土とほぼ同じ35万㎢という規模を持つ世界最大のサンゴ礁群です。グレート・バリア・リーフでは約1800万年前にサンゴが発生し、約200万年前にサンゴ礁が造られはじめ、6000年前頃には現在のような規模に成長したとみられています。確認されているだけでも400種以上、大小2500のサンゴ礁がありますが、驚くことに最も古い1800万年前に誕生したサンゴ礁は今も年平均26cmずつ成長し続けています。

実はこのサンゴ礁、絶滅しかけた生物を救った救世主でもあります。当時、地球は温暖化の影響で海水の二酸化炭素吸収力が低下し、生物が絶滅の危機に瀕していました。しかしこのとき、海底のヘドロとサンゴ礁が二酸化炭素を吸収し、事なきを得たと考えられているのです。

そして今は海中に生息する生物にとっては海流などから身を守る絶好の隠れ家となり、先史時代からの海洋生物をはじめ、1500種以上の生物が暮らす生命の楽園となっています。

もっと知りたい！ グレート・バリア・リーフは1770年、ヨーロッパ人で初めてオーストラリアの東岸に到達したイギリスの探検家ジェームズ・クック船長が、この海域の浅瀬に乗り上げて座礁したときに発見しました。その後、調査が行われ、イギリスの海図制作者マシュー・フリンダーズが「大堡礁」という意味の名前を命名しました。

250

ブレナム宮殿

所在地 英国 イングランド オックスフォードシャー州

登録基準 文化遺産／1987年／②④

ブレナム宮殿の豪壮でスケールの大きな建物はイギリスの郊外邸宅カントリーハウスの典型として知られています。

イギリス式庭園の先駆となったチャーチル家の宮殿

イギリスで最大級のバロック建築がブレナム宮殿です。1704年、フランスとの戦いに勝利したジョン・チャーチル将軍が、その褒美にアン女王からマールバラ公爵の位とこの宮殿を与えられました。

ブレナムとは、戦場の名の「ブレンハイム」にちなんでつけられたものですが、ここは「宮殿」とも呼ばれます。英語で「宮殿（palace）」と言えば、王家の人間または高位の聖職者が住むところ。しかし、チャーチル家は王族ではないのです。これはアン女王が建設中だった宮殿をチャーチル将軍に与えたことに由来すると伝えられていますが、真相は不明です。

ちなみに、第2次世界大戦時のイギリス首相、ウィンストン・チャーチルは、チャーチル家の子孫です。生まれたのもこの宮殿で、小さなベッドのある部屋は今も保存されています。

庭園も名所です。竣工時の庭は、幾何学的に植物や池を配置したフランス式庭園でしたが、18世紀には曲線やなだらかな傾斜で自然の趣を出すイギリス式庭園に改造されました。

もっと知りたい！ 1925年に造られたのが、イチイの木を刈り込んだ巨大迷路のマールバラ・メイズです。上空から見ると、真ん中に「BLEHEIM（ブレナム）」という文字の形に木を刈り込んでいるのがわかります。迷路を歩くと木々に行く手を遮られ、抜け出すのには25分ほどかかります。

本日のテーマ ゆかりの人物に出会う！

9月7日

古典主義の都ヴァイマール

251

所在地 ドイツ連邦共和国テューリンゲン州

登録基準 文化遺産・1998年／③⑥

10世紀に建設されたザクセン・ヴァイマール公の居城ヴァイマール城。

「ドイツ古典主義の町」に詩人ゲーテが及ぼした影響

20世紀、ドイツ共和国の出発地となったヴァイマールは、18世紀に古典主義の町として発展した文化都市。その立役者が、小説『若きウェルテルの悩み』で知られる文学者のゲーテです。

1775年、ヴァイマール公のカール・アウグストに招かれたゲーテは、鉱山開発や劇場の運営などで大臣として活躍します。そのゲーテを慕って、哲学者のヘルダーや文学者のシラーなど、多くの文人や芸術家がヴァイマールに集まり、「ドイツ古典主義の町」と呼ばれるほど、街全体が宮廷さながらのサロンのようになりました。

ゲーテは街の建築にも関わりました。街の中心部にあるゲーテが再建に協力したヴァイマール城をはじめ、ゲーテ自らがルネサンス建築を取り入れて内装をデザインした自宅、その近くのシラーの家、ヘルダーが総監督を務めたヘルダー聖堂、ゲーテが館長を務めたアンナ・アマーリア図書館など、当時の文人たちゆかりの建物が建ち並びます。その街並みは文学と芸術の発信地として栄えた当時の雰囲気を今に伝えています。

もっと知りたい！ ヴァイマールには、18世紀の建築で、第2次世界大戦後に再建された国民劇場もあります。元はヴァイマール劇場と呼ばれ、ゲーテ主宰のヴァイマール歌劇団の公演のほか、シラーの『ウィルヘルム＝テル』やゲーテの『ファウスト』などが上演されていました。

アルダビールのシェイフ・サフィー・ユッディーンの修道院と聖者廟複合体

252

所在地 イラン・イスラム共和国アルダビール州

登録基準 文化遺産／2010年／①②④

シェイフ・サフィー・ユッディーン廟の内観。廟は高さ17mの円筒形で、細かいブルータイルのモザイクで飾られています。内部は八角形の立体性を強調した珍しい構造で、51kgもの金で豪華な透かし細工が施されています。サファヴィー朝時代を通じて増築されてきました。

シーア派とスーフィー信仰

8世紀中頃、イスラーム教シーア派のなかに、簡素で敬虔な生活を送ろうとする聖者スーフィーへの信仰が広がりました。いわゆるスーフィズム（神秘主義）です。

これは踊りや神への賛美を唱えることで神との一体感を求める信仰で、9〜10世紀に流行しました。

イランの世界遺産「アルダビールのシェイフ・サフィー・ユッディーン（アッディーン）の修道院と聖者廟複合体」は、この信仰の指導者で、サファヴィー朝開祖のシェイフ・サフィー・ユッディーンの廟を中心にしたアルダビールの遺跡の数々です。

敷地には、モスク、図書館、学校、貯水池、病院、パン工場、厨房、バザール、貯水槽などがあり、シェイフの聖域に至るまで、8つの門と7つの階段があります。8つの門はイスラームの生活を送る上での8つの心構えを示すもの、7つの階段は神秘主義の7つの階段の象徴だとされています。

もっと知りたい！ スーフィズムとは、アラビア語で羊毛を意味するスーフに由来しています。修行者は、羊毛でできた粗末な衣をまとっていたため「スーフィー」と呼ばれました。最初は少数だったスーフィーでしたが、やがて聖者と崇められ、弟子や崇拝者が集まるようになったのです。

本日のテーマ 歴史を知る！

9月9日

河湾都市グリニッジ

253

所在地 英国イングランド グレーターロンドン

登録基準 文化遺産／1997年／①②④⑥

現在、天文台は博物館となっていますが、中庭に経度0度の子午線が表示されています。

イングランド海洋進出の契機となった天文台の建設

16世紀のイギリスは、新大陸に乗り込み巨万の富を得ていたスペインやポルトガルに比べて海洋進出に遅れを取っていました。そうしたなか、王位継承問題や宗教対立から1588年にスペインとアルマダの海戦で激突します。この戦いで、イギリスは無敵艦隊と呼ばれた当時世界最強のスペイン海軍を機動力で迎え撃って撃退し、勝利を収めます。そして本格的な海洋進出に乗り出したのです。

イギリスの海洋進出の拠点となったのが、すでにヘンリー8世が造船所を設けてイギリスの海の表玄関となっていたロンドン東部の港町グリニッジでした。イギリスはこの地に遠洋航海のために必要な緯度・経度を測定する王立天文台を造り、航海術を発展させて各地に進出。18世紀には世界の海を制し、世界の4分の1を支配下に収めるまでになります。

そうしたイギリスの海洋進出を支えた旧王立天文台は今、海にまつわる資料が収蔵展示された国立海事博物館となっています。ほかにも旧王立海軍大学、19世紀の快速帆船のドッグなどの海洋施設が海洋帝国イギリスの歴史を伝えています。

もっと知りたい！ 旧王立天文台をもとにしたグリニッジ天文台での観測をもとに、イギリスの位置と標準時間が決定します。1884年に経度0度の本初子午線と世界標準時の基点となりました。1958年に天文台はサセックスに移されましたが、子午線の位置は変わっていません。旧王立天文台の国立海事博物館の中庭には子午線が真鍮の帯で表示されています。

本日のテーマ 伝説に浸る！

9月10日

254

イシュタル門（ベルリンのムゼウムスインゼル）

所在地 ドイツ連邦共和国ベルリン

登録基準 文化遺産／1999年／②④

シュプレー川の中洲に立つペルガモン博物館。

メソポタミアの奔放なる女神イシュタルに捧げられた門

ベルリンを流れるシュプレー川の中洲にあるムゼウムスインゼルは、「博物館島」を意味する名前の通り、新旧の博物館やペルガモン博物館など5つの博物館と美術館がある複合博物館地区です。19世紀半ば、この中洲は王によって「芸術と科学の聖域」とされ、国家の威信をかけて複数の博物館が建てられたのです。

なかでも注目したいのが、ペルガモン博物館に再構築されている新バビロニア王国のイシュタル門です。紀元前575年に建てられた高さ12mを超えるレンガ門で、ネブカドネザル2世によって女神イシュタルに捧げられました。

イシュタルはタブーを犯して冥界へ出かけたり、自分の死を悲しまなかった夫を自分の身代わりに冥界へ送ったりする気性の激しい女神でした。エビフ山が従わないとみると山に刃を突き立て、毒蛇に火を放って退治したと伝わります。このように勇猛なイシュタルは、戦争の女神として崇拝されていたのです。

イシュタル門は、こうした古代バビロニアの信仰を伝える展示物です。

もっと知りたい！ ムゼウムスインゼルの複合博物館地区には、新旧の博物館、ペルガモン博物館、ナショナルギャラリー、ボーデ博物館が建ち並んでいます。その近隣区域には、フンボルト大学やベルリン国立歌劇場、ベルリン大聖堂などが点在しており、ドイツ文化の中枢地域でもあります。

255

バターリャの修道院

所在地 ポルトガル共和国レイリア県

登録基準 文化遺産／1983年／①②

なぜか屋根が造られることがなかった「未完の礼拝堂」。

礼拝堂に屋根がないのはなぜ？

ポルトガル王ジョアン1世は、隣国カスティーリャの大軍を破って国を守ったことを聖母マリアに感謝して修道院を建てました。それがバターリャ修道院です。正式名称は「勝利の聖母マリア修道院」ですが、民衆は「戦い（バターリャ）の修道院」と呼びならわしました。

着工は1388年で、150年の歳月をかけて主要部分がようやく完成。大きさではアルコバッサ修道院に次いでポルトガル第2位を誇り、装飾に船具や海産物の形を取り入れたポルトガル独特の建築様式である「マヌエル様式」とヨーロッパ古来の「ゴシック様式」が調和した建物の美しさはヨーロッパ屈指と言われています。

しかし、不思議なのが「未完の礼拝堂」です。八角形の繊細で優美な建築だというのに、ドーム天井が完成していません。そのため、晴れた日は青空が見えますが、そうでない日は風雨が吹き込むのです。工事中止のいきさつについては、「設計のミス」「建築家がリスボンに行ってしまった」「当時の国王ドゥアルテ1世が急死したため」などと言われていますが、確かな理由はわかっていません。

もっと知りたい！ ジョアン1世は庶子だったため、後継者とはみなされず、騎士団長となっていました。しかし隣国カスティーリャが王位継承を主張して攻め込んでくるとこれを撃退し、貴族らに推されて王として即位したのです。武勇にすぐれ、内政・外政でも多くの成功を収め、ポルトガルの全盛期を築き上げました。今はバターリャ修道院に葬られています。

本日のテーマ　自然の不思議と驚異の技術を学ぶ！

9月12日

256

トゥバタハ岩礁自然公園

所在地　フィリピン共和国パラワン諸島

登録基準　自然遺産／1993年、2009年／⑦⑨⑩

トゥバタハ岩礁を泳ぐマンタ。

モンスーンに守られてきた生物相豊かな岩礁

スールー海にあるフィリピンのトゥバタハ岩礁自然公園は、東南アジア最大級のサンゴ礁の生育地。全長16kmと全長5kmの2つの切り立った海底火山の岩礁からなり、その外側は色鮮やかなサンゴ礁で覆われています。

この海域は海洋生物が豊かで、公園内の海中には全長7mの胸びれを持つ巨大なマンタやチョウチョウウオなど、約380種の魚が生息しています。砂洲にはタイマイやアオウミガメなどのウミガメが生息し、カツオドリやアジサシなど45種以上の渡り鳥が飛来する鳥の楽園でもあります。

これほど豊かな自然が残されているのは、海上を強い季節風が吹き荒れ、人の手が容易に及ばないからです。

現在は厳しい規制も敷かれており、ダイバーがこの海域に入れるのは、季節風の危険のない3月から6月の短い期間に限定されています。加えて、首都のマニラで6週間以上の潜水講習を受ける必要があります。こうした措置が海を守っているのです。

もっと知りたい！　海洋生物の貴重な宝庫とも言えるトゥバタハ岩礁ですが、近年ダイナマイトを使用した漁法による生態系への環境悪化が深刻化し、対策が求められています。そこでフィリピン政府は取り締まりを行うとともに、日本の協力のもと、環境保全を図る保護管理計画を進め、環境は改善に向かいつつあります。

本日のテーマ ドラマを味わう！

9月13日

ラスコーの洞窟壁画（ヴェゼール渓谷の先史時代遺跡群と洞窟壁画群）

257

所在地 フランス共和国ドルドーニュ県

登録基準 文化遺産／1979年／①③

ラスコーの洞窟外観。ヴェゼール渓谷には、ラスコーのほかにも壁画が描かれた洞窟や、集落遺跡がたくさん見つかっています。

世紀の大発見をしたのは子供でした

1940年、ヴェゼール渓谷の洞窟を探検していたモンティナク村の4人の少年が、奥の壁いっぱいに動物の絵が描かれているのを見つけました。その5日後、洞窟壁画の研究者でもあるブルイユ神父が調査にやって来て、これが先史時代のものであるとわかったのです。

壁画の数は約200点。馬、野牛、サイ、シカ、トナカイ、鳥などが色鮮やかに描写されています。5.5mにもなる大きな牛の絵や、意味不明の文様もあります。人間が描かれているのはただ1か所で、野牛のそばに倒れている男の姿です。

これらを描いたのは約1万7000年前のクロマニヨン人と考えられ、岩肌の凹凸を利用して躍動感を出したり、輪郭線に木炭を用いたりといった技術が見られます。

洞窟は「主洞」「奥洞」「支洞」の3つの部分に分かれているのですが、人間が住んだ形跡はどこにもありません。そのため、狩猟の成功を祈って、あるいは何らかの記念に描かれたのではないかと考えられています。

もっと知りたい！ 1948年に壁画が一般公開されたところ、照明や人いきれのために劣化してしまったので、洞窟は立入禁止となりました。その代わり、1983年には、近くに複製の「ラスコーⅡ」が作られ、観光客も見学できるようになっています。その後、「ラスコーⅢ」「ラスコーⅣ」もオープンしました。

本日のテーマ ゆかりの人物に出会う！

9月14日

ハトシェプスト女王葬祭殿（古代都市テーベとその墓地遺跡）

268

所在地 エジプト・アラブ共和国ルクソール県

登録基準 文化遺産／1979年／①③⑥

男装の女王ハトシェプストによって造営された壮大な葬祭殿。

プントとの交易を示す壁画と男装のファラオの時代

古代エジプトで数少ない女王の1人が、紀元前1500年頃、第18王朝に君臨したハトシェプスト女王です。彼女はトトメス1世の嫡出の娘で、異母兄のトトメス2世の王妃となり、夫の王位継承を正当化しました。

庶子のトトメス3世が幼かったため、夫の死後は、ハトシェプストが摂政となり権力を握ります。

彼女は、あごひげを付けた男装姿で公式の場に出て自らファラオを名乗りました。そしては積極的に外征を行なう従来の拡大政策から平和路線に転じ、紅海付近のプントとの交易など、アフリカ交易を活発化させたのです。

国内では建築事業に注力。カルナック神殿を拡大し、壮大な葬祭殿を残しました。葬祭殿は断崖を背景に3層のテラスを持つ神殿で、壁には女王の功績が壁画や碑文で記されています。プントとの交易の様子も描かれており、いまだ所在地を含めて詳細がわからないプントの数少ない資料としても注目されています。

もっと知りたい！ プントから得た交易品は、香木、象牙、黄金、乳香の樹脂など、いずれもエジプトにとって貴重なものでした。ところがそのプントの所在地はいまだ謎となっています。葬祭殿の壁画に描かれた海洋と泳ぐ魚から、紅海近くのジブチ・ソマリア付近説など諸説ありますが、決定打には至っていません。

259

アンコール・ワット（アンコール）

所在地 カンボジア王国シェムリアップ州

登録基準 文化遺産／1992年／①②③④

夕暮れのアンコール・ワット。建設が始まった1113年は、アンコール朝の最盛期だった第18代スールヤヴァルマン2世の治世で、完成までに30年を要しました。

ヒンドゥー教と仏教が融合したアンコール朝の寺院遺跡

トンレサップ湖の北岸近くにあるアンコールの遺跡には、王宮のアンコール・トムを中心に多くの建造物があります。なかでもよく知られるのが、石像寺院のアンコール・ワットです。

南北1300m、東西1500mの矩形をしており、ヒンドゥー教の宇宙観に基づいた設計で、回廊はヒマラヤの山嶺、水濠は大海、中央に位置する祠堂は神々が住むというメール山になぞらえています。また、神々や人物の彫刻には、仏像の影響が見てとれます。

アンコール・ワットは、ヴィシュヌ神を祀る寺院であると同時に、建立者スールヤヴァルマン2世の廟でもあります。回廊に刻まれた『マハーバーラタ』『ラーマーヤナ』の場面は、王が自分の業績を世に伝えるため彫らせたと言います。『ラーマーヤナ』の主人公はヴィシュヌ神が世に現われた姿で、王はそれを自分に重ねて神格化をはかったのでしょう。

12世紀末のジャヤヴァルマン7世は仏教に深く帰依し、アンコール・ワットを仏教寺院として用いましたが、ヒンドゥー教寺院としてのあり方を損なうことはありませんでした。

もっと知りたい！ アンコール遺跡の寺院は、アンコール・ワット以外のすべてが東向きに建てられています。そもそも東南アジアの寺院は、ほぼすべて東向きなのです。それなのにアンコール・ワットは西向きです。スールヤヴァルマン2世の廟でもあることから、迷うことなく黄泉の国に行けるようにしたという説もありますが、答は出ていません。

本日のテーマ 歴史を知る!

9月16日

260

イスタンブール歴史地域

所在地 トルコ共和国イスタンブール県

登録基準 文化遺産／1985年／①②③④

アヤ・ソフィア。もともとはキリスト教の教会でしたが、のちにイスラーム教のモスクに改築されました。

ローマが築いてオスマン帝国が飾り立てた東西交流の拠点

イスタンブールはボスポラス海峡を挟んで欧米とアジアを結び、地中海にも通じる交通の要衝でした。三方を海に囲まれた地形が軍事的にも適していたため、1600年もの間に、ローマ、ビザンツ、オスマンと3つの帝国の首都として繁栄。ローマ時代はコンスタンティノポリスと改称され、大聖堂が築かれてキリスト教文化が花開きました。強固な城壁をもうけ、イスラーム勢力の度重なる攻撃を退けましたが、1453年にオスマン帝国の20万人の兵と400隻もの船団による陸と海からの攻撃を受けて陥落。その後はイスタンブールと名を変えてオスマン帝国の首都となり、イスラーム文化の町として発展して今に至ります。

そんなイスタンブールの歴史の移り変わりを物語るのがアヤ・ソフィアです。ビザンツ帝国時代、東方正教会総本山の大聖堂でしたが、オスマン帝国では塔が建てられ、イコンも漆喰で隠されてモスクに改築されました。

オスマン帝国の崩壊後、壁の白漆喰などを取り除いたところ、ビザンツ時代のモザイク画が姿を現わし、現在はビザンツ文化とイスラーム文化が共存する博物館として公開されています。

もっと知りたい! オスマン帝国の代表的建築とされるのが、1557年に完成したスレイマニエ・モスクです。帝国最盛期を築いたスレイマン1世が栄華のシンボルとして建てさせました。スレイマンの思い入れは相当なもので、作業員に交じって自ら石材を運び、セメントをこねたと言われています。その熱意に応えるかのように500年たった今も健在で威厳に満ちています。

本日のテーマ　伝説に浸る！

9月17日

富士山　信仰の対象と芸術の源泉

261

所在地　日本　静岡県・山梨県

登録基準　文化遺産／2013年／③⑥

西湖から見た富士山。古来、日本人はこの山を信仰の対象としてきました。

火山を鎮める女神の伝説とその信仰

標高3776mを誇る日本最高峰の富士山は成層火山です。8万年前にすでに活発な活動を始めていた富士山は、その後も噴火を繰り返し、溶岩の堆積によって現在のような大型成層火山になりました。

1万2000年前以降、しばらく活動を沈静化させましたが、縄文時代後期から平安時代にかけて再び噴火活動を活発化させ、ときには関東にまで降灰をもたらしています。そして、江戸時代の1707年の宝永噴火を最後に、沈黙を保ち続けています。

日本一の高さと優美な姿、ときには恐ろしい噴火を繰り返す富士山に対して、古来日本人は畏敬の念を抱いてきました。平安時代には富士登山と結びついた富士信仰が盛んになっています。その富士信仰の神は、山の神である大山祇神の娘コノハナノサクヤヒメ。彼女は燃える産屋の中で子を産んだため、火伏せ、ひいては噴火を鎮める力があるとされたのです。紀元前27年に、噴火を繰り返す富士山を慰撫するために祀られたのが起源と伝わり、以来、熱い崇敬を集めて現代に至ります。

もっと知りたい！　富士山は自然遺産として登録されたのではなく、周辺に点在する神社や湖などを介して富士を崇拝する富士信仰の姿が文化遺産として世界遺産に登録されました。浅間大社のほかにも、登山道、白糸の滝、三保の松原、人穴富士講遺跡などがあります。

262

聖墳墓教会（エルサレム歴史地区）

所在地 エルサレム（ヨルダン・ハシェミット王国による申請遺産）

登録基準 文化遺産／1981年／②③⑥（危機遺産）

イエスの墓を覆う聖墳墓教会のエディキュール。近年行なわれた修復工事の際、内部の様子が公開されました。

果たしてキリストは本当に埋葬されているのか？

キリスト教がエルサレムを聖地とするのは、イエスが十字架に架けられ、復活ののち昇天した地だからです。実際、エルサレムには、イエスの墓である聖墳墓教会があります。

処刑されたイエスは、石切場を開いて造った墓に葬られました。その後しばらく墓のありかはわからなくなっていたのですが、326年に発見され、その上に聖墳墓教会が建てられました。

聖墳墓教会にはエディキュールと呼ばれる小神殿があり、その中にイエスの墓があります。ちなみに、エディキュールの中をのぞき見ることはできません。

2016年、エディキュールの修復工事が行なわれたときに、中の様子が公表されました。墓の場所は大理石で覆われ、その下にもう1枚の大理石があり、さらにその下から石墓が発見されました。

石墓の表面はほぼ無傷で、教会が建設されてから動かされていない可能性が高いとされています。『新約聖書』には、イエスは岩を削って造った墓に埋葬されたとあり、その状況と合致していますが、果たしてイエスはこの中に埋葬されているのでしょうか。

もっと知りたい！ 地下にある聖ヘレナ礼拝堂は、ローマ皇帝コンスタンティヌスの母ヘレナが十字架を探し当てた場所です。彼女は熱心なキリスト教徒で、戦いで荒れ果てたエルサレムに自らやって来ると、十字架やそれを立てた岩、イエスが埋葬された場所などを次々に探し当てました。ほかにも彼女は、多くの聖遺物を探し出したと伝えられています。

屋久島

263

所在地 日本　鹿児島県

登録基準 自然遺産／1993年／⑦⑨

コケで覆われた渓谷が美しい白谷雲水峡はスタジオジブリ作品『もののけ姫』に登場する森のモデルとされます。

樹齢1000年を超える屋久杉を産んだ気候の奇跡

樹齢1000年を超える巨大な屋久杉を含む杉林が広がる屋久島。とくに1966年に発見された縄文杉は世界最大の杉で、その樹齢は少なくとも2000年以上、最長で7200年とする説まである、謎の多い巨大杉です。

このような奇跡の植生は、屋久島の特異な気候条件から生まれました。屋久島が位置する北緯30度付近は、熱帯と温帯の移行帯という珍しい気候で、温度や季節の変化が激しい地域。それに伴い、海岸から標高1000m以上の杉林まで垂直分布に植生が移り変わり、さまざまな動植物を育んできたのです。

また、屋久島の山岳部では年間降水量が1万mmにも達し、この雨が湿潤な気候と豊かな森をもたらしました。

しかも水温の高い黒潮の水蒸気が島を包みこみ、杉林のある場所は空中湿度が75%を超える雲霧帯。そのため屋久杉は、防腐効果の高い樹脂を通常の杉より6〜20倍も多く含有しています。これが屋久杉の長命の大きな理由とされているのです。

もっと知りたい！　屋久島は低地から標高1000mまでの垂直分布帯に植生が変わります。標高による温度の変化は緯度の場合の変化の1000倍とされているため、標高2000mの屋久島の垂直分布は南北2000kmにおよぶ日本列島の気候をほぼ併せ持っているのです。標高によって森も変わり、下から亜熱帯林、照葉樹林、針広混交樹林、低木林、高山植物となります。

本日のテーマ ドラマを味わう!

9月20日

ワルシャワ歴史地区

264

所在地 ポーランド共和国マゾフシェ県

登録基準 文化遺産／1980年／②⑥

復元されたワルシャワの街。戦後の厳しい時代、満足な食事もとれない中で、瓦礫の山を片付けながらの復元は、大変な作業でした。

ナチスに破壊された町を再現したワルシャワ市民の心意気

第2次世界大戦中、ポーランドはナチスの占領下に置かれていました。1944年、ポーランド軍とワルシャワ市民はナチスに抵抗して一斉蜂起しましたが、ナチスは爆弾や火炎放射器をもってこれに応じ、20万人以上が殺戮され、街も破壊されてしまいます。ことに歴史的建築物にはダイナマイトが仕掛けられ、次から次へと計画的に爆破されてしまったのです。

ナチスの支配から脱したとき、ワルシャワは瓦礫の山と化していました。ところがワルシャワ市民は、かつての街を復元する事業に取りかかります。

地図や建物の設計図はほとんど焼失していたため、写真やスケッチ、さらには庶民の記憶までを総動員し、瓦礫の中から利用できる資材を掘り出して、「壁のひび1本まで」忠実に復元しようとしたのです。

作業の最中に発見された、18世紀のイタリア画家ベルナルド・ベロットがワルシャワの街を精緻に描いた23枚の巨大な油絵も、由緒ある建物の復元に役立ちました。こうして市民たちの熱意が結集され、ポーランドの首都ワルシャワは甦ったのです。

もっと知りたい! ワルシャワは、何度も侵略され戦火にさらされてきました。スウェーデンには3度占領され、ロシア、プロイセン、オーストリアの3国にはポーランド全体を分割されたのです。それでも市民たちは屈することなく戦い、自由と独立を奪い返してきました。

ムハンマド・アリー・モスク（カイロ歴史地区）

265

所在地 エジプト・アラブ共和国カイロ県

登録基準 文化遺産／1979年／①⑤⑥

ムハンマド・アリー・モスクの内部。

エジプトの独立と近代化に貢献した名君とゆかりのモスク

エジプトの首都カイロは、7世紀にイスラーム教徒によって築かれたアフリカ南進の拠点を前身とする都市で、10世紀に成立したファーティマ朝以降、エジプトに勃興した歴代イスラーム王朝が首都としました。11世紀のアイユーブ朝は、政治・軍事機能を持つシタデル（要塞）を築き、以降、モスクやミナレットが次々に建設され、いつしか「1000のミナレットが立つ街」と呼ばれるようになりました。そうしたカイロ歴史地区のなかでも、とくに市民に親しまれている場所が1830年に着工したムハンマド・アリー・モスクです。

ムハンマド・アリーは、オスマン帝国からエジプトに派遣された傭兵隊長でしたが、エジプト総督に就任すると旧支配層のマムルーク勢力を排除。その後、近代的軍隊創設、行政改革、近代工場建設など、富国強兵と殖産興業を進め、エジプトの近代化を実現しました。

さらにオスマン帝国からの独立と領土拡大を目指してエジプト・トルコ戦争を仕掛けたものの戦争に敗れてしまいます。しかし、英仏の肩入れによってアリー一族の支配とエジプトの独立が認められることとなったのです。

もっと知りたい！　ドーム型の円蓋を持つムハンマド・アリー・モスク。ドームからステンドグラスの光が差し込むその下にムハマンド・アリーの棺が安置されています。ここはアリーが、マムルーク勢力を宴と称して城塞に招いてその帰路に襲撃させた、500人をだまし討ちにした現場と伝えられています。

トンブクトゥ

所在地 マリ共和国トンブクトゥ州
登録基準 文化遺産／1988年／②④⑤（危機遺産）

トンブクトゥのジンガリベリ・モスク。イスラーム教とその文化を積極的に受け入れたトンブクトゥですが、建築様式だけは受け入れることはなく、泥レンガを積み上げたいたってシンプルな建築となっています。

黄金伝説に彩られたマリ王国の都

アフリカ西部、サハラ砂漠の南端に位置するトンブクトゥ。この都市は、サハラ砂漠西部で産出する岩塩とセネガル川で採れる金の交易で、莫大な利益を得ました。

13世紀にはマリ王国が興り、14世紀のムーサ王は1万人を超える従者を引き連れてメッカ巡礼を行ない、カイロで黄金を湯水のように使いました。その噂はヨーロッパまで伝わり、トンブクトゥは「黄金の都」としてあこがれの地となります。

黄金だけではありません。14世紀にここを訪れたイスラーム教徒の旅行家イヴン・バットゥータは、治安の良さを誉め、安心して旅行ができると記しています。

15世紀にはマリ王国に代わってソンガイ王国の時代になりましたが、トンブクトゥの繁栄は変わりませんでした。

16世紀になると人口は10万になり、学問や芸術も隆盛しました。街には大学やマドラサなど200近くの教育機関がつくられ、当時は大変高価だった書物や写本の取り引きもさかんに行われるなど、大いに発展したのです。

もっと知りたい！ 16世紀、モロッコのサード朝の攻撃を受けてソンガイ王国は滅亡します。19世紀、ここにたどり着いたヨーロッパの探検家が見たものは黄金の都ではなく、荒廃した泥の固まりのような家々でした。現在のトンブクトゥは、砂漠に侵食されて深刻な水不足に陥り、危機遺産に指定されています。

トプカプ宮（イスタンブール歴史地域）

267

所在地 トルコ共和国イスタンブール県

登録基準 文化遺産／1985年／①②③④

ハレムの皇帝の間。玉座はスルタンが座るためのものです。

オスマン帝国の皇位継承システムとハレム

1453年、コンスタンティノープルを攻略したオスマン帝国のアフメト2世は、この地を首都に定めてイスタンブールと改名しました。大聖堂をモスクに改築し、グランド・バザールを建造してイスラームの街として再建したのです。

そんなオスマン帝国のシンボルが、1465年頃に完成したスルタンの居住区兼行政機関となるトプカプ宮殿です。約70万㎡を誇る内部は行政区の外廷、スルタンの居住区の内廷、後宮であるハレムに分かれていました。

ハレムは母后や寵妃が生活した女性たちの空間で、一部を除き男性はスルタンだけが出入りできる男子禁制の世界。皇位継承システムのために設けられたスルタン1人のために存在する場所でした。

ここにいた女性たちはトルコ人ではなく、奴隷市場で買われた外国人の奴隷や捕虜、あるいは地方から献上された女性たち。彼女たちはハレムの中で、スルタンの寵愛を争い、男子を産んで母后に上り詰めようと、熾烈な女の戦いや権謀術数を繰り広げていたのです。

もっと知りたい！ 世界最大と言われるオスマン帝国のハレム。これはトプカプ宮殿を建設する際、王族の隔離や奴隷の教育管理といったビザンツの習慣とイスラームの一夫多妻が融合して生まれたと言われています。ここに収容された女奴隷たちは、イスラームの教育や宮廷の礼儀作法、音曲などの教育を受けてスルタンに仕えました。

本日のテーマ 伝説に浸る！

9月24日

エレクティオン（アテネのアクロポリス）

268

所在地 ギリシャ共和国アテネ

登録基準 文化遺産／1987年／①②③④⑥

エレクティオン南側柱廊の女性を象った柱。

アテネとポセイドンの争いの跡が伝わる神殿

アテネのアクロポリスの丘に建つパルテノン神殿は、古代ギリシャを代表する建造物です。

紀元前438年に完成したこの神殿は、都市国家アテナイの守護神である女神アテナに捧げられました。なぜアテナがアテナイの守護神となったのか、その理由については、ギリシャ神話で次のように伝えられてきました。

あるとき、女神アテナと海神ポセイドンがアッティカ地方の領有を巡って争い、奇跡の技を競いました。ポセイドンは矛で岩を叩いて大海原を生み出し、アテナは槍で大地を静かに叩いてオリーブの木を生み出します。

2人の争いを見ていた神々は、人々の生活に役立つオリーブを出現させたアテナに軍配をあげます。そして彼女を守護神にしてこの地に神殿を建てたというのです。

この争いの舞台とされるのがアクロポリスです。パルテノンの北側にあるエレクティオンは、アテナとポセイドンの争いの場とされ、ポセイドンが三叉の矛で傷つけた3本の亀裂が走る岩が伝わり、神々の激戦を今に伝えています。

もっと知りたい！ 現在の建物は紀元前406年の建物を復元したものです。西面破風の装飾には、三叉の矛を掲げた裸のポセイドンと槍を手にしたアテネが激しく争う様子が描かれています。

本日のテーマ　謎と不思議を愉しむ！

9月25日

269

龍安寺（古都京都の文化財）

所在地　日本　京都府

登録基準　文化遺産／1994年／②④

龍安寺の石庭。枯山水の白砂は、水の流れを表現するもので、「砂紋」または「箒目」と呼ばれます。雨が降って崩れたり、猫や鳥が歩いて乱れたりするので、砂熊手という道具で定期的に引き直しています。

石庭の石の並びが意味しているものは？

「日本庭園」と言われて多くの人が思い浮かべる名園は、世界遺産に指定されている京都の文化財のひとつ龍安寺の石庭ではないでしょうか。

水を用いることなく、石や苔などによって山水の景色を表現する枯山水式庭園で、一般的には「龍安寺の石庭」と呼ばれていますが、正式名称は「方丈庭園」です。その名の通り、長方形の庭を塀で囲って一面に白砂を敷き詰め、大小15個の石を配してあるだけの庭園です。

しかしながら、不思議なことに、15個の石が14個にしか見えません。どの方向から見ても、必ず1個が隠れてしまうのです。

この石の配置については、どんな意味があるのかよくわかっていません。

中国の故事「虎の子渡し」にちなんだ母虎が3匹の子を無事に運ぶための様子だという説、吉祥を意味する「七五三」の3つの数字を足し合わせると石の数と同じ15になるという説など、これまでにいくつもの説が挙げられてきましたが、どれも決定的ではないのです。

もっと知りたい！　龍安寺の石庭は、作風や記録から江戸時代前期の作と考えられています。しかし、火災によって史料が失われてしまったため、作庭者は不明です。茶人の金森宗和か小堀遠州ではないかと言われているものの、確証はありません。石の1個に「小太郎　清二郎」と刻まれているのですが、これが誰なのか、ただの落書きなのかも不明です。

270

バハラ城塞

所在地 オマーン国ダーヒリーヤ

登録基準 文化遺産／1987年／④(危機遺産)

日干しレンガで造られたバハラ城塞。耐久性に乏しく、保存のための努力が続けられています。

日干しレンガで建造されたオマーン最大の城塞

東西の海上貿易の要衝として発展していた中世のオマーンは、国内に多くの部族が割拠し、他の民族からの侵略をたびたび受けていました。そのため、各部族は競って監視塔を数棟も備えた強固で高い城塞を築きました。

それらのなかでオマーン最大の城塞が、北部のオアシス都市「バハラ城塞」です。バハラ城塞は、7世紀以前に建てられた砦を土台に増改築され、16世紀には高さ5m、長さ12㎞もある巨大な城壁に変貌を遂げました。

その城壁は、切石の土台の上に日干しレンガを積み上げたもの。粘土にヒツジの糞やナツメヤシの繊維を混合した日干しレンガは、木材の少ない砂漠地帯では建材として重宝されましたが、耐久性がないのが難点でした。バハラでも維持管理に苦労したようで、完成して500年以上たった現在では損傷が目立ちます、そのため、「危機にさらされている世界遺産リスト」に登録されているのです。

もっと知りたい! バハラ城塞にまつわる誇り高い物語が語り継がれています。部族長の娘2人は城壁を築いた際、併せて大きな落とし穴を作りました。年貢としてナツメヤシを取り立てに来たペルシャの代官がこの城門に入ったとたん、落とし穴に転落。彼らをそのまま生き埋めにしたのです。その結果、翌年から年貢の取り立てがなくなったと伝えられています。

本日のテーマ ドラマを味わう!

9月27日

ブハラ歴史地区

271

所在地 ウズベキスタン共和国ブハラ州

登録基準 文化遺産／1993年／③④⑤

カラーン・モスクとミナレット。侵攻してきたチンギス・ハンもその美しさに打たれ、破壊しないよう部下に指示したという伝説があるほどです。しかもただ美しいだけではなく、砂漠をゆく者にとってなくてはならない道標でした。

マドラサが建ち並ぶシルクロードの中継都市

中央アジアの乾燥地帯に位置しながらオアシスを擁するシルクロードの中継都市ブハラ。ブハラとは「仏教の僧院」という意味ですが、8世紀にイスラーム化し、イスラーム教のもとで発展しました。

10世紀初頭に建てられたイスマーイール・サーマーニー廟は、中央アジアに現存する最古のイスラーム建築で、サーマーン朝の名君イスマーイールが亡き父のために建てたと伝えられています。288ものドームを持つのがカラーン・モスク。そのミナレット（尖塔）は階層ごとに異なる模様のレンガを高さ46mまで積み上げ、上に行くほど細くなる独特の形をしています。15世紀からは、モスクが200以上、高等教育施設であるマドラサが100以上も建てられ、文化の拠点となりました。

ブラハ歴史地区には、中央アジアで最古のマドラサであるウルグ・ベグ・マドラサ、3000人の奴隷を売って建設費用に充てたという豪華なミリ・アラブ・マドラサなどがあります。

もっと知りたい！ かつてのブハラは帝政ロシアに征服され、その後は宗教を否定する政策をとるソビエト連邦下に入りました。それでもイスラーム建築や街並みは保存され、ミリ・アラブ・マドラサも活動が認められていました。ここでは現在も、イスラーム聖職者をめざす若者が学問に励んでいます。

本日のテーマ　ゆかりの人物に出会う！

9月28日

272

厳島神社

所在地　日本　広島県

登録基準　文化遺産／1996年／①②④⑥

厳島神社の大鳥居。現在の鳥居は1875年に再建された8代目で、高さは約16m、総重量60tに及びます。激しい干満の差が神社の幻想的な風景を演出しています。

日本史上初めて貿易立国を目指した平清盛の野望と厳島信仰

日本三景のひとつに数えられる宮島（厳島）のシンボルは、なんと言っても海上に浮かぶ大鳥居です。宮島に鎮座する厳島神社の神殿で、朱塗りの大鳥居と寝殿造りの豪壮な社殿がまるで海上に浮かぶかのような光景を見せてくれます。

古代より神の島と崇められてきた宮島に、豪華な社殿を寄進して宮島の名を一躍高めたのは、平安時代末期に栄華を極めた平清盛でした。安芸守に就任するとさまざまな託宣を受け、平家の栄達を願って厳島を信仰するようになります。

武士として初めて公卿に列せられ、太政大臣にのぼりつめた清盛は、この栄達を厳島の加護と考え、平家納経を奉納して氏社として崇敬。1167年に厳島神社の造営に着工しました。現在残っている社殿の多くは13世紀に再建されたものです。

清盛が宮島を崇敬した背景に、宮島が瀬戸内海の海上交通の要衝であった点も見逃せません。日宋貿易の利益に着目して貿易立国を目指した清盛は、瀬戸内海の海上交通を押さえて整備します。その拠点である宮島に海上交通の鎮護の神を祀り、安全な航海を願ったのです。

もっと知りたい！　厳島信仰は、古代、厳島神社の背後に広がる美しい山容の弥山を霊山と崇めたことに始まります。806年に空海が開基したとも伝えられ、山中には空海の護摩の火が1200年以上にわたって燃え続けている「消えずの霊火」が残ります。弥山では平安時代以降、多くの修験者が修行しました。

273

「神宿る島」宗像・沖ノ島と関連遺産群

所在地 日本　福岡県

登録基準 文化遺産／2017年／②③

玄界灘に浮かぶ絶海の孤島・沖ノ島。古来、大陸と日本の間をつないできた重要な航路上に位置しました。

航海の安全を祈る沖ノ島信仰の世界

玄界灘に浮かぶ沖ノ島では、4世紀からおよそ600年もの間、祭祀が営まれていました。この島には沖津宮があり、古代から神聖な場として崇められてきましたが、祭祀の場所は歴史の中で変遷したらしく、島内には23か所の祭祀跡が確認されています。それらすべてが九州の宗像神社の方を向いているのは、大和政権が航海の安全を祈り、祭祀を依頼していためと考えられています。

祭祀遺跡からは、銅鏡、勾玉、馬具、刀剣、装身具など12万点もの遺物が発見され、そのうち8万点が国宝に指定されています。舶来品も多く、「海の正倉院」とも呼ばれています。大和政権が朝鮮半島へ進出した時代には朝鮮製の奉物が多く、唐と関わりが深くなると唐製の奉物が増えるというように、東アジアとの外交の様子もうかがい知ることができます。

ただし、島全体がご神体なので、宗像大社の許可がなければ上陸できません。また、島にあるものは木の葉一枚、石ころひとつも持ち出してはいけないという決まりもあります。沖ノ島はまさに「神宿る島」なのです。

もっと知りたい！ 沖ノ島は女人禁制で、女性は上陸はできません。参拝も、50㎞離れた大島の遙拝所からするしかないのですが、沖津宮の祭神で、女神である田心姫神が嫉妬しないようにとも言われます。男性も年に一度の大祭に抽選で選ばれ、海中で禊をしてからでなくては上陸できません。2週間交代で常住している神職とて例外ではなく、禊を行なっています。

274

故宮（北京と藩陽の明・清朝の皇宮群）

所在地 中華人民共和国北京市

登録基準 文化遺産／1987年、2004年／①②③④

乾清宮。皇帝の政務の場として使われていました。

300年の繁栄を誇った清王朝の次期皇帝選抜方法とは？

17世紀、明が滅亡すると、中国東北部の満洲族が清を建国して中国を統治します。

清は12代約300年間にわたって繁栄しました。治世が長く続いた理由は、漢民族化政策をとったことに加え、優れた皇位継承制度の仕組みにより内乱を防ぎ、名君が続いたからです。とくに第4代からの康熙帝・雍正帝・乾隆帝は名君の誉れが高く、「三世の春」と呼ばれる最盛期を迎えました。

その皇位継承制度は、紫禁城に秘密がありました。

紫禁城は明王朝の1406年に着工された、明・清代500年間の皇宮です。敷地面積は72万㎡に及び、敷地内には70以上の宮殿がありましたが、清においては政務・儀礼の場である乾清宮が、皇位継承の儀式「太子密建」の場となりました。

清の皇帝は後継者名を記した紙を入れた箱を乾清宮正面の額の裏に置き、別に指示書を自ら保管。皇帝の死後、衆人の前で後継者を公開したのです。この制度により、清帝国は皇子たちの争いを未然に防ぎ、優れた皇帝を輩出して平和を実現しました。

もっと知りたい！ この宮殿は現在「故宮」と呼ばれていますが、明と清の時代は「紫禁城」と呼ばれていました。「紫」は古代中国において天帝が住む北極星を示す「紫微垣」に由来するもの。皇帝は自らを天帝の子である天子とみなしていたため、皇宮を紫微垣に見立てました。「禁」は一般の人が近づくことのできない神聖な場所であることを示したものです。

本日のテーマ 伝説に浸る！

10月1日

ヴァレッタ旧市街

275

所在地 マルタ共和国ヴァレッタ

登録基準 文化遺産／1980年／①⑥

ヴァレッタの街並み。オスマン帝国軍の侵攻に備えた城塞の形状をした都市でもあります。

オスマン帝国を撃退した聖ヨハネ騎士団の奮闘

キリスト教徒の巡礼者を守るために設立された聖ヨハネ騎士団は、1522年、イスラーム軍に敗れてロードス島を去り、その後、神聖ローマ皇帝から地中海の要衝であるマルタの地を与えられました。

騎士団はここに都市を建設しますが、1565年、再びオスマン帝国の大軍の攻撃にさらされます。それでも聖ヨハネ騎士団は3年にわたって猛攻に耐え、ついにオスマン帝国軍を撤退へと追い込みました。この武勲を讃え、彼らが築いた街は時の騎士団長ラ・バレッテにちなみ、「バ・レッテ」と名づけられました。それが現在のマルタの首都ヴァレッタです。

その後、騎士団は、旧市街に堡塁や濠を築いて城塞都市として整備し、有力者からの寄進を受けて大理石や金、銀などを使った豪華な建物を建造しました。騎士の出身地別に8つもの礼拝堂がある絢爛なヨハネ大聖堂、騎士団長宮殿、聖母教会などが輝かしい栄光の跡を今に刻んでいます。

聖ヨハネ騎士団は18世紀にナポレオンに追われるまでこの地で栄えました。

もっと知りたい！ 旧市街には、聖ヨハネ騎士団関連の施設がいくつか建てられましたが、その多くが今も残されて活用されています。騎士団長の住まいだった騎士団長宮殿は、現在は大統領府として使われています。カスティリャ騎士館は首相官邸、建設された当時に地中海一優れた病院とされた施療院は地中海会議センターとして利用されています。

本日のテーマ 謎と不思議を愉しむ!

10月2日

276

セント・キルダ

所在地 英国 スコットランド　ヘブリディーズ諸島、ノースウイスト島

登録基準 複合遺産／1986年、2004年、2005年／③⑤⑦⑨⑩

セント・キルダは、人を寄せ付けない断崖に囲まれた絶海の孤島ゆえに海鳥の楽園となりました。

2000年以上前の巨石文化の痕跡が残る絶海の孤島

北大西洋の荒波に打たれてそびえる断崖の島々がセント・キルダ諸島。ここは北大西洋最大の海鳥の繁殖地で、島全体が世界遺産に指定されており、ニシノツノメドリ、シロカツオドリ、ミツユビカモメ、フルマカモメなど、多種多彩な鳥が100万羽も営巣しているのです。

人間にとっては厳しい環境ですが、海鳥にとっては楽園です。断崖の岩棚は巣作りに最適で、崖に沿って上昇する気流はひなの巣立ちを後押しします。しかも、冷たい寒流が流れる海には、餌となる魚類がたくさんいるのです。

海鳥のほか、野生のヒツジが1400頭ほど生息し、固有の植物も130種見ることができることから、生物学的にも貴重な島です。

諸島内最大のヒルタ島は、今でこそ無人島となっていますが、かつては人間も住んでいました。その歴史は、2000年以上前の巨石遺跡が発見されるほど古いことがわかっています。20世紀前半には天然痘が流行し、全員が本土へ移住してしまいます。しかし、人間がいなくなったことにより、島は動植物の繁殖にぴったりの環境となったのです。

もっと知りたい! セント・キルダは1986年にまず自然遺産として登録されました。その後、島民の生活についての文化的価値が認められ、2005年から複合遺産となりました。現在、島には環境を守るための監視員が駐留し、観光客の年間上陸数は制限されていて、宿泊することはできません。

277

シングヴェトリル国立公園

所在地 アイスランド共和国キョウサル県

登録基準 文化遺産／2004年／③⑥

地球の割れ目ギャオ。生きている地球を体感できる世界遺産です。

今も東西に広がっていく地球の裂け目

アイスランドは、火山と氷河が作り上げるダイナミックな地球の営みを間近に感じられる北極に近い国です。

その首都レイキャビクから北東50㎞の地に位置するシングヴェトリル国立公園では、大地を真っ二つに切り裂いたような「ギャオ」という割れ目を見ることができます。幅と深さが数十mの谷間が数㎞も続き、両崖にはマグマが噴出して固まった黒い溶岩のゴツゴツした岩がそびえたっているのです。

ギャオとは大陸の境目に当たる地溝帯のこと。大西洋中央海嶺の延長線上に位置するこの割れ目からは、ユーラシアプレートと北米プレートという2つのプレート（岩石に覆われた地球の表層）が生まれて、大地を東西に年間約1㎝ずつ、合計2㎝ずつ押し広げています。

通常、地溝帯は海底にあるためなかなか目にすることができませんが、シングヴェトリルは世界で2か所しかない、地溝帯が地表に露出した珍しい場所のひとつ。割れ目の底を歩きながらこの地球の奇跡に触れることができます。

もっと知りたい！ この地で930年にアイスランド各地の代表が集まり、「アルシング」と呼ばれる民主議会が開かれました。これが世界最古の民主議会とされています。この議会は1798年まで続き、法議長が演説をした「法律の岩」や石の仕切り席の遺構があります。なお、1944年のアイスランド独立宣言もこの地で行われました。

278

クラクフ歴史地区

所在地 ポーランド共和国マウォポルスカ県
登録基準 文化遺産／1978年／④

クラクフの聖マリア聖堂。ポーランドのほとんどの都市は、第2次世界大戦で大きな被害を受けましたが、クラクフは戦火を逃れました。そのため、古くからの建造物がよく残っているのです。

ポーランド王国の全盛期を語り伝える建造物群

クラクフは1320年から1611年まで、およそ300年にわたってポーランド王国の首都だった都市です。

早くから都市として発展していたクラクフですが、13世紀には3度もモンゴル人の襲撃を受けて街が破壊され、人口も減少しました。そこで入植者を迎え入れて商業を活発にし、ハンザ同盟の一員として、また東ヨーロッパの強国ポーランドの首都として最盛期を迎えたのです。

国王の城であるヴァヴェル城のほか、ジグムント大聖堂、織物会館、バルバカン要塞などは、往時の威勢を今に伝えています。

1364年にはヤギェウォ（クラクフ）大学が創設され、多くの学生がここで学びました。ところがヴァヴェル城が火災に遭うと、国王は首都をワルシャワに遷都。スウェーデンとの戦いやポーランド王国の衰退もあって、クラクフは次第に活気を失ってしまいます。しかし、20世紀に入って工業が発展したことから、再び発展することとなったのです。

もっと知りたい！ 地動説を唱えたコペルニクスは、有力な聖職者だった伯父のもと、ヤギェヴォ大学で学びました。さらにはボローニャ大学、パドヴァ大学でも学び、聖職者としての務めを果たしつつ天文学の研究を続けました。地動説はローマ・カトリックの教えと対立するものだったため刊行しようとせず、自分の理論を印刷物にしたのは死が間近になってからでした。

279

アントニ・ガウディの作品群

所在地 スペイン王国カタルーニャ州バルセロナ県

登録基準 文化遺産／1984年、2005年／①②④

ガウディの代表作サグラダ・ファミリア。現在も建設が続けられていますが、当初300年はかかると言われていた建設期間も、技術の進歩によって短縮されました。

スペイン最大の建築家ガウディが残した独創的な造形美

未完の大作として名高いスペインのサグラダ・ファミリア贖罪聖堂。その設計者であるアントニ・ガウディはスペイン最大の建築家です。

苦学して建築士になったガウディは、バルセロナ独自の建築を求めていた富豪グエルの支援を受け、豪華かつ斬新な建物を建てていきます。特徴は、自然から着想を得た放物線のアーチや曲線、色鮮やかな破砕タイルを多用したユニークかつ斬新な独特の造形美にありました。

ガウディの作品は人気を博し、建築の依頼が殺到。そのため、作品は今もバルセロナに点在し、世界遺産に登録されています。ガウディの家もあったグエル公園、グエル邸、高級アパートのカサ＝ミラなどで、カサ＝ミラは波打つ壁や曲線の中庭、屋上のユニークな形の煙突など、ガウディの最高傑作とも言われています。

1883年にサグラダ・ファミリアの建築を引き受け、完成まで数百年かかる壮大な聖堂を設計し、晩年はその事業に専念しました。しかし、建築途中の1926年、交通事故で重傷を負い、亡くなってしまいます。ガウディの亡骸は、サグラダ・ファミリアの地下室に葬られました。

もっと知りたい！ 独創的な建築を多数残したガウディは設計方法も独特で、図面を引かずに模型やデッサンで形を造っています。造形が複雑で図面で表現できなかったからです。サグラダ・ファミリアも同様で、しかも模型の大半が内戦などで失われてしまったため、現在もわずかな資料からガウディの意図を推察しながら工事が進められています。

本日のテーマ 暮らし・文化に触れる！

10月6日

280

建築家ヴィクトール・オルタによる主な邸宅群

所在地 ベルギー王国ブリュッセル

登録基準 文化遺産／2000年／①②④

美術館となっているオルタ邸。自宅とアトリエは、外から見ると隣り合った別々の建物ですが、内部はつながっていて行き来ができます。

ブリュッセルに生まれた世界初のアール・ヌーヴォー建築

建物自体がひとつの芸術品とも言える住宅を建てたのが、建築家のヴィクトール・オルタです。19世紀の末、ブリュッセルの市街に建てられた数軒の住宅は、それまでの常識を覆すものでした。

建物全体に当時流行していた装飾芸術のアール・ヌーヴォーを採用。階段の手すりやドアノブは、植物をモチーフとした優美な曲線で形造られ、天井にはめ込まれたステンドグラスからは柔らかい光が差し込んでいます。精緻なデザインのガラスに加え、それまで単なる素材だった鉄を積極的に前面に押し出し、軽やかな印象を与えているのです。室内のランプシェードから家具、排水管まで、すべてに趣向が凝らされています。

美術学校で建築を学んだオルタは、ガラスと鉄を用いた王宮温室の設計によって得た技術を生かして、このような斬新な個人住宅を設計しました。オルタの自宅も含めて4軒が世界遺産になっています。そのうち3軒は、現在も個人の邸宅なので見学はできませんが、オルタの自宅だった建物は、現在「オルタ美術館」になっています。

もっと知りたい！ ブリュッセル市街の住宅は石造りでどっしりしており、通りや運河に面して間口が狭いため、内側の部屋までは光が差し込みませんでした。しかしオルタは部屋の配置を工夫し、鉄製の細い柱とガラスを利用して光を採り込み、明るい部屋を実現したのです。

本日のテーマ 歴史を知る！

ラサのポタラ宮歴史地区

281

所在地 中華人民共和国チベット自治区

登録基準 文化遺産／1994年、2000、2001年／①④⑥

ポタラ宮はチベットの政治・文化の中心地でした。

チベットの首都ラサにそびえる主なき観音浄土の世界

標高3600mの地に位置するチベット自治区の区都ラサには、チベット仏教の象徴的存在であり、ダライ・ラマの居城であったポタラ宮があります。

ポタラとは、観音菩薩が住まわれる霊山「補陀落」のこと。9層の巨大な城塞群が山腹に沿うようにそびえ立ち、霊塔の金の屋根が太陽の光を浴びて光り輝くポタラ宮の姿は、まさに観音浄土の世界を思わせる荘厳な雰囲気を称えています。

この地に最初に宮殿を建てたのは、7世紀にチベットを統一して仏教を導入し、観音菩薩の化身とされたソンツェン・ガンポ王でした。彼が取り入れた仏教は、8世紀末にインド仏教に密教経典なども加えて独自のチベット仏教へと発展しました。

17世紀にチベット仏教の頂点に立ったダライ・ラマ5世は、ソンツェン・ガンポ王の後継を名乗り、王が築いた宮殿にポタラ宮を造営し、チベット仏教の聖地として整えます。そして歴代のダライ・ラマが1936年まで増改築を繰り返し、現在のようなチベット仏教を体現する宮殿となったのです。

もっと知りたい！ チベット仏教の総本山であるポタラ宮ですが、1951年にチベットが中国に併合され、チベット紛争が続いたため、現在のダライ・ラマ14世は1959年にインドに亡命し、インドにチベット亡命政権を樹立しました。そのためポタラ宮は、60年以上もダライ・ラマのいない主が不在の宮殿となっています。

282

斎場御嶽（せいふぁうたき）（琉球王国のグスクおよび関連遺産群）

所在地 日本 沖縄県

登録基準 文化遺産／2000年／②③⑥

琉球王国最大の聖地とされる斎場御嶽。6つの聖域が点在し、三角形の空間の奥にそのひとつである三岸理があります。

琉球信仰の頂点「聞得大君」の聖地

沖縄は古来、日本本土とは異なる独自の文化や宗教を守ってきた地域です。11世紀頃、沖縄の島々には、「按司（あじ）」と呼ばれる首長層が出現し、「グスク」と呼ばれる城兼霊地を拠点に活動しました。

15世紀には、按司のなかから出た尚巴志が沖縄を統一して琉球王国を樹立。その後、血筋の異なる尚氏が権力を握り、支配を強化します。そして按司たちが地元を捨てて首里に集住すると、首里城が沖縄の政治と宗教の中枢となり、各地に祭祀を行なうための聖地が整備されていったのです。

その聖地のなかで沖縄最大のものが、15世紀の琉球王によって整備された知念半島にある斎場御嶽です。この頃、尚氏朝第2王統の第3代尚真王によって宗教組織である神女組織が設けられ、王妃もしくは国王の姉妹が女性最高祭司の聞得大君として、全地域の祝女を統轄しました。斎場御嶽は、聞得大君の就任儀式「御新下り（おあらおり）」を行なう場所として崇められるようになり、琉球の祭祀を代表する聖地となったのです。

もっと知りたい！ 首里城は別名「御城（うぐすく）」と呼ばれ、東西400m、南北270mの規模をもっていました。国の特別保護建造物となりましたが、第2次世界大戦のときに木造建造物は破壊されてしまいます。1972年に復元工事が始まり、1992年に正殿が完成しましたが、2019年に原因不明の火災によってほかの建物とともに焼失してしまいました。

283

ハットゥシャ：ヒッタイトの首都

所在地 トルコ共和国チョルム県

登録基準 文化遺産／1986年／①②③④

ハットゥシャの城門のひとつライオンの門。遺跡を囲む城壁の開かれた城門には、浮彫りなどによって名がつけられています。

製鉄技術の発祥はヒッタイトではなかった？

紀元前17〜13世紀頃にかけて栄えたヒッタイトは、世界で初めて鉄を使った国として知られています。そのヒッタイトの都が、城壁に囲まれたハットゥシャです。

ライオンの彫刻を施した城門なども発見されていますが、この遺跡で疑問とされるのは、製鉄所の跡が見つからないことです。

他国に先がけて鉄器を使っていたのなら、製鉄遺跡があるはずです。しかし、その痕跡は見つかっていません。また、ハットゥシャから出土した1万枚余りもの粘土板には、鉄に関することがほとんど記されておらず、鉄の武器を他国に売った記録があるくらいなのです。

製鉄は国家機密の重要事項なので隠していたとも考えられますが、やはり不可解です。そして近年、トルコのカマン・カレホユック遺跡で、紀元前21世紀頃の鉄の塊が発見されました。この塊は鉄鉱石を人間が加熱してできたもの。とすると、ヒッタイトより先にこちらで製鉄が行われていたことになります。ヒッタイトとカマン・カレホユックに関わりがあったのか、ヒッタイトは製鉄技術を持っていなかったのか、鉄の起源は近年になって揺らいでいるのです。

もっと知りたい！　ハットゥシャの神殿遺跡には、最高神である天候の神テシュプと太陽の女神ヘバトの結婚がレリーフとして残されています。参列している神々の姿も刻まれていますが、ヒッタイトの神話や宗教については、出土品がほかにあまりないため、実はよくわかっていません。

本日のテーマ 自然の不思議と驚異の技術を学ぶ！

10月10日

284

プリトヴィッチェ湖群国立公園

所在地 クロアチア共和国オトチャツ県

登録基準 自然遺産／1979年、2000年／⑦⑧⑨

エメラルドグリーンの水を湛えるプリトヴィッチェの湖。

92の滝でつながれた16の湖と森が織りなす幻想的な風景

クロアチアのプリトヴィッチェ湖群国立公園では、山の斜面に段状に並ぶ大小16の湖が、92の滝によって結ばれた、世界でも珍しい風景を見ることができます。

この不思議な景観を造りだしているのは、一帯を流れるプリトヴィッチェ川の水。炭酸カルシウムを多く含んでいる水が、急傾斜で炭酸カルシウムが沈殿して石灰華（炭酸カルシウムの沈殿物）となって川の水をせきとめ、そこにいくつもの湖を生み出したのです。

滝にかかった虹がエメラルドグリーンに映える神秘的な姿は、2つの伝説を生み出しました。ひとつは干ばつのとき、女王が神に祈ると、女王の涙が雨になって大地に伝わり、湖が形成されて水の恵みを得たというもの。

もうひとつは巨人が涸れない泉をつくり、その泉の水がいくつもの湖を作り出したというものです。

湖の周囲はブナやモミなど豊かな森におおわれ、オオカミやヨーロッパヤマネコなど、多くの野生動物が生息しています。川にはマスなどの淡水魚も泳いでいます。

もっと知りたい！ 豊かな自然が広がるプリトヴィッチェ湖は、1991年にクロアチアの分離独立に伴うユーゴスラビア内戦で戦場となるなど破壊の危機にさらされました。「危機にさらされる世界遺産リスト」にも登録されましたが、内戦の終結後、クロアチア政府が保全環境対策に取り組んだため、少しずつ環境を取り戻し1997年に危機遺産リストから外れました。

本日のテーマ ドラマを味わう！

10月11日

サンマリノ歴史地区とティターノ山

285

所在地 サンマリノ共和国サンマリノ市

登録基準 文化遺産／2008年／③

サンマリノの街を見下ろすグアイタの塔。

イタリア半島にあって13世紀以来の独立を貫く共和国の歴史物語

イタリア中部にそびえ立つティターノ山の頂上にあるサンマリノ共和国は、面積61㎢、人口3万3000ほどの小さな国です。

4世紀にキリスト教徒のマリノという石職人が、迫害から逃れて住み着き、仲間と共同体を作ったのが始まりとされています。

やがて敵に備えた城壁と、グアイタ、チェスタ、モンターレという3つの砦が築かれました。砦からはアペニン山脈やポー平原を見渡すことができます。

首都の名もサンマリノで、狭い国土の中に、14世紀以降に建設された修道院や18世紀に建てられたティタノ劇場、政庁舎のプッブリコ宮殿などが残っており、国土のほぼ全域が世界遺産に指定されています。

小麦やブドウの栽培、牧畜も行なわれていますが、険しい山の頂上にあるので工業化は進んでおらず、そのために歴史ある街並みが今でも残っているのです。

もっと知りたい！ サンマリノ共和国は世界で5番目に小さな国で、1700年の長きにわたって独立を守り、常に中立の立場を貫いてきました。1263年に独自の憲章を定め、1631年にローマ教皇に認められた現存する最古の共和国で、1992年には国連に正式加盟しました。

本日のテーマ ゆかりの人物に出会う！

10月12日

マドリードのエル・エスコリアル修道院とその遺跡

286

所在地 スペイン王国マドリード県

登録基準 文化遺産／1984年／①②⑥

修道院と宮殿が一体となったエル・エスコリアル。

「太陽の沈まぬ国」を象徴する建物に籠ったフェリペ2世の苦悩

16世紀、スペインはフェリペ2世のもと対外戦争に次々勝利する一方で、スペインと世界を二分していたポルトガルを併合し、「太陽の沈まぬ国」とうたわれる黄金時代を迎えます。

そのフェリペ2世が、1557年にフランス軍を破った勝利を記念してマドリード郊外に築いたのが宮殿兼修道院のエル・エスコリアルでした。国内外から多くの技術者を集め、約20年かけて王宮、聖堂、祖先の霊廟、さらには博物館、図書館、学校が同居する宮殿を完成させます。まさにスペインの黄金時代を象徴する豪壮な建築物です。その後、フェリペ2世は40年以上にわたりこの城で政務をとりましたが、統治する領土が広すぎて実務に追われ、宮殿に籠りきりで仕事をしたと伝えられています。

一方で、エル・エスコリアルは王にとって苦悩の城にもなりました。長男のカルロスが敵対していたネーデルランドと手を結んだため、カルロスを捕らえて宮殿の一室に幽閉し、その半年後に亡くなるという事件が起こったのです。王はたった1人残った息子、のちのフェリペ3世の凡庸を案じながら生涯を閉じたそうです。

もっと知りたい！ フェリペ2世と長男のカルロスの関係が悪化したのは、フェリペ2世がフランス王女エリザベトを3度目の王妃に迎えたことでした。彼女はカルロスの元婚約者でしたが、妻を亡くした父王が王妃に迎えたのです。父に不満を募らせたカルロスは反逆して命を落とします。これを元に文豪シラーが戯曲を作り、のちにオペラ『ドン・カルロ』が生まれました。

287

シバームの旧城壁都市

所在地 イエメン共和国ハドラマウト地方

登録基準 文化遺産／1982年／③④⑤

シバームの建物の高さや外観がほぼ同じなのは、16世紀の大洪水のあと、統一がとれるよう厳格な法律が定められたためです。「最古の高層ビル」「砂漠のマンハッタン」などと呼ばれています。

日干しレンガの高層住宅が立ち並ぶ西アジアの摩天楼

近代的な高層ビルが建ち並ぶ光景に見えますが、すべて日干しレンガで造られた住居です。シバームの街には、日干しレンガで造られた高さ30mもの建物が、500棟ほど軒を接して建っていて、しかもそこには1万人近くの人が住んでいるのです。

シバームは、ワジと呼ばれる枯れ川の底に位置しています。普段は乾燥しているにもかかわらず雨水が急激に流れ込むため、しばしば洪水の被害を受けてきました。加えて、異民族の襲撃が何度もありました。これらの被害を避けるため、8世紀頃から住居が上へ上へと増築され、現在の街並みになったのです。

住居の多くは5階建てから9階建てで、1階の入口は敵の侵入を阻むためにひとつだけ。しかも建物の間には連絡通路があって逃げやすい構造になっています。家族が分家するごとに階数を増やし、1軒の中に20ほどの部屋があって、男性、女性、子供の空間に分けられています。それでもやはり日干しレンガの高層建築は維持するのが難しく、築100年程度のものがほとんどです。維持するのにも費用がかかり、住んでいるのは豊かな人だけだそうです。

もっと知りたい！ シバームに現存するもっとも古い建物が「金曜モスク」です。904年に建てられて幾度か洪水に遭いましたが、崩れずにもちこたえています。白く塗られているのは強い暑さを避けるためで、高層住居の上の階の外壁が白く塗られているのも同じ理由です。

288

アーグラ城塞

所在地 インド共和国ウッタル・プラデーシュ州

登録基準 文化遺産／1983年／③

アーグラ城は赤砂岩を素材として築かれています。

ムガル帝国の繁栄を伝える赤い城

1526年、かつてインドを支配していたティムール朝の血を引くバーブルが、「モンゴル」を意味するムガル帝国を建国しました。ムガル帝国は第3代アクバルの時代に乱立する小国家を制して、全インドを支配下に収め、5代のシャー・ジャハンの時代にかけて黄金期を迎えます。そのムガル帝国の繁栄を象徴しているのが、アクバルが遷都したアーグラに建設したアーグラ城です。

アーグラ城は1573年に完成し、5代シャー・ジャハンまで3代の居城となりました。この地方で産出される赤砂岩で築かれているため「赤い城」とも呼ばれ、ムガル帝国絶頂期の絶大な権力を表わしています。当初は城塞としての性格が強い城でしたが、歴代皇帝によって、市場、居住区、モスクなどの都市機能も備えていきました。

城内にあるジャハーンギール宮殿はアクバル帝時代の建物。イスラーム教とヒンドゥー教の融和に心を砕いたアクバル帝らしく、ペルシア建築とヒンドゥーの建築様式が融合した建造物となっています。

もっと知りたい！ ムガル帝国繁栄の要因のひとつに、宗教に対する寛容性があります。とくにアクバルは、異教徒に対して課されていた人頭税（ジズヤ）を廃止するなど、領内の宗教融和に努めています。このジズヤを復活させた、アウラングゼーブの時代を境に帝国は衰退へと向かいました。

本日のテーマ　伝説に浸る！

10月15日

289

聖カトリーナ修道院地域

所在地　エジプト・アラブ共和国シナイ半島南部

登録基準　文化遺産／2002年／①③④⑥

聖カトリーナ修道院は、堅牢な城壁に囲まれています。

モーセと神が交信したと伝わる聖地に建つ気高き修道院

エジプトのシナイ半島にあるシナイ山は、モーセが神から十戒を授かったとされるキリスト教徒の聖地です。

当時、エジプトのファラオは国内のイスラエルの民に強制労働をさせていました。同じイスラエル人でありながら、エジプト王の弟として育てられたモーセは、あるときホレブ山で「イスラエル人をエジプトから救い出しなさい」と神のお告げを受けます。神がエジプトに自然災害やイスラエル人以外のエジプト中の長子をすべて殺すといった10の禍をもたらしてファラオを屈服させたため、モーセは60万以上のイスラエルの民を連れて約束の地カナンを目指しエジプトを出国しました。モーセが海を2つに割ったのはこのときの話です。

一行がシナイ山に立ち寄ったとき、モーセは神に呼ばれ、民が守るべき10の戒め「十戒」を授けられました。その記念すべきシナイ山には、6世紀半ばに東ローマ帝国皇帝が建てた世界最古の修道院聖カトリーナ修道院が残されています。院内にある「燃える柴」礼拝堂が、神がモーセの前に現れた場所とされており、現在、銀の板がはめ込まれています。

もっと知りたい！　神がモーセに与えたとされる十戒は民が守るべき10の戒めです。ほかの神を神としない、自分の像を造ってはならない、神の名をみだりに唱えてはならない、安息日を讃えること、父母を敬うこと、殺人・姦淫・盗み・隣人についての偽証をしてはいけない、隣人の家をむさぼってはいけないという10の教えです。

本日のテーマ 謎と不思議を愉しむ！

10月16日

デリーのクトゥブ・ミナールとその建造物群

290

所在地 インド共和国デリー連邦直轄地

登録基準 文化遺産／1993年／④

直径15mの基部を持ち、72.5mの高さを誇るクトゥブ・ミナール。5層からなるミナレットで各層の鍾乳石紋彫刻の上には、バルコニーが設けられています。

イスラームの力を誇示すべく建てられたインド最古のモスク

1206年、インド初のイスラーム王朝を立ててデリーを都としたのが、宮廷奴隷出身のアイバクです。後継者にも宮廷奴隷出身者が多かったため、この王朝は「奴隷王朝」と呼ばれるようになりました。

アイバクが建てたクトゥブ・ミナールは、白大理石と赤砂岩で覆われ、コーランの章句を図案化した彫刻で飾られています。ミナールは、イスラーム教の聖塔である「ミナレット」と同意で、信者に礼拝を呼びかけるための建造物です。

しかし、クトゥブ・ミナールは高さが72.5mもあり、もともとあったヒンドゥー教やジャイナ教の寺院を取り壊して、その場所に建てられていることから、北インドを手中にしてデリーを陥落させた戦勝記念碑としての意味合いが強いと考えられています。ほかにもアイバクは、他の宗教の寺院を取り壊してクッワト・アル・イスラーム（イスラームの力）・モスクというインド最古のモスクを建てています。

もっと知りたい！ クッワト・アル・イスラーム・モスクの境内に、高さ7mほどの太い鉄柱が立っています。はるか昔から野ざらしの状態で、通常なら1年もたたず錆び始めるはずが、少しも錆びていません。これは99.72%と非常に純度が高いためですが、こうした鉄の精製が可能になったのは19世紀です。当時の技術でどのように製作されたのか、謎に包まれています。

291

セレンゲティ国立公園

所在地　タンザニア連合共和国マラ州、アルーシャ州、シニャンガ州

登録基準　自然遺産／1981年／⑦⑩

毎年大移動を繰り返すオグロヌーの群れ。移動の途中で肉食動物の犠牲になることも少なくありません。

毎年150万頭のヌーが大移動を繰り返す野生の王国

セレンゲティ国立公園は、アフリカのタンザニア北部に位置する大草原。太古の火山活動により生まれ、その後の侵食で多くの川や湖と草原が形成され、多様な動植物を育んできました。

現在、セレンゲティには約300万頭もの野生動物が生息し、哺乳類だけでも130種以上を数えます。シマウマ、ガゼルといった草食動物はもちろん、ライオンやヒョウなどの肉食動物も暮らしています。

そのうち草食動物は毎年、乾季に入る6月になると、水と草を求めて移動を始めます。なかでも圧倒されるのが150万頭にもおよぶオグロヌーの大群の大移動です。これだけのヌーの大群が土煙をあげながら川岸を駆け抜け、次々と川に飛び込んでいく様は圧倒されるほどの大迫力です。

しかし、その途上でワニやライオンといった肉食動物の餌食になったり、群れの生存競争にさらされたりして、25万頭のヌーが命を落としてしまいます。まさにここでは弱肉強食の野生の世界が展開されているのです。

もっと知りたい！　「野生の王国」とも言うべきセレンゲティ公園ですが、ライオン、ゾウ、イノシシ、ハイエナ、キリンなどは絶滅が危惧され、レッドリストに記載されています。こうした傾向はこの地域の環境を破壊して生態系を崩す恐れがあると危惧されています。また、商用道路の計画も立つなど環境保護の在り方が問われています。

本日のテーマ ドラマを味わう!

10月18日

ハンピの建造物群

292

所在地 インド共和国カルナータカ州

登録基準 文化遺産／1986年／①③④

現在ハンピでは遺跡の壁や柱に刻まれていた5000もの碑文を手がかりとして修復作業が行なわれています。

イスラーム軍によって破壊された「勝利の都」

ハンピは、14～16世紀頃に南インドにあったヴィジャヤナガル王国の都です。当時、南インドのヒンドゥー教徒は内乱状態にありましたが、北インドから南下してくるイスラーム勢力に対抗すべく、争いをやめて力を合わせ建国したと伝えられています。ヴィジャヤナガルとは「勝利の都」という意味です。

ヴィジャヤナガル王国は、綿花や香辛料の交易で繁栄し、人口は50万を数えるまでになりました。高さ50mの門が立つヴィルーパークシャー寺院、柱に複雑な彫刻のあるヴィッタラ寺院、2階建ての宮殿ロータス・マハル、7重の壁に囲まれた宮廷など、華やかな建築物が造営されました。16世紀にハンピを訪れたポルトガル商人パイスは、街の大きさや祭の盛大さに驚き、それを書き記しています。

しかし、ヴィジャヤナガル王国は1565年にイスラーム軍に敗れて都を南に移したため、ハンピは廃墟と化してしまいました。

もっと知りたい! 現在まで残された40ほどの遺跡の周囲はバナナ畑になっています。あたりには積み上げた岩や巨石が散在していますが、これはヒンドゥー教の神で猿の姿をしたハヌマーンが、敵に投げた石礫だと伝えられています。

ナポリ歴史地区

293

所在地 イタリア共和国カンパニア州ナポリ県

登録基準 文化遺産／1995年／②④

1284年にフランスのアンジュー家の居城として建設されたカステル・ヌオーヴォ。1443年にナポリ王国がアラゴン王の手に落ちたのち、全面的に改修され、円塔5基を供えた堂々たる風格に変貌しました。

ナポリ発展に貢献したアラゴン王とナポリの城塞

風光明媚にしてイタリア最大の港でもあるナポリは、地中海貿易の拠点だったことから各国の争奪戦となってきた歴史を持っています。

紀元前5世紀のギリシャ植民都市「ネアポリス」の建設に始まりますが、その後、ローマ、東ゴート、ビザンツ帝国、シチリア王国など、次々と支配者が変化。8世紀にナポリ王国が成立して以降も、19世紀のイタリア王国成立まで支配王家が変わり続けました。

しかし、そうしたなかにあって「ナポリの栄光」とも言うべき時代がありました。イベリア半島北東部にあったアラゴン王国のアルファンソ5世が、シチリア王アルフォンソ1世として君臨した15世紀です。王がナポリに宮廷を移して自らも移り住むと、ナポリはイタリア半島の強国になりました。そして王は芸術家や人文学者を手厚く保護してルネサンス文化を花開かせたのです。王の居城となったカステル・ヌオーヴォは、元の5つの円塔の外観に白い大理石の凱旋門が加えられました。王の入場の様子を描いた浮き彫り装飾を持つ凱旋門は、ルネサンス建築の秀作のひとつです。

もっと知りたい！ ナポリを統治した歴代の君主は、政情不安から防衛のために要塞化した城を築いています。シチリア国王が築いたナポリ最古のカステル・デッローヴォやカプアーノ城、この地を支配したアンジュー家はさらに堅牢なカステル・ヌオーヴォを築き、それをアラゴン王が改修して凱旋門で華やかに彩りました。

タキシラ

294

所在地 パキスタン・イスラム共和国パンジャブ州

登録基準 文化遺産／1980年／③⑥

マウリヤ朝のアショカ王の時代に建設された仏塔を起源とするダルマラージカ寺院の大ストゥーパ。周囲を小さなストゥーパや祠が囲みます。

インド、ペルシア、ギリシャ3つの文化が融合した宗教都市

異なる時代の3つの都市が並ぶのがガンダーラ遺跡のタキシラ。南から順に紀元前6〜紀元前2世紀の「ビール丘」、紀元前2世紀頃の「シルカップ」、紀元1世紀の「シルスフ」です。

ビール丘はアケメネス朝ペルシアが築いたと考えられ、その上にほかの街が重なり、全部で4つの層から成っています。バクトリアのギリシャ人が築いたのがシルカップ。南北に街を走るメインストリートや仏教寺院、ジャイナ教寺院、王宮などがあり、整然とした都市計画があったことをうかがわせます。

クシャーン朝が築いたのがシルスフで、3世紀までクシャーン朝の都が置かれていました。周囲は5kmほどありますが、まだ南東の一部しか発掘されていません。

タキシラの出土品には、インド、ペルシア、ギリシャの文化の融合が見られます。シルカップの「双頭鷲のストゥーパ」には、ギリシャ風の神殿、インド風の塔門、それに双頭鷲の浮き彫りが施されています。また、シルスフの東にある丘に建つジャンディアールは、仏教寺院でありながらギリシャ風の建築で、土台にはギリシャ神話のアトラスの姿があります。

もっと知りたい！　タキシラ最大のストゥーパが、アショカ王が築いたとされるダルマラージカ寺院の「チル・トペ」と呼ばれるストゥーパで、高さ15m、周囲50mという巨大さです。創建当初のものが、2度の改修によって大きくなったようです。

本日のテーマ 歴史を知る！

10月21日

295

ゴレ島

所在地 セネガル共和国ダカール州

登録基準 文化遺産／1978年／⑥

2000万人ものアフリカ人が、この島から奴隷として連れ去られました。

奴隷貿易システムの中に組み込まれた悲しみの島

アフリカ大陸のセネガルの首都ダカール沖に浮かぶゴレ島は、東西300m、南北が最長900mほどの小さな島ですが、18世紀頃には奴隷の島として栄えた悲劇の歴史を持っています。

近代の奴隷制度は16世紀の大航海時代に始まります。新世界を中心としたプランテーションや鉱山の労働力不足を補うため、アフリカ大陸から黒人を奴隷として送り込みました。当初はポルトガルやスペインが手掛けていましたが、17世紀になると、イギリスやフランスも植民地経営のために奴隷貿易に乗り出します。奴隷は、捕虜や犯罪者、アフリカの部族国家との貿易で確保しましたが、のちには奴隷狩りも行なわれるようになりました。

その奴隷を送り出した中継地がゴレ島です。2000万人ものアフリカ人がここから植民地へ送られたと言われます。

島内の「奴隷の家」は出航までの間、200人程度の奴隷が収容された場所。奴隷は焼き印を押されて裏口から船に乗せられました。すし詰め状態の船内で死者は続出し、新世界に着いても過酷な労働などで数年の間に30%が亡くなったと言われています。

もっと知りたい！ 黒人が奴隷にされたのは、肌の違いで欧米人と見分けやすいという理由があったとも言われています。また、土屋哲氏の『アフリカのこころ』（岩波ジュニア新書）では、白人の使用人の場合、7年間働いたあとは自由の身になる決まりがあったため、一度手に入れれば生涯使役できる黒人奴隷が望まれたとも言われています。

本日のテーマ 伝説に浸る！

10月22日

パトモス島の“神学者”聖ヨハネ修道院と黙示録の洞窟の歴史地区（コーラ）

296

所在地 ギリシャ共和国パトモス島

登録基準 文化遺産／1999年／③④⑥

パトモス島の聖ヨハネ修道院。

使徒ヨハネが「黙示録」を執筆したと伝わる孤島

『新約聖書』の最後に収録されている「ヨハネの黙示録」は、十二使徒のヨハネが世界の滅亡と最後の審判を記した文書です。

「子羊（キリスト）が巻物の封印を解き、7人の天使が順番にラッパを吹いて、7人の天使が神の怒りを注ぐことによって凄惨な災いが世界にもたらされたあと、死者たちが蘇って最後の審判を下され、新しい神の王国エルサレムが到来する」という内容で、1世紀頃に執筆されたものと考えられています。

これを執筆した場所が、エーゲ海のトルコ近くに浮かぶ小島パトモス島です。当時のキリスト教はローマ皇帝の激しい弾圧を受けていました。ヨハネもローマを追われ、パトモス島の今は頑強な造りの聖ヨハネ修道院が建つ丘にたどり着きます。そしてヨハネは山の中腹にある洞窟で、不思議な体験をします。「見ることを巻物に書け」というお告げを受けたのです。すると天井に亀裂が入り、そこから世界の滅亡から始まる最後の審判の幻を見せられます。それを文書にしたのが「ヨハネの黙示録」だったのです。

もっと知りたい！ 中世の街並みが残るパトモス島は、古代はローマ帝国の流刑地でしたが、16世紀頃には交易によって活況を呈しました。「ヨハネの黙示録」が執筆された場所とされ、エーゲ海の聖地と信仰される一方で、今もビザンツ帝国時代から受け継ぐ初期キリスト教儀式が行なわれており、ギリシャ正教の巡礼地にもなっています。

アルル、ローマ遺跡とロマネスク様式建造物群

297

所在地 フランス共和国ブーシュ・デュ・ローヌ県

登録基準 文化遺産／1981年／②④

楕円形をしたアルルの円形闘技場。紀元前90年頃に建設されたもので、2万5000人を収容することができました。

ローマの皇帝たちがアルルの充実にこだわった理由

プロヴァンス地方のアルルが、紀元前2世紀にローマの支配下に入ると、将軍や皇帝たちは次々に建造物を築きました。

カエサルはローマからわざわざ石材を運ばせて古代劇場を築き、アウグストゥスは円形闘技場を築きました。4世紀のコンスタンティヌスの時代には、大浴場や宮殿、墓地が建てられました。いずれもローマ文明を具現したかのような優れた建築で、円形闘技場は今でもコンサートなどで利用されているほどです。ローマの支配者たちは、ローヌ川に接して肥沃な土地に恵まれたアルルを、属州の一大拠点にすべく充実をはかったのです。

パリはローマ人にとっては寒い僻遠の地ですが、アルルは温暖で風光明媚なことも気に入ったのでしょう。しかし、それでも残る疑問があります。これらのローマ遺跡は、半径がわずか400mほどの範囲に集中しているのです。当時のアルルは過密ではなかったはずですし、ローマの力をもってすれば、いくらでも土地は広げられたはずです。これは誰にも解明できないアルルの謎のひとつになっています。

もっと知りたい！ 中世アルルを代表する遺構が、サン・トロフィーム聖堂です。1078年から創建されたロマネスク様式で、アルルにキリスト教を伝えた聖人トロフィムスにちなんで名づけられました。ここの回廊は、プロヴァンス地方でもっとも美しい回廊として名高く、2度にわたって築かれたためロマネスク様式とゴシック様式の両方を見ることができます。

298

モシ・オ・トゥニャ　ヴィクトリアの滝

所在地 ザンビア共和国・ジンバブエ共和国
登録基準 自然遺産／1989年／⑦⑧

川床の侵食により、現在も滝は年間数cmずつ後退しています。

毎分最大5億ℓもの水が岩を砕いて後退を続ける瀑布

ザンビアとジンバブエにまたがる地帯に、世界三大瀑布のひとつに数えられるヴィクトリアの滝があります。

幅1700m、最大落差110～150mというとてつもなく巨大な滝で、雨季には毎分5億ℓもの水が凄まじい轟音とともに水煙を立てながら流れ落ちます。滝周辺は年間32万㎜の水滴に満たされ、シダやツル植物が繁茂する植物相を形成しています。

ヴィクトリアの滝の歴史は、約1億5000万年前のジュラ紀の火山活動により玄武岩が噴出して台地が形成されたことに始まります。250万年前に、ザンベジ川がこの玄武岩台地を流れ始め、水の重さで亀裂ができると、それに沿って流れ、台地の端で一気に川の水が流れ落ちる大瀑布となりました。

その頃の滝は現在より80㎞下流にありましたが、膨大な水量が川底を浸食するうちに現在の位置に移動しました。この浸食は現在も続いていており、年に数㎝ずつ滝が上流へ後退しているので、何千年後にはさらに上流に新しい滝が出現すると考えられています。

もっと知りたい！ ヴィクトリアの滝はイギリスの探検家リヴィングストンが1855年に発見して世界的に知られるようになりました。現地では轟音を響かせる水煙の意味で、「モシ・オ・トゥニャ」と呼ばれていましたが、リヴィングストンが当時のイギリスの女王にちなんでヴィクトリアの名を付けました。

本日のテーマ ドラマを味わう！

10月25日

299

パルテノン神殿（アテネのアクロポリス）

所在地 ギリシャ共和国アテネ市

登録基準 文化遺産／1987年／①②③④⑥

パルテノン神殿は女神アテナのための神殿で、ドリス式の円柱は46本あり、中央をわずかにふくらませたエンタシスという遠くからより美しく見える構造になっています。

公金流用によって建設されたアテネのシンボル

古代ギリシャと聞くと、アクロポリスの丘に建つパルテノン神殿を思い浮かべる人が多いことでしょう。神殿を建設したのは、アテナを守護神としていた都市国家（ポリス）であるアテネの指導者ペリクレスです。

アテネは、古代ギリシャ世界の宿敵であるアケメネス朝ペルシアに対する備えとしてデロス同盟を結び、同盟に加盟する他のポリスから軍資金を集めていました。ところがペリクレスは、これをパルテノン神殿の建設資金に使ったのです。

パルテノン神殿が完成したのは、アテネの黄金時代と言われる紀元前432年でした。ペリクレスは、ほかにも多くの建物を築いたり、派手な祭典で食事をふるまったりして民衆の人気を集め、それを背景にして指導者の位置についていたのです。ほかのポリスから抗議の声が上がっても、ペリクレスは聞き入れようとせず、集めた軍資金の明細も公表しませんでした。

荘厳なパルテノン神殿は公金横領によって、しかも選挙対策のために建てられたというのが実情なのです。

もっと知りたい！ ギリシャがローマ帝国の支配下に入ると、パルテノン神殿はキリスト教の聖堂に改修されました。イスラーム教の支配下に入ると今度はモスクに改修され、オスマン・トルコの時代は武器庫として使われました。長い歴史の間に、アテナ女神の像や装飾はすべて持ち出されて売り飛ばされ、2度も爆撃を受けました。現在の姿は、復元されたものです。

本日のテーマ ゆかりの人物に出会う！

エルサレム旧市街（エルサレム歴史地区）

所在地 エルサレム（ヨルダン・ハシェミット王国による申請遺産）

登録基準 文化遺産／1981年／②③⑥（危機遺産）

古代エルサレム王国時代の中心地であったエルサレム旧市街。奥に見える高い塔がダヴィデの塔です。

エルサレムを首都とする王国を打ち立てたダヴィデ王の生涯

ヨルダンによって世界遺産に申請された聖都エルサレム。そのなかでユダヤ人の聖地のひとつになっているのが「嘆きの壁」です。そもそもエルサレムは紀元前965年頃、古代イスラエル王国のソロモン王により第一神殿が建てられ、神がモーセに与えた「十戒」の石板も安置された場所です。しかし、紀元前586年、神殿は新バビロニア王国によって破壊され、再建された壮麗な第2神殿も70年にローマ軍によって破壊。ユダヤ教徒はエルサレムから追放されてしまいました。ユダヤ教徒の立ち入りが許されると、神殿の残された壁に、神殿と祖国を失った悲しみと復興の祈りを捧げるようになりました。それが「嘆きの壁」です。

そうしたエルサレムを首都とする王国の建国者は、紀元前1000年頃のイスラエル王ダヴィデ。預言者により王の後継者に選ばれたダヴィデは、ペリシテ人の巨人ゴリアテを倒すなどの武勲を挙げて名を高め、のちにエルサレムを制圧して首都としました。イスラエル王国は繁栄し、ユーフラテス川から紅海まで領土を拡大しましたが、家臣の妻を妊娠させて懺悔の晩年を送ったとされています。その人妻との間に生まれたのが、ソロモンでした。

もっと知りたい！ 第2神殿を80年もの歳月をかけて壮麗な建物へと改築したのは、ローマ帝国に任命されたユダヤ王のヘロデ王です。ヘロデ王は、神殿の南西に3つの塔を持つ要塞を築きました。このうち残された1つの塔が「ダヴィデの塔」と呼ばれていますが、これは古代ローマ人が塔を建てたのがダヴィデと誤解したためです。

本日のテーマ　暮らし・文化に触れる！

キンデルダイク－エルスハウトの風車群

301

所在地　オランダ王国ゾイト・ホラント州

登録基準　文化遺産／1997年／①②④

オランダを象徴するキンデルダイクの風車群。同地の風車は保存状態がよいことでも知られています。

19基の風車が並ぶオランダ王国ならではの田園風景

オランダと聞くと、風車のある風景が思い浮かびます。

風車は各地で粉ひきや工業に使われてきましたが、オランダでは特に排水に大きな力を発揮しました。干拓事業で堤防の内側の水を汲み出すためにも、また水害を防ぐためにも、風車が役に立ったのです。風車の働きのおかげで湿地帯が農地に変わり、やがてオランダは農業大国となりました。

19世紀後半には、国内で1万基もの風車が稼働していましたが、蒸気機関や石油、電力などに取って代わられて姿を消していき、今では950基ほどが残っているだけです。

キンデルダイクには19基もの風車が並び、しかもよく手入れされています。これは第2次世界大戦中に、蒸気式水揚げポンプの燃料である石炭が不足したために風車を利用し、そのときの風車が記念物として残ったからです。風車の内部が食糧倉庫や居住空間になっている様子も見ることができます。

もっと知りたい！　風車は通信手段にも使われました。止まっている羽根の角度のほか、羽根につけられた旗や飾りによって、出産や結婚などのお祝い事、あるいは葬儀などの不幸があると、村人たちは知ることができたのです。

302

ダーウェント峡谷の工場群

所在地 英国イングランド　ダービーシャー州

登録基準 文化遺産／2001年／②④

マッソン・ミルズ紡績工場。水力紡績機がはじめて稼動した工場です。

産業革命を支えた工場制機械工業発祥の地

現代社会への大きな転換点は18世紀後半、広大な植民地帝国を形成していたイギリスから始まった産業革命でした。

技術革新が進み、生産に機械や動力が用いられて本格的な工業社会が始まりました。この波はヨーロッパをはじめ世界各地に拡大し、世界経済の仕組みや社会構造までも変え、資本主義社会をもたらしたのです。

そのイギリスの近代的な工業の発祥の地とされるのが、イギリス中部のダーウェント峡谷です。工場や技術革新は綿織物から始まりましたが、ダーウェント川沿いには18世紀後半から19世紀にかけての紡績工場が集中しています。

そのひとつで、今は一般公開されているマッソン・ミルズ紡績工場は、リチャード・アークライトが1783年に水力紡績機を世界で初めて稼働させた工場です。周辺には当時の労働者たちのための住宅も残されており、工業都市としての原点とも言える場所となっています。

もっと知りたい！ イギリスにはこのほかにも産業革命の遺産があります。バーミンガムのアイアンブリッジ峡谷には鉄鋼業地帯が広がり、峡谷にかかる橋は世界初の鉄橋です。ソルテアは19世紀後半の綿織物工業の中心地。工場周辺にはヴィクトリア様式の住宅や学校、教会、コンサートホールなど、文化的な施設も建てられ、都市計画の理想モデルとされています。

本日のテーマ　伝説に浸る！

10月29日

タハテ・スレマーン

303

所在地 イラン・イスラム共和国西アーザルバイジャーン州

登録基準 文化遺産／2003年／①②③④⑥

今は廃墟となっているタハテ・スレマーン。

ゾロアスター教の「戦士の火」を祀る聖域

紀元前6世紀に始まるアケメネス朝以来、ペルシアにおいて信仰されてきたのがゾロアスター教。その聖地のひとつが、イランの首都テヘランの西方に位置し、直径100mの休火山の火口湖の周囲に造られた都市タハテ・スレマーンです。

タハテ・スレマーンとは、「ソロモンの王座」という意味。ソロモン王がこの火口湖に怪物を閉じ込めた伝承に由来するとも言われています。この場所は「戦士の火」を祀る場所として聖域化され、ササン朝時代には王の即位儀礼のひとつが執り行なわれていたのです。

この地にあるアザル・ゴシュナスブの祭壇は、ゾロアスター教の主要な寺院のうち、唯一現存するものです。

タフテ・スレマーンは、7世紀にビザンツ帝国によって破壊されたのち、イル・ハン国によって再建されましたが、17世紀以降に放棄され廃墟となってしまいました。この街には、火の寺などの独特なデザインの建物が多く、イスラーム建築のルーツにもなりました。

もっと知りたい！ ゾロアスター教は紀元前のゾロアスターを開祖とする宗教。古代ペルシアから中央アジアに広まりました。ゾロアスター教は善悪二元論で、善の象徴として火を崇めるため「拝火教」とも呼ばれています。そのためゾロアスター教の寺院では、信者は火に礼拝を捧げます。主神は善の象徴で世界の創造者であるアフラ・マズダーです。

エルデニ・ゾー寺院（オルホン渓谷文化的景観）

304

所在地 モンゴル国ウブルハンガイ県

登録基準 文化遺産／2004年／②③④

カラコルムのエルデニ・ゾー寺院。モンゴルに建てられた最初のラマ教の寺院でした。

モンゴル帝国はなぜチベット仏教を信仰したのか?

モンゴル高原を流れるオルホン川流域は、多くの遊牧民が到来した地です。トルコ系民族の突厥の遺跡、ウイグル王国の都カラ・バルガスン遺跡、そして13〜14世紀のモンゴル帝国の都カラコルム遺跡などが残っています。1586年に創建されたエルデニ・ゾー寺院は、モンゴル最古の仏教寺院です。大草原の中、400mの外壁に囲まれ、108基の白いストゥーパが林立するチベット仏教の信仰の場です。

それにしても、なぜモンゴル帝国は、遠い山岳地帯のチベットで発展した宗派を受け入れるに至ったのでしょうか。

始まりは1244年、チンギス・ハンの孫コデンが、チベット仏教の座主サキャとその甥パクパに面会したことでした。その後、パクパはフビライ・ハンの師となり、モンゴル帝国の国師の地位にまで昇りました。

一方のフビライは仏教世界の理想的帝王像である「転輪聖王」に位置付けられており、チベット仏教による権威づけをはかったのです。

もっと知りたい! カラコルムは、モンゴルが元となり、都を大都（現在の北京）に移しても、かつての首都としての権威を保ちました。エルデニ・ゾー寺院には、300人を収容したという巨大なゲル（テント）の土台や、県ごとの旗を立てたという巨石が残り、モンゴル帝国の威光を今に伝えています。

305

ダラム城(ダラム城と大聖堂)

所在地 英国イングランド ダラム州
登録基準 文化遺産/1986年/②④⑥

『ハリー・ポッター』などの映画のロケ地としても有名なダラム城の城門。今にも箒にまたがった魔法使いが飛んできそう?

ウィリアム1世着工の名城はモット・アンド・ベイリーの秀作

ダラム城と大聖堂は、イングランド北東部、スコットランドとの国境近くに位置する城塞都市ダラムのシンボル的な建物です。

1072年、イングランド・ノルマン朝のウィリアム1世(征服王)は、対スコットランド対策として、「ノルマン様式の城塞」とも呼ばれるモット・アンド・ベイリー様式のダラム城を築きました。

ダラム城は八角形の巨大な天守を擁したノルマン最大の城塞で、完成後はダラム司教に与えられ、司教には国境警備のほか、貨幣の鋳造や軍隊所有など、国王の同等の権利が与えられ周辺地域を統治しました。

13世紀には城の前にある大聖堂が改築され、3つの塔を持つ砦のような大聖堂へと変貌します。肋骨状にアーチを組んだ天井は、「ノルマン・ロマネスク様式の白眉」と評価されました。ダラム城は現在、ダラム大学の学生寮として使われています。

もっと知りたい! ダラム大聖堂は通常の教会とは逆の聖堂西側に聖マリア教会を配置しています。13世紀、東側に配置しようとしたところ、何度工事しても途中で崩れました。人々はダラム教会の聖人聖カスバートが女性嫌いのため聖母マリアを敬遠していると噂します。そこで西側に建てると完成したのです。聖水盤前の床のラインは女性侵入禁止のものとも言われています。

306

ロータス城塞

所在地 パキスタン・イスラム共和国パンジャーブ州

登録基準 文化遺産／1997年／②④

城壁が連なるロータス城塞。ムガル帝国が用いたユリの装飾や、ヒンドゥー教の装飾も見られ、アフガン式とインド式が融合した建築の例としても知られています。

堅固な城塞を持つ難攻不落の城塞

ロータス城塞の城壁の厚さは最大部分で12.5m、高さは10〜18mにも及んでいます。全長は4kmに達し、12の門と68の稜堡が不規則に設置されています。内部には井戸もあり、3万人の軍隊を駐屯させることができます。

この壮大な要塞を築いたのは、アフガン民族のスール朝のシェール・シャー。1541年にムガル帝国2代皇帝フマユーンを駆逐し、民族の英雄とされています。シェール・シャーはフマユーンの逆襲を警戒すると、近隣の村から切り石を集めてそれを積み上げ、レンガを用いて、10年かけてロータス城塞を築いたのです。

ところが、シェール・シャーの息子が死んで後継者争いが起こると、フマユーンはそれに乗じて、この地を奪還してしまいました。ロータス城塞はわずか14年で、その役目を終えてしまったのです。

もっと知りたい! 放置され廃墟と化した城塞ですが、頑丈な造りであるためほとんど破損しておらず、建造時の姿を保っています。中にはいつしか遊牧民が住み着き、ロータス村と呼ばれるようになりました。現在はおよそ3000人がここで生活しています。

サン・テミリオン地域

307

所在地 フランス共和国ジロンド県

登録基準 文化遺産／1999年／③④

ワイン畑と共存するサン・テミリオン。一帯にブドウ畑が広がっています。

アリエノール・ダキテーヌとサン・テミリオンのワイン作りの歴史

フランス南西部、アキテーヌ地方の街サン・テミリオンは、メルロ主体の赤ワインで有名です。ブドウ栽培に適した風土のため、紀元前1世紀頃には早くもワイン製造が始まり、今では「1000のシャトーが立つ丘」と言われるほどです。一帯には、ブドウ畑をはじめとしてロマネスクの参事会教会、巨大な一枚岩を使ったモノリス教会など、中世の佇まいを残す街並みが調和したのどかな美観が広がります。

このアキテーヌ地方には、ある1人の女性の存在が欠かせません。12世紀に登場したアキテーヌ公の娘アリエノール・ダキテーヌです。

彼女はフランス国王ルイ7世と離婚後、アンジュー伯アンリと再婚。夫がイギリス国王ヘンリ2世になり、この地もイギリス領となると、イギリスではボルドーやサン・テミリオンのワインが王室や貴族の贈り物として重宝され、ワイン文化が定着したのです。このイギリスとの結びつきはサン・テミリオンに繁栄をもたらしましたが、やがて英仏百年戦争が勃発すると、争奪戦の舞台にもなりました。

もっと知りたい! サン・テミリオンは温暖湿潤で日照時間が長く、水はけが良い土壌がブドウ栽培に適していました。主にメルロの品種を使った赤ワインを製造しており、香り豊かで滑らかなワインで有名です。ルイ14世も「甘美な美酒」と絶賛し、「ワインの王様」ともたたえられました。

308

マテーラの洞窟住居と岩窟教会公園

所在地 イタリア共和国バジリカータ州

登録基準 文化遺産／1993年／③④⑤

マテーラの街並み。洞窟住居の歴史とユニークさが見直され、保存や再生の動きが進んでいます。洞窟教会内のフレスコ画の芸術性も注目されています。

自然の岩山に築かれた貴重な住居群

渓谷の斜面にへばりつくような建物が幾重にも層をなし、まるで岩山と一体化しているかのようです。よく見ると、建物は洞窟の上に築かれています。

人間がここの洞窟に住むようになったのは先史時代のこと。8世紀になるとイスラーム教徒の侵入やビザンティン帝国の偶像破壊から逃れた修道士たちがやって来て、住み着くようになりました。

修道士たちは洞窟を掘って聖堂を築き、フレスコ画で飾りました。やがて、付近の農民たちも住むようになりました。

修道士たちがここを離れた頃、農民たちは洞窟の前に切り石を積んで建て増しを始めます。半分は洞窟で半分は建て増しという住居が増え、道や階段も造られましたが、自然発生的に生まれた街なので、細い抜け道や袋小路が多いのも特徴のひとつです。

人口が過密になると、住居は斜面の上へ上へと造られ、下の層の屋根が、上の層の通路になっているところがたくさんできました。

もっと知りたい！ 近代化の過程で貧富の差が生じると、豊かな者は新市街地に移り住み、貧しい者が洞窟住居に取り残されました。19世紀にはマテーラの洞窟住居は、南イタリアの貧しさの象徴となってしまいました。20世紀にはスラム化し、住民を新市街地に移住させたため、マテーラは廃墟となってしまったのです。

本日のテーマ　歴史を知る！

11月4日

独立記念館

309

所在地　アメリカ合衆国ペンシルベニア州

登録基準　文化遺産／1979年／⑥

フィラデルフィアの独立記念館。勇壮なポーズを取るのは、アメリカ独立戦争時の海軍軍人ジョン・バリーの像。周囲は公園として整備されています。

独立宣言が行われた自由の国アメリカの原点

アメリカの自由への第一歩、アメリカ独立宣言が宣言されたのが、ペンシルベニア州のフィラデルフィアにある赤レンガ造りの「独立記念館」です。18世紀半ば、アメリカは宗主国イギリスによる戦費負担の押し付けに不満を抱き、独立を求め始めます。1776年7月4日には当時、ペンシルベニア植民地議事堂だったこの建物で大陸会議が開かれ、トマス・ジェファソン起草によるイギリスからの独立宣言が採択されました。

これを認めないイギリスが軍事介入したことで、アメリカはイギリスとの独立戦争に突入します。イギリス軍は強く、一時はフィラデルフィアも占領され、独立記念館は獄舎として使用されました。しかし、アメリカの独立がヨーロッパ諸国の支持を得たこともあり、1783年に独立が認められます。1787年には、独立記念館において、世界最古の近代憲法であるアメリカ合衆国憲法が制定されました。

独立記念館は、アメリカの原点とも言える場所。その会議室には大陸会議のときの調度品が展示され、周辺には旧市庁舎や国会議事堂など建国当時の建物が残されています。

もっと知りたい！　独立宣言を採択した際、広間においてその内容が人々の前で読み上げられました。このとき、独立の喜びを表して八角形の鐘楼にある鐘が打ち鳴らされました。この有名な「自由の鐘」は、今では独立記念館に隣接するパビリオンに展示されており、人々の独立への熱い思いを静かに伝えています。

カルナック神殿（古代都市テーベとその墓地遺跡）

310

所在地 エジプト・アラブ共和国ルクソール県
登録基準 文化遺産／1979年／①③⑥

カルナック神殿の中枢アメン大神殿へとつながるスフィンクスの廻廊。

アメン神に捧げられた神殿とアメン信仰

ナイル川中流域にあるエジプトのルクソール市は、古代エジプト時代には「テーベ」と呼ばれる国際都市で、しばしば都が置かれました。

中王国時代の第11・12王朝でテーベに都が置かれ、その後も何度か首都になり、新王国時代に繁栄を極めます。それに伴い、テーベの地方神だったアメン神への信仰も、エジプト全土へと広がりました。やがてアメン神は太陽神ラーと結びついて、王（ファラオ）の守護神として最高神へと祀り上げられます。

そのアメン神に捧げられたのが、テーベにあった1㎢余りという規模を誇るカルナック神殿の中枢「アメン大神殿」です。

アメン大神殿は中王国時代の紀元前19世紀頃から新王国時代の紀元前1世紀までの約1800年以上にわたり建造されました。エジプト軍が軍事遠征から凱旋するたびに、勝利に感謝してオベリスクや大列柱室などの建造物が寄進されたため、古代エジプト最大規模の複合神殿となったのです。

もっと知りたい! アメン大神殿の有名な建造物は、紀元前12世紀の第19王朝のファラオ・ラムセス2世が捧げた大多柱室です。最大で高さ約23m、直径約3.6mもあるという石柱134本が16列に並びます。パピルスという植物を模した柱は、1m前後の半円形の石を積み上げて造られており、石製の明り取りの窓も設けられ、室内に光が降り注ぎました。

311

ティワナク
ティワナク文化の宗教的・政治的中心地

所在地 ボリビア多民族国ラパス県

登録基準 文化遺産／2000年／③④

謎の神ビラコチャの像が佇むティワナク遺跡。

誰が建てたのかわからない壮大な遺跡

標高3850mという高地にあるティワナク遺跡の文明は、のちのインカ文明に大きな影響を与えたと考えられています。

紀元1世紀には、15㎞離れたチチカカ湖から水路で水を引くほど高度な灌漑技術を持っていました。全盛期は6〜10世紀頃。アカパナと呼ばれる高さ18mの階段状ピラミッド、約130㎡の広場カラササヤ、180もの顔面彫刻がはめ込まれた半地下神殿といった当時の建造物が残っており、高度な石造技術を持っていたことがわかります。ところが、この文明の担い手が、どんな民族だったのかが全くわかっていません。

ティワナク遺跡は、長い間石切り場とされていたため、石が持ち出されて損壊が激しく、16世紀にスペイン人がやって来たときはすでに廃墟となっていました。現地のインディオの間でも、「ずっと昔からあって、大洪水ののち、白い神ビラコチャが来て造った」という言い伝えがあるだけ。「太陽の門」と呼ばれる石造りの門には立派な髭の人物が刻まれていますが、インディオにはこれほどの髭は生えないと言い、誰が建てた遺跡なのか謎に包まれたままです。

もっと知りたい！ 一帯では、円柱形の人間をかたどった高さ1.5〜1.7mの石像がたくさん出土しています。カラササヤで発掘された像は、高さが3mほどもあり、両手には祭祀用と思しき杖と器を持っています。考古学者の名前からポンセ像と名づけられました。

本日のテーマ 自然の不思議と驚異の技術を学ぶ！

11月7日

312

南ラグーンのロックアイランド群

所在地 パラオ共和国コロール州

登録基準 複合遺産／2012年／③⑤⑦⑨⑩

太平洋に浮かぶ不思議な島々として知られるロックアイランド。

ロックアイランドの不思議な生態系

ミクロネシアの最南端にあるパラオ共和国を代表する自然であるロックアイランドは、コロール島とペリリュー島の間にある300近くの大小の島々の総称です。

これらの島々は火山活動で古代のサンゴ礁が隆起してできた石灰岩から形成されていますが、そのほとんどがなぜかキノコ型をしています。

これは雨水などで足元の水面部分が長い歳月をかけて侵食され、変形したため。その島々の周りに浅瀬が広がる景観は、まさに太古の自然の営みの現われなのです。

現在、ロックアイランドは絶好のダイビングスポットとして有名です。とくにジェリーフィッシュレイクは、クラゲと泳げるダイビングスポットとして知られています。クラゲと聞くと毒が心配ですが、ここのクラゲは外の海と隔絶されたことで毒が弱まるという独自の進化を遂げたため、人間が一緒に泳ぐことができるのです。

もっと知りたい！ パラオは戦前、日本の信託統治領の南洋群島でした。そのため「デンワ（電話）」など、パラオ語になった日本語もあります。その時代、ロックアイランドは日本人に「パラオ松島」と呼ばれていました。ロックアイランド周辺には、太平洋戦争中に沈没した船や飛行機、トーチカなどの戦争の遺構も残されています。

本日のテーマ ドラマを味わう!

11月8日

313

アランフェスの文化的景観

所在地 スペイン王国マドリード州

登録基準 文化遺産／2001年／②④

アランフェスの離宮。宮殿内には300余りの部屋があり、白い陶磁器のタイルで壁や天井が覆われた「陶磁器の間」、イスラーム風の装飾の「アラブの間」などが、ひときわ美しさを放っています。

ヴェルサイユに憧れたブルボン王家によるスペインの王宮

ギターの調べが美しい「アランフェス協奏曲」で知られるのが、スペインのほぼ中央、首都マドリードから南に40kmほど行ったところに位置する古都アランフェスです。スペイン王家はこの土地を気に入って夏の離宮を建てました。

離宮の建築は1561年に始まり、改修と増築が繰り返されました。ヴェルサイユ宮殿のようにしようと飾り立てたのが、1700年に王位についたフェリペ5世です。フランス国王ルイ14世の孫に当たる、ブルボン家出身で、ヴェルサイユ宮殿で生まれたフェリペ5世は、祖母マリー・テレーズを介してスペイン王家の血をも引いていたことからマドリード入りして王位を継ぎました。しかし、スペイン語を話せないまま、終生フランスに未練を抱き続けていたとも伝えられます。

以後のスペイン王たちもブルボン家出身だったので、フランスのヴェルサイユ宮殿を模して改修を続けました。その結果、離宮はヴェルサイユ宮殿によく似た姿になったのです。

もっと知りたい! 庭園ではいたるところに泉がわき、噴水が涼しげな音を響かせています。庭園は美しいだけでなく、かつては王室の農業試験場でもありました。世界中のスペイン植民地から送られてきた珍しい植物が、ここで栽培されていたのです。

本日のテーマ ゆかりの人物に出会う！

11月9日

レプティス・マグナの古代遺跡

314

所在地 リビア国ムブグブ県

登録基準 文化遺産／1982年／②④⑤（危機遺産）

レプティス・マグナのセウェルス帝凱旋門。セウェルス帝は同地を出身地とする軍事皇帝で、レプティス・マグナの大改築行ないました。

砂に埋もれた北アフリカ最大の植民地から登場した軍人皇帝の野望

リビアの首都トリポリの東130kmに残るレプティス・マグナは、古代ローマ時代に繁栄した都市遺跡です。とくに2世紀末から3世紀初頭のローマ皇帝セプティミウス・セウェルスの時代に栄えました。

もとはフェニキア人が築いた都市でしたが、カルタゴの支配を経て、紀元前146年の第三次ポエニ戦争終結後、ローマの属領になりました。セプティミウス・セウェルスは、ローマ皇帝に即位すると出身地である同地を保護し、ローマの都市計画に準じた大規模な町を建設します。

まず市街から南に大きく町を拡大。道路を拡張して町を格子状に広げ、最新鋭の港から装飾が施された列柱つきの大街路を建設します。そして北アフリカの地にローマの街並みのような壮麗な都市を出現させたのです。

このレプティス・マグナは皇帝の庇護を受けてイタリアの諸都市と同じように扱われ、自治権も持っていました。貨幣の鋳造権やフェニキア語の使用も認められるなど、自由市としての繁栄を謳歌しました。

もっと知りたい！ 繁栄したレプティス・マグナでしたが、5世紀にゲルマン民族のヴァンダル人の襲来を受けます。住民が虐殺されて町は破壊され、皇帝ゆかりの建物も壊されました。その後はヴァンダル人を倒したビザンツ帝国の支配下に入り復興しましたが、アラブの勢力下で衰退していきました。

本日のテーマ 暮らし・文化に触れる!

11月10日

ドロットニングホルムの王領地

315

所在地 スウェーデン王国ストックホルム県ローベン島

登録基準 文化遺産／1991年／④

ウルリカ王妃の改築によってドロットニングホルム宮殿はスウェーデン文化の中心となり、多くの知識人や芸術家が集まって議論を戦わせ、華やかな社交の場ともなりました。

スウェーデン王国の栄華を刻む北方のヴェルサイユ

首都ストックホルムから西に20km、スウェーデン王家の夏の離宮として建てられたのがドロットニングホルム宮殿です。

始まりは、16世紀後半の国王ヨハン3世が王妃のために築いた離宮でした。17世紀後半に火災で失われてしまったのですが、カール10世の王妃だったヘドヴィーク・エレオノーラは、スウェーデンを代表する建築家のテッシン父子に再建を依頼。父子により、「北方のヴェルサイユ」と呼ばれるバロック様式の宮殿と庭園が完成したのです。

18世後半には、アドルフ・フレデリック王の王妃ロヴィーザ・ウルリカが改築を加えて内装をロココ様式にしました。ウルリカ王妃は芸術に造詣が深く、当時のヨーロッパでブームだった中国の陶磁器や絹織物を製作するための「カントンのアトリエ」を設け、フランスから職人たちを呼び寄せました。ギャラリーや図書室も開き、庭園には中国風あずま屋や宮殿劇場を建てました。ちなみにドロットニングホルムとは「王妃の小島」を意味していますが、その名が示すように、王妃たちに愛され、改築と増築が繰り返されてきた宮殿なのです。

もっと知りたい! 1981年、それまでストックホルム市の王宮で暮らしていたスウェーデン王家は、ドロットニングホルムに引っ越しました。以来、国王は自ら車を運転してストックホルムに通い、執務を行っています。

316

コンシェルジュリー（パリのセーヌ河岸）

所在地 フランス共和国パリ県

登録基準 文化遺産／1991年／①②④

コンシェルジュリーは牢獄としても使われました。

マリー・アントワネットも収監された恐怖政治の監獄

18世紀後半、貴族の浪費と戦費の増大によってフランスの国家財政は破綻寸前に追い込まれます。そのツケを重税によって払わされた庶民は困窮し、国王や政府への不満を高めていました。政府はこの事態を打開するため三部会を開きますが、市民代表の議員が憲法制定を要求して弾圧されると、1789年に激怒したパリ市民が、バスティーユ牢獄を襲撃。こうしてフランス革命が始まったのです。憲法の制定を経て、ルイ16世の処刑後、急進的共和派のジャコバン派が政権を握り、反対派を次々と断頭台へ送る恐怖政治を行ないました。

この時期、処刑を待つ人が収監されたのが、セーヌ河岸にあるコンシェルジュリーです。14世紀建築の尖塔の屋根が美しいゴシック様式の宮殿ですが、革命法廷が開かれる一方で牢獄としても使われました。1793年からの2年間に約2700人がここで死刑判決を受け、牢獄で処刑までの日々を送っています。中には王妃マリー・アントワネットもいました。貧しい囚人は大広間に押し込められましたが、マリー・アントワネットは個室で厳しい監視下に置かれ、処刑までの76日間を過ごしました。

もっと知りたい！ 18世紀に「ルイ15世広場」として造られたコンコルド広場は、フランス革命時には広場に断頭台が置かれ、1000人以上もの貴族や庶民が処刑されました。その中には、ルイ16世や王妃マリー・アントワネットもいました。1830年の七月革命後、「コンコルド広場」となり、中央にはエジプトのオベリスク、両脇には噴水が加えられました。

本日のテーマ 伝説に浸る！

11月12日

ヴィースの巡礼教会

317

所在地 ドイツ連邦共和国バイエルン州

登録基準 文化遺産／1983年／①③

ヴィース巡礼教会の外観は地味ですが、内装は豪華な造りになっています。

涙を流す奇跡が伝えられる木彫りのキリスト像を祀る聖堂

18世紀、ドイツ南部のヴィース村で、ある奇跡をきっかけに、ロココ様式の「ヴィース巡礼教会」が建てられました。

農婦のマリアが埃だらけの「鞭うたれるキリスト像」の木像をもらい受けて祈りを捧げていたところ、数か月後にキリスト像が涙を流したそうです。この奇跡が「ヴィース涙の奇跡」として各地に広まると、巡礼者が殺到したため、礼拝堂が造られました。

やがて巡礼聖堂が建てられることになり、建築家のツィンマーマンが1746年に改築工事を始め、11年かけて奇跡にふさわしい聖堂を造り上げたのです。

聖堂内部は、柱と窓を巧みに配して多方向から光が降り注ぎ、荘厳さを醸し出しています。光に誘われるように目を天井に向けると、「天から降ってきた宝石箱」とたとえられるほどの繊細な装飾が夢幻の世界へと導きます。

このヴィース巡礼教会には、そうした壮麗な世界をひと目見ようと、今も年間100万人以上の巡礼者が訪れています。

もっと知りたい！ ヴィース巡礼教会を建てたのは、多くの修道院を建築し、ドイツ・ロココの完成者とも言われる建築家のドミニクス・ツィンマーマン。弟で画家のヨハン・バプティスト・ツィンマーマンも見事なフレスコ画を描いて協力しました。ドミニクスはこの教会に愛情を注ぎ、完成後、この教会近くに移住して教会を見守り続けたそうです。

本日のテーマ　謎と不思議を愉しむ！

11月13日

318 国立歴史公園 - シタデル、サン・スーシ、ラミエ

所在地　ハイチ共和国北部

登録基準　文化遺産／1982年／④⑥

現在は廃墟となっているハイチのサン・スーシ宮殿。

ハイチ独立の象徴が廃墟になった理由

カリブ海に浮かぶイスパニョーラ島の西側は、かつてフランスの植民地でした。1791年、プランテーションで労働を強いられていた黒人奴隷たちが反乱を起こし、1804年にはハイチという国名で独立、世界初の黒人共和国を誕生させたのです。

ところが、独立の指導者たちは独裁政治を展開。1811年に王となったクリストフは、自らをアンリ1世と称して人々を強制労働に駆り立て、壮大な城塞と宮殿を建てたのです。

フランスの報復を恐れて築いた城塞シタデルは、標高970mの山の頂で、高さ50m、厚さ5mの壁を巡らし、1万人の兵士が2か月も籠城できる巨大さです。完成まで13年かかり、20万人が動員され、そのうち2万人が建設途中に命を落としたと言います。

クリストフが自分の居城としたのが、ベルサイユ宮殿を模したというサン・スーシ宮殿。バロック式の豪華な建築で、内装には大理石をふんだんに用い、フランス製のタペストリーが飾られました。しかし、人々の怒りは大きく、それに脅えたクリストフは自ら命を断ちました。宮殿は1842年の地震で大破し、再建の計画もないまま、廃墟となっているのです。

もっと知りたい！　シタデルの城壁にはフランス軍から奪った200門もの大砲が据えられ、膨大な量の砲弾が積み上げられていますが、一度も実戦の舞台にならないまま放置されています。

自然の不思議と驚異の技術を学ぶ！

11月14日

歴史的城壁都市クエンカ

319

所在地 スペイン王国カスティーリャ・ラ・マンチャ州

登録基準 文化遺産／1996年／②⑤

木造のバルコニーが崖の上からせり出したクエンカの「不安定な家」。

イスラーム教徒からキリスト教徒へ受け継がれた要塞都市

多くの宗教建築が建ち並ぶ景観と、川沿いの断崖の上に建つ「宙づりの家」が異世界のような雰囲気を醸し出すスペイン中東部の城壁都市クエンカ。

この町の歴史は、8世紀にイベリア半島を制圧したイスラーム教徒が、9世紀に石灰岩の岩山の頂上に要塞を築き、その周辺に町を造ったことから始まります。その後はイスラーム王朝の後ウマイヤ王朝の拠点として機能していましたが、12世紀にキリスト教徒がクエンカを奪取。司教座を置き、カスティーリャ王国の要地となりました。このとき、キリスト教徒は町を破壊せずにそのまま受け継いで、キリスト教のゴシック様式の大聖堂や修道院を築いたため、イスラーム文化とキリスト教文化が混在する町となったのです。

やがて町の発展に伴い人口が増えると、狭い土地を活用するため川沿いの断崖に高層住居がひしめく不思議な景観が生まれます。なかでも14世紀に建てられた「宙づりの家」は、木造のバルコニーが崖からせり出して宙に浮いているかのようです。今にも落下しそうなことから「不安定な家」とも呼ばれています。

もっと知りたい！ 断崖にへばりつくようにして建つ「宙づりの家」は、14世紀に住居として建設され、16世紀に再建されたものが現存しています。18世紀まで市庁舎として使われていました。なお、ベランダは20世紀に増築されたものです。現在、建物内部は抽象芸術美術館となっており、不思議な世界を体験できます。

プランバナン寺院遺跡群

320

所在地 インドネシア共和国ジョグジャカルタ特別州

登録基準 文化遺産／1991年／①④

シカラが並んでそびえるプランバナン寺院群。その中心は高さ47mの尖塔を持つシヴァ神を祀るシヴァ堂です。

ジャワ中部最大のヒンドゥー教寺院群

ジャワ島中部に位置するプランバナンでは、ヒンドゥー教と仏教の王朝が混在した歴史を見ることができます。

9世紀に建てられたプランバナン寺院は、別名「ロロ・ジョングラン」と言います。これは「すらりとした姫」という意味です。

この寺院には、王と王妃の逸話が残されています。仏教国シャイレンドラ朝の姫が、ヒンドゥー教国マタラム国のピカタン王に嫁ぎました。その後、シャイレンドラ朝の王が没するとピカタン王がジャワ中部一帯を手に入れますが、王は仏教を排斥することなく、プランバナン寺院に仏教の装飾を採り入れ、妻への思いを表したというのです。

プランバナン寺院の中心に建つシヴァ堂の尖塔には、ヒンドゥー教のシヴァ神の象徴であるリンガ（男根像）とともに、仏教の釣り鐘形の飾りが取り付けられています。左右には、ブラフマー神とヴィシュヌ神を祀った堂があり、シヴァ堂外側の回廊には、古代インドの叙事詩『ラーマーヤナ』の場面を刻んだレリーフ42面が飾られています。

もっと知りたい! 『ラーマーヤナ』は、ヴィシュヌ神の化身でコーサラ国の第一王子として生まれたラーマが、陰謀によって国を追われるも、苦難の末に魔王を倒して王位につくという、恋あり冒険ありの長い物語です。インドや東南アジア諸国の芸術に、強い影響を与えています。

本日のテーマ　ゆかりの人物に出会う！

11月16日

ウィーン歴史地区

所在地　オーストリア共和国ウィーン1区
登録基準　文化遺産／2001年／②④⑥

1722年、オイゲン公によって建設されたベルヴェデーレ宮殿。現在は19～20世紀の美術品を展示する美術館となっています。

リングシュトラーセと芸術の都に刻まれたハプスブルク家栄華の跡

ウィーンは、中世末期から近世にかけて神聖ローマ皇帝位を独占したヨーロッパの名門ハプスブルク家の本拠として栄華を極めました。ハプスブルク家はスイスとアルザス地方の貴族でしたが、13世紀にドイツ国王に選ばれるとウィーンを占領。ここからハプスブルク王朝の歴史が始まります。

15世紀に帝位を独占したハプスブルク家の国家は16世紀、婚姻政策によって、ボヘミア、ハンガリー、ネーデルランド、スペインを領有する一大帝国へと成長。その都ウィーンはヨーロッパの政治・文化の中心にして芸術の都としても栄えました。

中世の栄華が輝く街並みは、19世紀のフランツ1世の都市計画により一変します。オスマン帝国の攻撃を耐え抜いた城壁を撤去して環状道路のリングシュトラーセが建設され、その道路沿いにルネサンスの国立歌劇場、古代ギリシャ建築の国会議事堂などが次々と建てられました。ウィーンは、中世のゴシック建築のザンクト＝シュテファン聖堂、バロック建築のシェーンブルン宮殿などとも併せて、西欧の建築様式が一堂に会した都市へと変貌したのです。

もっと知りたい！　リングシュトラーセには、ほかにも甲冑の騎士像がシンボルのネオ・ゴシック様式の市庁舎、ネオ・ルネサンス様式の自然史博物館、ネオ・ルネサンスやネオ・バロック様式などが混在するブルク劇場、700年にわたり増築が続いたハブスブルグ家の王宮など、豪奢な建物が建ち並んでいます。

本日のテーマ 暮らし・文化に触れる！

11月17日

インドの山岳鉄道群

322

所在地 インド共和国西ベンガル州

登録基準 文化遺産／1999年、2005年～2008年／②④

ダージリン・ヒマラヤ鉄道は、レール幅がわずか61㎝しかなく、車体も急カーブを登るため小さく作られています。まるでおもちゃのように見えることから、「トイ・トレイン」と呼ばれて親しまれています。

紅茶の里の発展を支えたダージリン・ヒマラヤ鉄道

全長はおよそ90㎞と短いのに、標高差は2000mもある路線を走っているのがダージリン・ヒマラヤ鉄道です。始発駅は平地にあるニュー・ジャルパイグリで、終着駅は標高2100mのダージリン。途中には標高2257mのグーム駅もあります。

この鉄道の最初の区間が開通したのは、インドがイギリスの植民地だった1880年のこと。イギリス人は、ダージリンで生産される紅茶を運ぶために、また避暑地としても人気あるダージリンに行くために、最新技術を投入して鉄道を敷いたのです。

始発駅から終着駅までの90㎞は、ループ線やスイッチバックを駆使して急勾配をゆっくり登るので、およそ5時間かかります。それでもこの鉄道の技術は、その後の世界の山岳鉄道敷設の手本となり、インド独立後の鉄道敷設にも貢献しました。

ニルギリ鉄道は全長46㎞で標高差1880m、カールカ＝シムラー鉄道は全長96㎞で標高差1420mを結んでいます。いずれも都会と避暑地を結ぶ路線でしたから、車窓からは壮大な眺めを楽しむことができます。

もっと知りたい！ インドの山岳鉄道群は、当初ダージリン・ヒマラヤ鉄道のみの登録でしたが、2005年にニルギリ鉄道が、2008年にカールカ＝シムラー鉄道が拡大登録されました。

本日のテーマ 歴史を知る！

11月18日

323

シェーンブルン宮殿と庭園群

所在地 オーストリア共和国ウィーン市

登録基準 文化遺産／1996年／①④

この宮殿でウィーン会議が開かれ、ウィーン体制が確立しました。

ウィーン会議の舞台となった豪壮なバロック宮殿

ウィーンにあるシェーンブルン宮殿は、18世紀のオーストリア女帝マリア・テレジアの居館です。元は17世紀末、神聖ローマ皇帝がヴェルサイユ宮殿を模して建設した小さな夏の離宮でしたが、マリア・テレジアが1400もの部屋がある壮麗な宮殿へと改築し、居館としました。

外観はイエローの荘厳なバロック様式、内部は花や貝などを装飾した優美なロココ様式でまとめています。庭園群も見事です。マリア・テレジア以降の当主も増改築を行ない、紫檀が使われた豪華な「百万の間」や大鏡をはめた「大ギャラリーの間」などを建設。こうしてシェーンブルン宮殿はハプスブルク家の栄華を象徴する建物となりました。

この宮殿はしばしば世界史の舞台にもなり、1814年には、「大ギャラリーの間」でナポレオン失脚後のヨーロッパの領土分割を話し合うウィーン会議が開かれました。会議は各国の利害が対立して話が進まない一方、舞踏会三昧だったため、「会議は踊る、されど進まず」という言葉も生まれました。ところが、ナポレオンがエルバ島を脱出したとの報が届くと、各国が保守反動をもって協調するウィーン体制がまとまったのです。

もっと知りたい！ シェーンブルン宮殿は庭園の見事さでも有名です。宮殿の周囲、特に背後には広大な庭園が広がっており、花壇を中心にアーケードや植え込み、世界最古の動物園や大温室、大理石のギリシャの神像が美しいネプチューン噴水やバラ園などが美しく配置されています。1757年の戦勝記念堂である柱廊建築のグロリエッテも見どころのひとつです。

本日のテーマ 伝説に浸る！

カディーシャ渓谷（聖なる谷）と神の杉の森（ホルシュ・アルツ・エルーラーブ）

324

所在地 レバノン共和国北部

登録基準 文化遺産／1998年／③④

カディーシャ渓谷の全景。長年、レバノン杉を供給し続けてきました。

ソロモンの繁栄を支えたレバノン杉

古来、レバノン山脈一帯にあるカディーシャ渓谷は、レバノン杉の供給地として重宝されてきました。レバノン杉は、聖書では「香柏」と呼ばれ、耐久性に優れていることから建材や船の資材として珍重され、エルサレムのソロモン王やダビデはこの杉を取り寄せて神殿や宮殿を造営したと言われています。

エジプトでは「太陽の船」の資材にもなりました。

また、カディーシャ渓谷を支配していたフェニキア人は、このレバノン杉をティールの港から船積みして各地へ送り出し、莫大な富を得たと言われています。

このようにメソポタミアの繁栄を支えたレバノン杉ですが、数千年にわたって伐採されたため、今では高地に1200本ほどが残るのみ。そのうちの375本がカディーシャ渓谷の神の杉の森に自生しています。樹齢1200〜2000年を超えるレバノン杉の巨木の群生は天然記念物として保存され、伐採は禁止されています。

この森は、一帯の修道院群とともに世界遺産に登録されました。

もっと知りたい！ カディーシャ渓谷は「聖なる谷」と呼ばれ、岩山には修道院群が建ち並んでいます。初期キリスト教の修道僧の修行地で、洞窟や岩を掘って修道院が造られました。中世にはマロン派やネストリウス派の修道僧の隠遁所となり、修道院も増築されます。12世紀に造られたダイル・コズハヤ修道院には、現在も修道士が暮らしています。

本日のテーマ 謎と不思議を愉しむ！

11月20日

325

エカテリーナ宮殿（サンクト・ペテルブルグ歴史地区と関連建造物群）

所在地 ロシア連邦サンクトペテルブルグ連邦直轄地

登録基準 文化遺産／1990年／①②④⑥

華麗な装飾に彩られたエカテリーナ宮殿。現在の「琥珀の間」は、再建されたものです。

エカテリーナ宮殿の至宝「琥珀の間」はどこへ消えた？

帝政ロシアのピョートル大帝が、西ヨーロッパ諸国に肩を並べる都をと建設したのがサンクト・ペテルブルグ。この都市において、エルミタージュ美術館となった冬宮と並び、この街の象徴となっているのがエカテリーナ宮殿（夏宮）です。

第2次世界大戦中、この宮殿から奪われた「琥珀の間」の行方は現在でも謎のままです。「琥珀の間」は、壁だけで6tもの琥珀が使われているまばゆいばかりの部屋。これを侵攻してきたドイツ軍が解体して持ち帰り、ケーニヒスベルク城に再現したのですが、その後、忽然と姿を消してしまったのです。

ソ連の捜索にもかかわらす所在は不明で、戦後になっても関係者や調査にあたっていた人物が次々に不審な死を遂げるなど、アンタチャブルな存在となっています。

結局、エカテリーナ宮殿では1979年から「琥珀の間」の再建が進められ、2003年には完了しました。ですが、本来の「琥珀の間」は消えたままで、今も美術愛好家たちの関心を引きつけてやみません。

もっと知りたい！ エカテリーナ宮殿は、ピョートル大帝の皇妃エカテリーナのために建てられました。のちに啓蒙専制君主として君臨する女帝エカテリーナ2世は別人ですが、エカテリーナ2世はここでの暮らしを気にいって多くの時間を過ごしました。日本から漂着した大黒屋光大夫がエカテリーナ2世に謁見して帰国を願い出たのもこの宮殿です。

326

グレーター・ブルー・マウンテンズ地域

所在地 オーストラリア連邦ニューサウスウェールズ州

登録基準 自然遺産／2000年／⑨⑩

グレーター・ブルー・マウンテンズのシンボル的存在である「スリー・シスターズ」。

ユーカリの木の油で大気も青くかすむ大森林

オーストラリアのシドニー郊外に広がる「グレーター・ブルー・マウンテンズ地域」は、標高1300m級の山々を中心に、大滝、古代の洞窟、峡谷など、太古の地球の姿を留めた山岳地帯です。

深い渓谷を埋め尽くすのは、オーストラリアで有名なユーカリの森。全世界の約13%に相当する90種以上の多様なユーカリの森が103万haも広がっています。グレーター・ブルー・マウンテンズと名づけられたのは、油分を多く含むユーカリが発する木の油によって、大気が青くかすんだためと言われるのも納得の巨大な森です。

このグレーター・ブルー・マウンテンズのシンボル的存在が、「スリー・シスターズ」と呼ばれる3つの岩の塔。3人姉妹が魔王から逃れるために祈祷師に頼んで岩に姿を変えて難を逃れましたが、祈祷師が殺されてしまったため姉妹は人間に戻ることができず、岩（スリー・シスターズ）が残ったというアボリジニの伝説が残されています。ここから眼下に広がる大渓谷の絶景は見どころのひとつです。

もっと知りたい! 1994年、この地で歴史的大発見がありました。化石から1億年以上前のゴンドワナ大陸時代に生息し、すでに絶滅したとみられていた樹木が発見されたのです。この樹木は「ウォレミマツ」と名付けられました。正確な生息地は公表されていませんが、繁殖させた木が販売されるなど、現代に蘇っています。

本日のテーマ ドラマを味わう!

11月22日

コーンウォールとウェストデヴォンの鉱山景観

327

所在地 英国イングランド コーンウォール州、デヴォン州

登録基準 文化遺産／2006年／②③④

コーンウォールの鉱山はすべて閉山されましたが、広い草原のあちこちにかつての地下鉱山、エンジン・ハウス、鋳造所、港湾などが点在し、かつての活気を伝えています。

ヨーロッパの鉱山業を一変させた技術革新の跡

イギリスの南西部の端に位置するコーンウォール州とデヴォン州西部は、産業革命の時代に鉱業の発展に大きく貢献しました。最先端の鉱山技術によって銅や錫の採掘を行い、採掘量を飛躍的に増大させたのです。

それまで不可能だった地下深部や堅い岩盤での採掘を行うビーム・エンジン、地下水の汲み上げに用いる動力施設エンジン・ハウス、蒸気を利用した掘削機械などを駆使して、19世紀初頭には世界で供給される銅の3分の2をこの地で産出していました。その銅がイギリスの鉱業のみならず、工業生産全体を押し上げたのです。

しかし、19世紀後半に銅の大暴落が起こり、採掘は錫が中心となって、やがてこの地域の鉱業は衰退していきます。

それでも、ここで知識と技術を身につけた技師たちは世界中の鉱山に移り住み、鉱業のあり方を近代化させていました。

もっと知りたい！ 産業革命では、大量の原材料や製品を運ぶ必要が生じました。そこに出現したのが、蒸気船と蒸気機関車です。それまで存在していなかった鉄道の建設は、有利な投機対象でもありました。鉄道ブームはイギリスからヨーロッパ、そして全世界に広がり、各国の首都と地方を結びつけることとなりました。

リマ歴史地区

328

所在地 ペルー共和国リマ郡
登録基準 文化遺産／1988年、1991年／④

リマ旧市街の中心地アルマス広場と大聖堂。1535年に起工されたペルーで最も古い大聖堂のひとつです。

インカを征服したコンキスタドール、フランシスコ・ピサロ

ペルーの首都リマは、コンキスタドール（征服者）のフランシスコ・ピサロが造った街です。スペイン人のピサロは無学でしたが、新大陸を征服して大金持ちになりたいという野心が人一倍強く、自らスペイン王に願い出て南米大陸に渡ります。そして、1533年に策略を使ってインカ帝国の皇帝アタワルパを殺害し、インカ帝国を滅亡させました。

1535年、ピサロはスペイン本国への輸送が便利な太平洋沿岸の地を選び、植民地支配のための街を建設します。それがリマでした。ピサロは母国の都市マドリードをモデルに、アルマス広場と聖堂を中心に、その周辺にコロニアル建築を建設していきました。

その後、リマはスペインの副王領の首都となり、南米のスペイン植民地の中心として繁栄を誇ります。一方ピサロは、植民地の支配を巡る対立から、1541年、同じスペイン人によって暗殺されてしまいました。

当時のピサロは国王の支持を失っていたため埋葬も許されず、自らが礎石を置いて街建設の一歩を記したとされる大聖堂に、ミイラとなって並べられています。

もっと知りたい！ リマの見どころと言えば、南米のコロニアル建築でも秀逸とされる1574年完成のサン・フランシスコ修道院があります。吹き抜けのドーム型天井に施されたイスラーム風の彫刻や中庭の回廊のタイル装飾は見事です。地下にはカタコンベと呼ばれる共同墓地があり、7万人とも言われる一般市民の頭蓋骨が並んでいます。

本日のテーマ 暮らし・文化に触れる！

11月24日

329

中世市場都市プロヴァン

所在地 フランス共和国セーヌ・エ・マルヌ県

登録基準 文化遺産／2001年／②④

大市で賑わった中世の雰囲気を伝えるプロヴァンの城壁。

中世に大市が定期的に開かれた市場都市

まるで国際見本市のような大規模な交易市が開かれ、活況を呈していたのがプロヴァンの街です。ワインの買いつけに由来するという市は、シャンパーニュ伯が領主となってからぐっと大規模になりました。ここは河川に囲まれて交通の便がよく、イタリア商人が活躍する地中海商業圏と、ハンザ同盟を主とする北欧商業圏を結ぶ位置にあります。

シャンパーニュ伯が市場を保護し、定期的に市が立つように調整すると、ヨーロッパ中の商人がやってきました。取り引きされる品は、香辛料や宝石、絹織物といった奢侈品から、毛織物や毛皮、なめし革などの実用品、さらには生活必需品にまで及び、庶民や大道芸人も集まりした。最盛期には、シャンパーニュをはじめ近隣の4都市の持ち回りで大市が開かれ、1回あたり40〜50日間で年6回と、ほぼ1年を通して市が立っていたのです。

街には大市が初めて開かれた広場に面したサン・タユール教会、高台に立つ繁栄の象徴セザール塔、商館、城壁など、石造りのどっしりした建築物が多く残り、中世の雰囲気を今に伝えています。

もっと知りたい！ 市の売上には税がかかり、店を出す賃貸料、宿代、馬小屋の使用料なども必要で、これらはシャンパーニュ伯、司教、公証人、計量官らの収入となりました。シャンパーニュ伯は、戦争するより市を開くほうが儲かると考えていたようです。商人たちには、自分の身と商品の安全が守られ、商売上のトラブルも避けられるというメリットがありました。

本日のテーマ 歴史を知る！

11月25日

330

デリーのフマユーン廟

所在地 インド共和国デリー連邦直轄市

登録基準 文化遺産／1993年／②④

インドの伝統様式とペルシア様式が混在するフマユーン廟。

シパーピーの乱に乗じたムガル皇帝が捕らえられた帝国終焉の場

インドのデリーにあるフマユーン廟は、尖塔形のアーチが印象的なインドで初のイスラーム廟で、ムガル帝国初期の最高峰とも称される建築です。

ファサードに赤砂岩に白い大理石を合わせたインドの伝統様式を用いる一方で、総大理石の白い中央の大ドームといったペルシア様式を取り入れています。ムガル帝国第2代フマユーンを埋葬するため、王妃ハージ・ベクムが9年の歳月をかけて1570年に完成させました。

ムガル帝国初期の栄光を物語るフマユーン廟は、のちにムガル帝国の最後を期す場所にもなりました。

18世紀以降、イギリスがインドの植民地化を進めるなか、1857年にイギリス東インド会社のインド人傭兵（シパーピー）らが扱いに不満を抱き、デリーでムガル皇帝を擁立してイギリスに反乱を起こします。反乱は旧支配層から農民にまで拡大しますが、イギリス軍が鎮圧に乗り出し、皇帝がフマユーン廟の中で捕らえられて終息。皇帝が追放されてムガル帝国は崩壊し、インドはイギリスの植民地になったのです。

もっと知りたい！ フマユーン廟の中央ドームは、外側の屋根と内側の天井をそれぞれ独立させた二重構造になっています。これにより外観をより大きく見せることに成功しています。周囲に広がる庭園は、「田」の字に区切られた正方形の四分庭園。インドで初めて取り入れられたペルシアの様式の庭園方式です。

エトナ山

所在地　イタリア共和国シチリア州

登録基準　自然遺産／2013年／⑧

ギリシャ神話では、エトナ山の噴火は怪物の怒りの火だとされています。

怪物テュポンが封印されたと伝わる活火山

ヨーロッパ最大の活火山とされるイタリアのシチリア島にそびえるエトナ山。山頂部には今も活動を続けるボッカ・ヌオーバ、ボラジネ、北東火口、南東火口の4つの火口があり、その直径は200〜250mを誇ります。

30〜15万年前に噴火して以降、何度も噴火を繰り返した結果、楯状火山やその頂部に成層火山群が造られました。とくに1669年の噴火は有名で、流れ出た溶岩がカターニア市の市街地を破壊したほどです。その後も火山活動は活発で、ここ40年は2年に1度のペースで噴火が起きています。

ギリシャ神話では、エトナ山の噴火をある怪物の活動と考えました。オリュンポスの神々とガイアの子である怪物テュポンとの間で戦いが起こりました。頭は天に届き、羽は東西の端に届くという巨大で獰猛なテュポンに神々は苦戦しますが、最高神ゼウスがエトナ山をテュポンに投げつけ、山の下に閉じ込めます。今でもエトナ山にはテュポンが封印されており、噴火はテュポンの吐く火だとされているのです。

もっと知りたい！　1992年の噴火では、溶岩流の人工的な制御に初めて成功しています。溶岩流は、堤防を築いて足止めしましたが、溶岩流はじきに堤防を破って街に迫りました。そこで、上流に人工の流路を作り、溶岩堤防を爆破して溶岩を安全な方向へと導いたのです。その結果、溶岩流は街に到達せず、新たに溶岩流に覆われたのは約2kmのみでした。

332

恐竜州立自然公園

所在地　カナダ連邦アルバータ州

登録基準　自然遺産／1979年／⑦⑧

恐竜が闊歩していた約7500万年前の地層がむき出しになったバッドランド。恐竜の化石を含む地層は世界一の規模を誇ります。

恐竜の化石が次々発見されるのには理由があります

レッド・ディアー川の渓谷で「バッドランド」と呼ばれる一帯からは、恐竜の化石が次々と発見されています。1884年、この地で白亜紀の恐竜の化石が発見され、学界の注目を浴びたのを皮切りに、その後も恐竜の化石の出土が続いています。

深い溝が無数に走る断崖、尖った岩や一枚岩が連なるバッドランドは、氷河と氷河が溶けた水によって地層が侵食されてできた土地。荒涼たる不毛の地ゆえに「悪い土地」と呼ばれてきましたが、これが化石の発見には好条件となりました。

渓谷の断崖部分にはほとんど植物が生えておらず、多くの恐竜が生息していた中生代白亜紀にあたる約7500万年前の地層がむき出しになっているのです。これまで25種以上、60体ほどの恐竜の骨や痕跡が見つかったのも、バッドランドだからこそです。

しかし、あまりにも有名になってしまったため、各国の研究者や博物館がここで化石の発掘を始め、売買もさかんに行われるようになりました。そのため、1955年には一帯が州立公園に指定され、現在は発掘や調査もその管理下で行なわれています。

もっと知りたい！　かつては州立自然公園で発掘された化石も、トロントやオタワなどの大都市に運ばれ、そこで研究や展示がされてきました。しかし、1985年にロイヤル・ティレル古生物博物館が開館し、地元での保存や研究、展示ができるようになりました。

333

グヌン・ムル国立公園

所在地 マレーシア　サラワク州（ボルネオ島）

登録基準 自然遺産／2000年／⑦⑧⑨⑩

マダガスカルのツィンギのような景観が広がるグヌン・ムル国立公園のカルスト台地。

前人未踏の洞窟に大量のコウモリが生息するカルスト地帯

赤道直下のボルネオ島北部に位置するグヌン・ムル国立公園は標高2371mのムル山を含むカルスト地形。熱帯雨林のジャングルに囲まれた大小の洞窟群が無数に点在していることでも有名です。そのうちの60%の洞窟が、人類がいまだ足を踏み入れたことのない未開の地という秘境です。

一方で入口の大きさが世界最長と言われるディア・ケイブは、奥行600m、幅415m、高さ80mという世界最大級の洞窟で、大規模な鍾乳石もみられるサラワク洞窟、全長110kmにおよぶ長い洞窟、石筍の美しい洞窟など、異彩を放つ洞窟がいくつも発見されています。

また、洞窟と言えばコウモリですが、これらの洞窟にも多くのコウモリが棲み付いています。とくにディア・ケイブには数百万という大量のコウモリが棲み付き、夕刻になると大量のコウモリがエサを求めて一斉に洞窟の外へ飛び立つ幻想的な光景を目にすることができます。縦になって飛び立つ姿は龍のようにも見え、「ドラゴン・ダンス」とも呼ばれています。

もっと知りたい！　世界規模の洞窟群を囲む熱帯雨林は、生物の多様性を備えています。3500種の維管束植物のほか、170種のラン、10種のウツボカズラ、81種の哺乳類、272種類の鳥類など、多様な動物が生息する自然の宝庫です。希少な生物も数多く、今後新たな生物が発見される期待も寄せられています。

本日のテーマ　ドラマを味わう!

11月29日

シフィドニツァの平和教会（ヤヴォルとシフィドニツァの平和教会群）

334

所在地　ポーランド共和国ドルヌィ・シロンスク県

登録基準　文化遺産／2001年／③④⑥

シフィドニツァの平和教会の内観。内部は大空間で、数千人を収容できます。シンプルな外装からは想像もつかないバロック式の豪華絢爛な内装で、天井や壁には、聖ヨハネが『黙示録』に記した場景などが描かれています。

宗教戦争のなかで生まれた新旧キリスト教の理念が共存する聖堂

まるで大きな民家のように見えるのが、シフィドニツァの平和教会です。木造のハーフティンバー様式の素朴な外観で、教会につきものの高い塔もありません。なぜ、このような教会が建てられたのでしょうか。

17世紀前半のヨーロッパでは、まだカトリックとプロテスタントの対立が続いていました。ヨーロッパ中を巻き込んだ三十年戦争が終わると、この地方はカトリック教徒のハプスブルク家に領有されることとなります。グヴォグフ、ヤヴォル、シフィドニツァの3か所だけには、プロテスタントの教会を建てることが許されたのです。

ただし、教会がプロテスタントの砦にならないよう、多くの厳しい条件が課せられました。「1年以内に建てること」「市の壁の外側に建てること」「塔や鐘は設けないこと」「耐久性のない素材とすること」などです。これらをクリアしてできたのが3つの平和教会で、石やレンガは使わず、釘も1本も使っていません。教会群は、50年後に鐘楼を建てることが許されましたが、これもやはり木造でした。

もっと知りたい!　その後、グヴォグフの教会は火災で焼失してしまい、現在見ることができるのはヤヴォルとシフィドニツァの教会だけです。

本日のテーマ ゆかりの人物に出会う！

11月30日

ドナウ河岸、ブダ城地区および アンドラーシ通りを含むブダペスト

335

所在地 ハンガリー共和国ブダペスト

登録基準 文化遺産／1987年、2002年／②④

ブダペストのシンボル、鎖橋（手前）と国会議事堂（右奥）の夜景。

マリア・テレジアを救ったブダペスト議会における名演説

ハンガリーの首都ブダペストは、ドナウ川西岸のブダとその北のオーブダ、東岸のペストの3つの街が19世紀に鎖橋で結ばれ、1872年に合併して誕生した街です。

そのシンボルとも言えるブダ城は13世紀、ハンガリー国王がモンゴル軍の来襲に備えてドナウ川を見下ろす高台に城砦を築き、15世紀までにルネサンス様式の王宮へと改築されました。その後、オスマン帝国に支配されたハンガリーが、1699年にハプスブルク家に返還されたときには、街もブダ城も壊滅状態でした。

そうした街と城を、ハプスブルク家の女帝マリア・テレジアが生まれ変わらせます。とくにブダ城はバロック様式の豪壮な王宮へと変貌しました。こうして宮廷生活の華やかな時代を迎えますが、ハプスブルク家による相続の当初、マリア・テレジアはこれに異を唱えるフランスやプロイセンに攻め込まれて苦境に立たされました。そこで窮地を脱するべく、1741年、自らハンガリー議会に出向いて「騎士にして勇敢なハンガリー国民」と呼びかけ、ハンガリーに救援を求めます。この演説がハンガリーの人々の心を動かし、救援を得ることができたのです。

もっと知りたい！ 20世紀初頭に建てられたペスト地区の国会議事堂は、ハンガリーの自治を象徴する建物として有名です。尖塔アーチが林立したネオ・ゴシック様式の建物で、室内はフレスコ画やタペストリーで豪華に装飾されています。

336

エッセンのツォルフェライン炭坑業遺跡

所在地 ドイツ連邦共和国ノルトライン・ヴェストファーレン州

登録基準 文化遺産／2001年／②③

「世界一美しい炭坑」と呼ばれるツォルフェライン第12採掘坑。

ドイツ重工業の発展に寄与した炭坑業遺産群とクルップ財団

ルール工業地帯の中心都市エッセンは、19世紀に炭坑が開発されたことから急激に発展して人口も増大し、クルップ家を中心とした鉄鋼業が興りました。この地方の炭鉱が合併してできたのがツォルフェライン炭坑です。

採掘坑が次々に開かれ、最新技術を駆使した採掘が行われ、クルップ家は財閥として政治にも大きな影響力を持つようになりました。機械製造業や化学工業もエッセンに集中しました。

世界最大の採掘量を誇ったツォルフェライン炭坑ですが、世界のエネルギーが石油中心になったために衰退し、1986年の操業を最後に閉山しました。

広大な敷地に配された施設は、ドイツ重工業の発展を物語っています。1932年から稼働した第12採掘坑の立坑櫓は、工業技術の面で高く評価されただけではなく、バウハウス様式で2本の足が立つモダンなデザインから、「世界一美しい炭坑」とも呼ばれています。鉄骨と赤レンガのコントラストが際立つボイラー室は美術館となっていて、製鉄に用いるコークスの工場も見学することができます。

もっと知りたい！ ツォルフェラインとは、19世紀半ばに発足したドイツ関税同盟のことです。いくつもの小国が分立していた統一前のドイツで、互いの間の関税を撤廃し、対外的には関税率を同じにするという取り決めで、その後のドイツの政治的統一にも大きく寄与しました。

本日のテーマ 歴史を知る！

12月2日

サヴォイア王家の王宮群

337

所在地 イタリア共和国ピエモンテ州

登録基準 文化遺産／1997年／①②④⑤

名門家が築いた美しいバロック様式の建物です。

悲願のイタリア統一を成し遂げたサヴォイア王家の宮廷群

11世紀にフランスで興ったサヴォイア家は領土を広げて、15世紀にサヴォイア公国を築き、トリノを首都とします。

そして権威を誇示すべく、当代一流の建築家や芸術家を集めて、マダマ宮殿やカリニャーノ宮殿などの建物を次々と建設。18世紀までに街路が整然と区画されたバロック様式の美しい街並みが完成すると、「イタリアのパリ」とうたわれました。

このサヴォイア公国がイタリアの歴史を大きく動かします。18世紀、サルデーニャ王国へと発展し、長年小国家が分立していたイタリアの統一に向けて動き出したのです。

19世紀にはフランス軍の支援を受けて、イタリアに介入するオーストリアに戦いを挑んで勝利します。その後フランスに裏切られますが、政治結社「青年イタリア」のガリバルディが赤シャツ隊を率いてナポリとシチリアを征服し、サルデーニャ王国に献上すると、ついにイタリア王国が成立します。さらに1870年までにヴェネツィアと教皇領も占領し、イタリア統一が実現したのです。

もっと知りたい！ 1660年に建立されたトリノの王宮はバロック様式で、サヴォイア家の権威を示す重厚かつ荘厳な宮殿です。玄関の大広間から延びる「はさみの階段」や格天井などの内部装飾が華やかな「中国の小部屋」、フランス風の王宮庭園などの見どころが満載です。内部には17〜19世紀の調度品が展示されています。

キナバル自然公園

338

所在地 マレーシア　サバ州

登録基準 自然遺産／2000年／⑨⑩

花崗岩の岩山が隆起してできたキナバル山。

死者の魂が宿る東南アジアの最高峰

マレーシアのボルネオ島にそびえるキナバル山は、標高4101mを誇るマレーシアの最高峰です。150万年前に花崗岩の岩山が盛り上がってできた山で、その成り立ちを示すかのように山頂付近は花崗岩の岩肌がむき出しになっています。

この山は、高度によって環境が違い、5000種を超える植物が植生する豊かな植物群落を育んできました。世界最大の花であるラフレシア、世界最大のコケであるドーソニア、1000種のランなど、珍しい植物も植生しています。また、オラウータンやウンピョウなどの野生動物の生息地としても貴重な自然遺産です。

そんな自然の偉大さと豊かな恵みを育んできたこの山を、現地のカダザン族は「離れ行く死者の魂が宿る家（アキナバル)」、つまり「先祖の霊の眠る山」として崇めてきました。そこから「キナバル」と名づけられたのです。

今もカダザン族の人々は、「この山の頂上には神様であるキノリンガンが住んで人の生命を見守り続け、死後の魂は山に還る」と考えています。

もっと知りたい！ 世界最大の花と言われるラフレシアの花びらは、開花すると直径90㎝にもなります。死肉に似た色や質感が特徴ですが、これは死肉や糞で繁殖するハエが花粉を運んでくれるため。そのハエをおびき寄せるために腐臭を発するなど、まさに死肉の花と言えます。2年かけて花を咲かせるもののすぐに枯れてしまうため、開花を目にするのは難しいようです。

339

モスクワのクレムリンと赤の広場

所在地 ロシア連邦モスクワ市

登録基準 文化遺産/1990年/①②④⑥

モスクワ川から眺める大クレムリン。1848年に既存のグラノヴィータヤ宮殿を取り込む形で建設されました。

着工から完成までわずか3日で完成させたレーニン廟の謎

クレムリンとはロシア語で「城塞」を意味します。モスクワのクレムリンの始まりは12世紀に築かれた木造の砦で、それが城壁で囲まれて石造に改築され、歴代皇帝によって聖堂や宮殿、塔が次々に建てられました。

クレムリンの市場として設けられたのが「赤の広場」です。ロシア語の「赤」は古くは「美しい」を意味し、「美しい広場」と呼ばれたことからこの名になりました。

この広場にあるレーニン廟には、世界で初めて社会主義政権を樹立したレーニンの遺体を安置しています。1924年1月にレーニンが死去すると、すぐさま建設が計画され、着工からわずか3日で完成しました。これには当時の思想家の「キリストが受難してから復活の日までの日数で教会を建てる」という考えが影響していると考えられています。

レーニン廟は、完成してすぐに改築案が出て新しい廟が建てられ、また5年後に建て替えられました。「レーニンはまだ生きている」という噂が流れたため、その死を改めてアピールするためだと考えられています。レーニン廟には、今も多くの人が訪れています。

もっと知りたい! ともに巨大な「大砲の皇帝」と「鐘の皇帝」は、一度も使われないまま展示されています。大砲は16世紀後半に製作されたものの、戦いで砲弾を発射することはありませんでした。最初から軍事力を誇示するために作られたのではと考えられています。鐘は18世紀に鋳造され、大火事で水をかけたところ欠けてしまい、一度も音色を響かせていません。

ガラホナイ国立公園

340

所在地 スペイン王国カナリア諸島州ゴメラ島

登録基準 自然遺産／1986年／⑦⑨

太古の地球と同じ環境が残ると言われるガラホナイ国立公園。

ゴメラ島の海洋性気候がもたらした太古の森林

大西洋上に浮かぶ、スペイン領カナリア諸島に属するゴメラ島は、太古の原生林の森に覆われた世界的にも貴重な島です。

なかでもガラホナイ国立公園のある地域は、約6500万～200万年前の新生代第3紀とほぼ同じ環境が保たれ、その時代の照葉高木樹林が多く残されている一帯として注目されています。

太古の植物が生き残ったのは、この地が海洋性気候で充分な湿度を保つ霧の島だから。とくにゴメラ島の北側は、湿潤な海からの貿易風が吹き付けることで生み出された深い霧に絶えず覆われています。この霧が、島の植物に年間を通して水分の恵みをもたらして植物が成長しやすい環境が守られ、太古の動植物が生き残っているのです。

加えて、絶海の孤島でもあるため、公園内の植物や鳥類、昆虫は独自の生物相となっています。この島でしか見られない固有種も多く存在し、とくに照葉樹やシダ類など、公園内に生育する植物の約7割が固有種で、太古の姿を今に留めています。

もっと知りたい！ ゴメラ島は「コロンブスの島」とも呼ばれています。大航海時代、アメリカを目指した探検家のコロンブスはゴメラ島に立ち寄って補給し、ここが最後の寄港地になりました。島にはコロンブスの家、コロンブスが水をくんだと伝わる井戸、コロンブスの銅像など、関連の施設やスポットがあります。

ペーナ宮殿（シントラの文化的景観）

341

所在地 ポルトガル共和国リスボン県

登録基準 文化遺産／1995年／②④⑤

フェルナンド2世が建設したペーナ宮殿からの眺望。

「おとぎの国」を建設したフェルナンド2世とポルトガル王国の終焉

ポルトガル王家が避暑地としたのが、大西洋を間近に見下ろすシントラの地です。

14世紀から建設が始まった王宮は、イスラーム教徒が残した建物に手を加えたもので、2本のユニークな形の煙突が目印です。やがてヨーロッパ中の貴族や富豪にシントラの美しさが知れ渡り、それぞれが財を投じて好みの建築様式で別荘を建てました。

山頂に建つ鮮やかな色彩のペーナ宮は、ポルトガル王家のフェルナンド2世が建てたもの。フェルナンド2世は、バイエルンのノイシュバンシュタイン城を建てたルートヴィヒ2世の従兄にあたり、彼のように自分の理想の「おとぎの国」を出現させようとしたのでしょう。建設に熱意を傾け、自分の死後も工事が続くよう綿密な計画書を残し、ペーナ宮は完成しました。

しかし、ポルトガル王家の終焉は近づいていました。フェルナンド2世の孫カルロス1世は多くの時間をペーナ宮で過ごしていましたが、長男で世継ぎの王子とともにリスボンで暗殺されたのです。最後の王となった次男のマヌエル2世は国外に逃亡し、残されたカルロス1世の妃アメリアは亡命の数日前まで、ここに暮らしていました。

もっと知りたい！ ポルトガルの建物を彩っているのが、装飾タイルのアズレージョです。一枚一枚に絵付けして焼き上げ、それを組み合わせて絵柄にするのです。タイルはアラブで生まれ、スペインからポルトガルへと伝わりました。王宮や民家、駅構内、レストランなど、いたるところでアズレージョが見られます。

342

ルーヴル美術館（パリのセーヌ河岸）

所在地　フランス共和国パリ県
登録基準　文化遺産／1991年／①②④

世界有数の美術館へと変貌したルーヴル宮殿。

ルーヴルを愛したブルボン朝の始祖アンリ4世

フランス革命直後の1793年に開設したパリのセーヌ河右岸に佇むルーヴル美術館。フランス・バロック様式の豪華な外観とは裏腹に、その起源は12世紀末、敵国の侵攻から街を守るために造られた要塞でした。その後、王の離宮となり、大きな窓や青い屋根などで飾られた優美な城へと変貌。16世紀に要塞が壊され、新たに建てられたルネサンス様式の宮殿が王宮になると、歴代の王は王の権威の象徴とするべく増改築を繰り返しました。

とくに熱心だったのが、16世紀後半のブルボン朝の始祖アンリ4世です。ユグノー戦争を終結させて国内の宗教紛争に終止符を打ったアンリ4世は、パリをより華やかに彩ろうとセーヌ河岸の整備に乗り出し、ルーヴル宮を4倍の規模に拡張するなどの計画を立てました。

ポケットマネーも建設費用に充てるほど熱心でしたが、1610年に狂信的なカトリック信者によって暗殺されてしまいます。そして17世紀にヴェルサイユに王宮が移ると、建設途中のルーヴル宮は放置されてしまったのです。その後は18世紀に王家所蔵品を公開する美術館に。アンリ4世の夢を完成させたのは、ナポレオンとその甥・ナポレオン3世でした。

もっと知りたい！　パリ発祥の地はセーヌ川中州のシテ島です。その歴史は、紀元前3世紀ごろ、ケルト人一派のパリシイ人の漁民がこの中州に定住して村を作ったのが始まりです。パリシイ人にとってセーヌ川を移動しやすいシテ島は、漁の拠点として便利な場所だったのです。

アムラ城

所在地 ヨルダン・ハシェミット王国ザルカ県
登録基準 文化遺産／1985年／①③④

砂漠の中に佇むアムラ城。質素な外観ですが、内部は贅を尽くした設備を備えていました。

イスラーム教国らしからぬ裸婦像が描かれている理由

アムラ城は、シリア砂漠の中にぽつんと建つ地味な建物ですが、ウマイヤ朝の最高権力者カリフの離宮です。隊商宿を増改築して造られました。征服した地を管理するという名目での建造でしたが、足を踏み入れた者が驚くほど内部はきらびやかです。

主な部屋は謁見の間と浴室。謁見の間の床はモザイクタイルで覆われ、壁や天井は踊り子や狩猟の様子を描いたフレスコ画で飾られています。浴場には、温水・冷水浴室、サウナ、脱衣場がそろい、裸婦が踊ったり少年と戯れたりしているフレスコ画もあります。

イスラーム教の戒律は、飲酒や偶像崇拝、女性が肌を見せることを固く禁じていますから、人物画はまず見られませんし、裸婦を描いたものなど言語道断のはずです。しかしここは、カリフたちの秘密の隠れ家だったのです。ごく親しい者とやって来ると、酒宴を開いては享楽に耽ったでしょう。シリア砂漠の西側には、こうした宮殿の跡が30か所もあります。

フレスコ画には、裸婦ばかりでなく、神話や歴史のシーン、12宮の星座、人々の労働風景などもあり、イスラーム芸術では珍しいテーマのものを見ることができます。

もっと知りたい！　入浴はイスラーム教徒にとってタブーではなく、積極的な楽しみで、客人への最高のもてなしでもありました。各都市には公衆浴場があって、娯楽や社交、情報交換の場とされ、異教徒も入浴が許されました。

本日のテーマ 歴史を知る！

ソロヴェツキー諸島の歴史的建造物群

所在地 ロシア連邦アルハンゲリスク州

登録基準 文化遺産／1992年／④

ソ連時代は強制収容所だったソロヴェツキー修道院。

スターリンの粛正に翻弄されたロシア正教の拠点

ロシア北西部に位置するソロヴェツキー諸島には、15世紀に設立されたロシア正教のソロヴェツキー修道院があり、ロシア正教会の聖地巡礼の場となっています。修道院はロシアの北の守りとしての役割も担い、堅牢な要塞の佇まいとなっています。17世紀には約300人の修道士と労働者などが生活を送っていました。

ところが、この修道院には負の歴史も隠されています。ロシア革命後の1922年にソヴィエト連邦が樹立されると、本土から隔離されたこの島が、第1号の強制収容所（ラーゲリ）に選ばれ、1939年まで多くの囚人を収容することになったのです。最初の3年程度で6000人の囚人が送り込まれたとされています。

囚人の多くは、ソビエト政権の反対分子や政治犯などのスターリンの粛正にあった人々でした。囚人たちには満足な食事も与えられず重労働が課せられました。

また、警備兵による暴力や激しい拷問、虐殺も行なわれ、過酷な環境のなか、多くの人が命を落としていきました。

もっと知りたい！ 強制収容所はソロヴェツキー以降、ソビエト全土に1万以上設けられたとされています。ソロヴェツキーの強制収容所のことは長い間、ソビエト政府はひた隠しにしてきましたが、1973年にソルジェニーツィンが発表した『収容所群島』という小説によって、その悲惨かつ残虐な実態が明らかにされました。

本日のテーマ 伝説に浸る！

12月10日

ブレーメンのマルクト広場の市庁舎とローラント像

345

所在地 ドイツ連邦共和国ブレーメン州（自由ハンザ都市ブレーメン）

登録基準 文化遺産／2004年／③④⑥

ブレーメンの人々を見守るローラント像。

市民の守り神として置かれたローラント像

中世には自治都市として繁栄を極めたドイツ北西部の都市ブレーメン。街の中心にはルネサンス様式の市庁舎が復元され、その前にはブレーメンの自由と独立を象徴するローラント（ローラン）像が存在感を示しています。

ローランは、中世フランスの叙事詩『ローランの歌』に登場する人物。フランク王国のカール大帝に仕えた十二勇士のリーダーでした。

フランク王国の軍勢がイベリア半島遠征から撤退する途中、敵のイスラーム軍が休戦協定を破り、圧倒的な軍勢で最後尾のローランらに襲い掛かります。名誉を重んじるローランは援軍を呼ばず、わずかな手勢で天使から授けられた剣デュランダルを手に奮戦しましたが、最後は壮絶な戦死を遂げました。

その勇敢な騎士を讃えるとともに、独立の象徴としてブレーメンにローラント像が立てられたのです。

ローラン像は、15世紀から正義の盾と剣を持って市民を見守り続けています。

もっと知りたい！ 市庁舎のそばにはグリム童話で名高いブレーメンの音楽隊の彫刻もあります。ロバ、犬、猫、鶏らが街の音楽隊に雇ってもらおうとブレーメンへ行く途中、強盗たちの住処を見つけます。動物たちは大声で叫んで強盗たちを追い出し、残されたごちそうにありつきます。動物たちは、偵察に戻った強盗も力を合わせて襲って退散させました。

本日のテーマ 謎と不思議を愉しむ！

12月11日

346

アルタイのゴールデン・マウンテン

所在地 ロシア連邦アルタイ共和国

登録基準 自然遺産／1998年／⑩

アルタイとはタタール語で「黄金の山」の意。アルタイ山脈は古くから金などの鉱物資源の産地として知られてきました。

アルタイ語に隠された日本語のルーツ

アルタイ山脈は全長2000㎞にも及び、中国、モンゴル、ロシアにまたがる大山脈です。このうちロシアに位置する地域の1万6000㎢が自然遺産に登録されています。標高や緯度の違いによって、針葉樹林、広葉樹林、ステップと植生が変化し、生息する動物もさまざま。ことにテレツコイエ湖、ベルーハ山、ウコク高原などでは、多様な動植物が見られます。

アルタイとは、タタール語で「黄金の山」を意味します。その名の通り古くから金の産地として知られ、現在でも金や鉛などを産出しています。

実は日本語のルーツが、このアルタイ山脈に隠されているという説があります。アルタイ族の言葉は、チュルク系、モンゴル系、満州・ツングース系などに分類され、日本語もそのなかのひとつだと言うのです。アルタイの言語には、日本語の「あいうえお」と似た母音があり、子音や文法も似ている部分が多いと言います。ということは、アルタイの言葉は中央アジアを横断して朝鮮半島を経由し、日本まで達したことになります。ただ、アルタイ語と日本語は単語などの面では共通する部分がなく、言語と共に伝わってきたはずの文化も不明です。

もっと知りたい！ アルタイの生態系の頂点に立つユキヒョウは、絶滅危惧種です。毛皮が美しいために密猟の対象となり、アルタイ・アルガリも生息域が分断され、数が激減しています。

ゼメリング鉄道

347

所在地　オーストリア共和国ニダーエスタライヒ州

登録基準　文化遺産／1998年／②④

世界で初めてアルプスを越えた山岳鉄道は今も現役です。

アルプスを車窓から眺められる世界初のアルプス越え鉄道

1854年に完成したオーストリアのゼメリング鉄道は、世界で初めてアルプスを越えた山岳鉄道として鉄道初の世界遺産に登録されました。オーストリアの首都ウィーンからゼメリング峠を越え、ミュルッツシュラークを結ぶ全長41.8kmの路線です。

当時の技術では、標高1000m近くあるゼメリング峠を越える鉄道は実現不可能とされていましたが、鉄道技師のゲーガが、山腹をたどるS字線やオメガ字カーブを考案し、これを克服しました。

また、14のトンネルや16の高架橋など、当時の技術を結集して急勾配の峠をつなぎ、約6年で完成させました。鉄道最高地点は標高898mで、最急勾配を25‰に抑えた代わりに、全区間の半分以上が勾配区間となりました。

一方、このゼメリング鉄道を造った労働者はその日暮らしの囚人さながらの劣悪な環境で働かされ、伝染病や事故で760人以上が命を落としたと言われています。ゼメリング鉄道は、光と影を持つ鉄道でもあるのです。

もっと知りたい！　イタリアからスイスまでアルプスを横断するレーティシュ鉄道も世界遺産に登録されています。ベルニナ線はイタリアのティラーノを出てアルプスを越えてスイスのサンモリッツまで、その先はアルブラ川の渓谷を下りクールまで行くアルブラ線です。途中、絶壁の谷を渡るランドヴァッサー橋は石造のアーチ橋で、車窓の絶景も見応えがあります。

本日のテーマ ドラマを味わう!

12月13日

348 ブリュッセルのグラン・プラス

所在地 ベルギー王国ブリュッセル首都圏地域

登録基準 文化遺産／1998年／②④

グラン・プラスに並ぶギルドハウス。贅を尽くした建物に囲まれた眺めは壮観です。

ルイ14世の焼き打ちから復活したフランドルの中心都市

ベルギーの首都ブリュッセルは沼沢地を干拓して生まれた土地で、交易によって発展しました。その中心が、長辺約110m、短辺約70mの長方形の大広場、グラン・プラスです。

中世にここで定期市が開かれたのが広場の始まりで、やがて周囲には市庁舎、数々のギルドの集会所、修道院、貴族や富裕な市民の邸宅などが建ち並び、大いに賑わいました。

ところが1695年、フランスのルイ14世軍の砲撃にあって、一帯はほぼ焼失してしまいます。市庁舎は石造りでしたが、ほとんどの建物が木造だったのです。

しかしブリュッセル市民はギルドを中心に団結し、わずか4年ほどで建築物を再建。しかも今度は燃えない石造りで、繁栄する都市の財を注ぎ込み、外見も装飾性豊かに、かつ華やかになりました。

現在ある建物のほとんどは、このとき以降に造られたものです。

高くそびえるフランボワイヤン様式の市庁舎、重厚な「王の家」、金箔を使った装飾のギルドハウスなど、活気に満ちた都市の光景を見ることができます。

もっと知りたい! 後期ゴシック建築で流行したのが、フランボワイヤン様式です。これは「炎が燃え立つような」という意味で、窓や破風が炎の形に似ており、ふんだんに使われた複雑な曲線が天に向かう炎のように見えることから名づけられました。また市庁舎は、外壁だけで137体の彫像で飾られています。

本日のテーマ　ゆかりの人物に出会う!

12月14日

エルミタージュ美術館（サンクト・ペテルブルグ歴史地区と関連建造物群）

349

所在地　ロシア連邦サンクト・ペテルブルク連邦市

登録基準　文化遺産／1990年／①②④⑥

ロマノフ朝の冬宮は現在エルミタージュ美術館へと変貌し、ロマノフ王家のコレクションをベースとした美術品を展示しています。

女帝エカテリーナ2世とエルミタージュ美術館

ピョートル1世によって建設され、帝政ロシアの首都となったバルト海沿岸のサンクト・ペテルブルグには、ピョートル宮殿やエルミタージュ美術館など、ロマノフ王朝の栄華を伝える建築物が建ち並んでいます。なかでも注目は、コレクション点数300万点とも言われるエルミタージュ美術館。18世紀に壮麗な王宮「冬宮」として建てられ、18世紀後半の女帝エカテリーナ2世が、私的なギャラリーとなる離れを設けました。

エカテリーナ2世は、愚昧なピョートル3世に愛想をつかした貴族たちの支持を受け、クーデターで皇帝の座についた女帝。以降、彼女が愛人や友人たちと絵画を鑑賞しながらプライベートを満喫した「小エルミタージュ」が、エルミタージュ美術館のルーツです。

次々と絵画を収集したエカテリーナ2世は、その所蔵場所として「大エルミタージュ」と宮廷人専用の「エルミタージュ劇場」を建てました。さらに彼女の死後には公共美術館の「新エルミタージュ」も加えられ、「冬宮」とあわせた5つの建物がエルミタージュ美術館を構成しています。

もっと知りたい!　エカテリーナ2世は堅苦しい冬宮よりも小エルミタージュを愛しました。この扉には「この扉を通るものは官位や身分、傲慢さを捨てるべし」と書かれており、ここがプライベートなサロンだったことがわかります。とくに2階屋上の温室と庭園からなる空中庭園が、多くの愛人遍歴を持つ彼女にとって何よりの憩いの場となりました。

本日のテーマ 暮らし・文化に触れる！

12月15日

サフランボル市街

350

所在地 トルコ共和国カラビュック県

登録基準 文化遺産／1994年／②④⑤

19世紀に建てられたトルコの伝統的住宅が建ち並ぶサフランボルの旧市街チャルシュ地区。

トルコの木造伝統建築家屋が多数残る市街

昔ながらの木造の民家が、肩寄せ合うように並んでいるのがサフランボルの旧市街チャルシュ地区です。

民家は19世紀に建築されたトルコの伝統的な住宅で、切り石を積んだ1階の基礎部分に木の柱と梁で骨組みをし、日干しレンガと藁の入った練り土で壁を葺いたものです。1階よりも2階以上の部分が大きくせり出しているのが特徴で、1階は馬小屋、穀物庫、トイレなど、2階から上が住居になっています。

住居部分は男性の部屋であるセラームルックと女性の部屋であるハレムリッキに分かれ、家族の食卓や団欒の場はソファと呼ばれる広間です。家は高い塀で囲まれ、庭には野菜や果物が植えられています。

この街は11世紀末に黒海と内陸を結ぶキャラバンルートとなり、オスマン帝国の時代に発展しました。その後、鉄道網のルートから外れたため、街並みが変わることなく、オスマン帝国時代の雰囲気を残す民家が今でも現存しているのです。

もっと知りたい！ この街にはサフランの花が咲き乱れ、それが産業でもあったことから、サフランボルと名づけられたと言います。サフランは紀元前から栽培されていた植物で、めしべを乾燥させたものは香辛料や薬用として、また食品や衣類を鮮やかな黄色に染める染料として高値で売買されてきました。

本日のテーマ　歴史を知る！

12月16日

アウシュヴィッツ・ビルケナウ ナチスドイツの強制絶滅収容所（1940-1945）

351

所在地　ポーランド共和国マウォポルスカ県

登録基準　文化遺産／1979年／⑥

アウシュヴィッツの収容所へと続く線路。連行された人々の多くは、この線路を生きて戻ることはありませんでした。

人類の愚行を伝える負の遺産

ポーランドの南部に位置するオシフィエンチムには、1933年からドイツの政権を担っていたナチスが1940年に造った強制収容所があります。翌年には、この近隣にビルケナウ第二強制収容所も建設されました。

当初はポーランドの政治犯の収容が目的でしたが、やがて罪もないユダヤ人多数が運び込まれるようになります。表向きは「ユダヤ人の保護収容」「幸福」などと宣伝されていましたが、実態はユダヤ人殲滅を目的に強制労働、人体実験、拷問、大量虐殺を行なう「死の収容所」でした。連行された人々は収容所の建設を課せられ、ガス室や死体を焼却する焼却場も自ら造らされた挙句、最後はそこに送り込まれたのです。殲滅すべき敵と位置付けて反ユダヤ政策を掲げるナチスは、1945年までの約5年間に150万人もの人々をここで殺害しました。

この施設はナチスの狂気を示す負の遺産として保存され、ガス室、収容棟、遺体の骨を捨てた池、フェンスなどが残されることになりました。繰り返してはならない人類の愚行を伝える建造物として世界遺産に登録されたのです。

もっと知りたい！　ナチスの強制収容所はアウシュヴィッツだけではありません。ドイツや占領各地のいたるところにもうけられています。アウシュヴィッツのほか、ヘウムノ、ベウジェツ、マイダネク（ルブリン）、ソビボル、トレブリンカの計6か所は、ユダヤ人を壊滅するために設けられた「絶滅収容所」でした。

本日のテーマ 伝説に浸る！

12月17日

352

古代都市エル・タヒン

所在地 メキシコ合衆国ベラクルス州

登録基準 文化遺産／1992年／③④

エル・タヒンの象徴的存在である壁龕のピラミッド。

マヤの球技にまつわる復讐譚

先住民の言葉で「稲妻」を意味するエル・タヒンは、メキシコ湾沿岸に位置するトトナカ族によって営まれた9〜13世紀の古代都市です。稲妻などの自然の猛威に畏怖の念を抱いた古代人は、神々を祀るため「壁龕（へきがん）のピラミッド」を築きました。これは側面に365の壁龕を持ち、暦としての役割も担いました。

面白いことにピラミッドの周囲からは、なぜか17か所もの球技場が発掘されています。これほど球技場が多いのは、古代メキシコ人にとって球技は遊戯ではなく、聖なる宗教儀式だったからです。

神話には、「球技の音に怒った地下王国の王に父を殺されたフンアフブとシュバランケという双子の英雄神が、父の敵を討って空へ上り、それぞれ太陽と月になった」という伝説があります。そこから球技場は宇宙、ボールは太陽を表わすと考えられたようで、ボールを地面に落とさず下半身で打ちながら、壁の石の輪にボールを通す競技が行なわれたのです。これは死を賭けた聖なる競技で、球技に関連して生贄にささげられた図像も残されています。

もっと知りたい！ フンアフブとシュバランケは数々の試練を乗り越えて父を殺したシバルバを討ち取ります。フンアフブの首が切断されると、シュバランケが偽の首を吊るして取り返し、焼き殺されそうになったときには、自ら火に飛び込んで消えたように見せます。最後は、王に蘇生術を見せ、王の望みに応えてその術をかけたあと、王を蘇生させませんでした。

本日のテーマ　謎と不思議を愉しむ！

353

サン・アグスティン遺跡公園

所在地 コロンビア共和国ウイラ県

登録基準 文化遺産／1995年／③

サン・アグスティン遺跡で発見された石造物。人間をデフォルメした姿はどことなく愛らしさを漂わせています。

不敵な笑みを浮かべる石像の役割

アンデス山脈中腹の標高1,200m ～2,000mのマグダレナ川の上流地帯に点在しているのが、サン・アグスティン遺跡です。主な遺跡だけで30か所ほどあり、最古の遺跡は紀元前6世紀頃のものです。山岳の内陸交通ルートで、多くの部族が行き来する道筋にあたり、どのような部族がこの遺跡をが築いたのかはわかっていません。

遺跡からは、神殿や墓に加え、サン・アグスティン文化の特色でもある400もの石像が発見されています。石像が造られたのは5世紀頃から。神や人間、鳥、ヘビ、トカゲ、カエル、サンショウウオ、ワニ、空想上のものと思しき生物などさまざまで、どことなくユニークな造形です。

人間の頭部は大きく、大きな目、鼻、口がはっきりと刻まれ、ニッと笑っているのが特徴です。口元には、ジャガーやピューマのような大きな牙が生えているものが多く、半人半獣でやはりジャガーやピューマのような姿のものもあります。像の両手は指の形までていねいに刻まれ、武器や道具、子供を抱えているものが見られます。

もっと知りたい！ 石像は、いずれも小神殿や墓とともにあり、祖先を祀るものだったと考えられています。大きな墓は天井のような平たい石を従者らしき2体の石像が支え、その間に墓の主がいるという組み合わせです。しかし、遺跡の近くには石切り場がありません。どこの石をどうやって運んできたのかについては、手がかりすらないのです。

白神山地

所在地　日本　青森県・秋田県

登録基準　自然遺産／1993年／⑨

太古のブナ林が現代に保存される白神山地の原生林。

氷河から生き残った世界最大級のブナの原生林

青森県と秋田県にまたがる白神山地は、高さ1,000m級の山々が連なる総面積13万㎢の山岳地帯です。世界でも貴重なブナの原生林が残る山地として、中心部の169.71㎢が世界自然遺産に登録されました。

ブナは古代、北半球の北極に近い地帯に広がっていましたが、氷期が始まると、植生帯は南下し、ヨーロッパやアメリカ、東アジアに分かれて繁殖しました。

ヨーロッパやアメリカでは、新生代第4紀に入り大陸氷河が発達してブナの原生林が減少します。一方、氷河に覆われなかった日本では、世界最大の広大なブナ林が保たれました。しかも白神山地が急峻な地形で人里から離れていたこともあり、伐採されることもなく、原生林としての姿がそのまま受け継がれてきたのです。中枢部分には今も林道や建築物が存在していません。

また、日本にはシロブナとイヌブナというブナの固有種は2種類ありますが、白神山地にはシロブナが生息しています。

もっと知りたい！　ブナ林は保水機能が高いため、白神山地のブナ林は豊かな生物相をはぐくみ、「動植物のサンクチュアリ（聖域）」とも呼ばれてきました。約500種の植物、84種の鳥類などが生息しています。固有種であるアオモリマンテマやシラガミクワガタ、天然記念物のヤマネ、クマゲラ、イヌワシなど、希少動物も生息する豊かな生態系となっています。

本日のテーマ ドラマを味わう！

12月20日

原爆ドーム

所在地 日本　広島県

登録基準 文化遺産／1996年／⑥

人類史上、初めて使用された核兵器の悲惨さを伝えるのが広島市の原爆ドームです。

人類の恒久平和を願うモニュメント

原爆ドームが建てられたのは1915年のこと。広島県の産業の拠点となる「広島物産陳列館」としてオープンしました。3階建て、レンガ造のこの建物を設計したのはチェコの建築家ヤン・レツルで、ネオ・バロック様式と19世紀ウィーン分離派のゼツェッション様式が融合した美しい建築として評判になりました。

その後は「広島県産業奨励館」となり、官公庁などが入居していましたが、大戦末期に悲劇に見舞われます。1945年8月6日、投下された原子爆弾は死者20万人を超えるというあまりに大きな被害をもたらし、広島市街はほぼ壊滅状態に。産業奨励館も鉄骨むき出しの姿になりました。しかし、爆風がほぼ真上から垂直に吹いたため、倒壊を免れたのです。

いつしかこれが「原爆ドーム」と呼ばれるようになり、保存を望む声と、つらい記憶を呼び覚ますから取り壊してほしいという声の両方が上がりました。しかし、市議会で討議した結果、満場一致で保存することが決定。工事費用の募金を呼びかけると、目標をはるかに超える金額が集まったのです。

もっと知りたい！ 1992（平成4）年、原爆ドームを世界遺産に登録すべく、広島市はユネスコへの推薦を国に求めました。ところが文化庁はこれを却下。その理由は「文化財としては新しすぎる」というものでした。しかし、多くの人々や市民団体の働きかけがあって、世界遺産への登録が実現に至ったのです。

本日のテーマ ゆかりの人物に出会う！

12月21日

リガ歴史地区

所在地 ラトビア共和国リガ

登録基準 文化遺産／1997年／①②

市庁舎のある広場の風景。写真右手の2棟の建物はブラックヘッドのギルドと言い、14世紀に建設されたギルド・ハウスでした。第2次世界大戦中にドイツ軍によって破壊されましたが、2001年に再建されました。

リガでの楽長職解雇から始まるワーグナーの激動の生涯

ラトビアの首都リガは13世紀初頭、アルベルト司教が、バルト海東岸布教のため500人の十字軍を連れて上陸して築いた街を基に発展した都市です。

ドイツ商人などが移住して港湾都市として繁栄し、バルト海沿岸の中心地となりましたが、18世紀にロシアに併合されます。

新しい街並みができた19世紀、このリガから1人の偉大な音楽家の激動に満ちた芸術家人生が始まりました。それは音楽界の巨人リヒカルト・ワーグナーです。

ザクセン生まれのワーグナーは、1837年、リガの町の劇場の楽長として招かれます。しかし、リガでの贅沢三昧の日々と膨大な借金。2年後、突然解雇されて職を失ったワーグナーは、夜逃げ同然でパリへと逃げることを余儀なくされます。

以降のワーグナーは、バイエルン王ルートヴィヒ2世に招かれるまで、音楽家として名声を得る一方、奔放な恋愛と贅沢を繰り返し、借金を重ねては逃亡するという激動の人生を送りました。ワーグナーの逃避行人生は、このリガから始まったのです。

もっと知りたい！ リガの歴史地区は、中世の街並みが残る旧市街と新市街で構成されています。石畳の街の旧市街はアルベルトが築いたリガ大聖堂のほか、ブラックヘッドのギルドや三人兄弟の家屋が中世の面影を色濃く残しています。

本日のテーマ　暮らし・文化に触れる！

イチャン・カラ

所在地　ウズベキスタン共和国ボラズム州

登録基準　文化遺産／1990年／③④⑤

イチャン・カラは面積26haほどの狭い地域ですが、「中央アジアの真珠」と称えられ、王宮やモスク、マドラサ、ミナレットなどがひしめくように建ち並んでいます。

地形の変化によって生まれたシルクロードの交易都市

ヒヴァはアムダリア川の下流、カラクルム砂漠の出入口に位置します。シルクロードを旅する人のオアシス都市として早くから開けましたが、8世紀までのヒヴァは主要ルートから外れた単なる通過点でした。

ところが16世紀になって砂漠の地形が変わると、アムダリア川も流れを変え、ヒヴァに流れる水の量が増えました。そんななか、17世紀に興ったヒヴァ・ハン国がここを首都としたため、街は急激に発展したのです。

街には二重の城壁が巡らされ、内壁の中を「イチャン・カラ（内城）」、外壁の中を「ディシャン・カラ（外城）」と言います。イチャン・カラは東西南北にある城塞のような門に守られ、複雑な迷路のような街並みは、敵が攻め寄せてきても簡単に王宮にはたどり着けないようにするためだと考えられています。一方、イチャン・カラを囲むディシャン・カラには、農民や職人が住み、隊商の宿もありました。

もっと知りたい！　イチャン・カラを囲む城壁はレンガ製で、高さ8m、厚さ6m、長さ2.2mに及ぶ頑丈なもので、上に登ってみることもできます。この城壁には、戦士した兵士の骨が塗り込められています。これは兵士への弔いであり、死してもなお街を守ってほしいという願いから生まれた風習です。

358

ドゥブロブニク旧市街

所在地 クロアチア共和国ドゥブロブニク＝ネレトヴァ郡

登録基準 文化遺産／1979年、1994年／①③④

「アドリア海の真珠」と讃えられるドゥブロブニクの街並み。

アドリア海に面した城塞都市に残るユーゴ内戦の爪痕

クロアチア南部のドゥブロブニクは、アドリア海に面していて、オレンジ色に連なる屋根が織りなす中世の街並みが美しく、「アドリア海の真珠」とたたえられています。

7世紀に都市が成立し、19世紀にフランスに占領されるまで、海運の都市共和国として独立を保ち栄えました。旧市街は高さ25m、厚さ6mの城壁と4つの要塞で囲まれています。この城壁は13世紀、この街を勢力下におさめたヴェネツィアが築くよりも早く、ドゥブロブニクの市民たちが自分たちの手で要塞を完成させ、城壁の門でヴェネツィアの人を出迎えて鼻をあかしたという逸話があります。

そんな美しい要塞都市も20世紀の冷戦終結後、戦場になります。ユーゴスラビアは6つの共和国からなる連邦国家でしたが、各共和国で民族の自治独立要求が高まり、1991年にボスニアを中心に内乱が始まったのです。

ボスニア内の住宅の6割が全壊もしくは損傷し、クロアチアのこの街も多大な被害を受けて「危機世界遺産」にもリスト入りしました。しかし、今は復興が進んでいます。

もっと知りたい！ 6つの共和国を持つユーゴスラビアは20世紀の冷戦終結後、世界的な社会主義の崩壊もあり、民族の自治独立要求が高まりました。とくにボスニアでは、セルビア人とクロアチア人が反目。セルビア人がセルビア共和国への編入を宣言すると、これに反対するクロアチア人とモスレム人がボスニアの独立を宣言。これを機に内戦へと突入したのです。

本日のテーマ　伝説に浸る！

12月24日

359

ラージャスターンの丘陵城塞群

所在地　インド共和国ラージャスターン州

登録基準　文化遺産／2013年／②③

丘陵城塞群のひとつアンベール城（ジャイプル）。

ハルジー朝の侵攻を招いた美しい王妃の伝説

パキスタンと接するインド北西部のラージャスターンは、8世紀頃からヒンドゥー教のラージプード族の王国が乱立し、異民族の侵入の備えとして、丘陵地帯に川や崖などの自然を防御に取り入れたアンベール城などの城塞群が築かれました。

そんな城塞群のひとつ、チットルガル城には王妃の悲劇の物語が伝えられています。

この城を居城とするメーワール王国の王ラタン・シングは、スリランカの王女パドミニの美しさを知り、連れ帰って結婚します。しかし、イスラームのハルジー朝のスルタンであるアラウッディーン・ハルジーもパドミニを奪おうと攻め込んできました。

攻めあぐねたアラウッディーンが「王妃の姿を一目見たら引き上げる」と伝えたため、ラタンは水面にパドミニの姿を映し出します。しかしその美しさ見たアラウッディーンはあきらめきれずチットルガル城を落としますが、それを悲しんだパドミニは火の中に飛び込んでしまったのです。

この城には、パドミニが映した水上の宮殿や身投げした場所が今でも残されています。

もっと知りたい！　城塞群のひとつに16世紀に建造されたジャル・マハル（ジャイプル）があります。これは水がめとして利用された人造湖の上に建つ水上宮殿。マハラジャが夏を過ごすための清涼な離宮として建てられました。5階建てとなっていますが、湖が満水になると宮殿は最上階を残して下の階が水没すると言われています。

本日のテーマ　謎と不思議を愉しむ！

12月25日

百舌鳥（もず）・古市（ふるいち）古墳群

所在地　日本　大阪府

登録基準　文化遺産／2019年／③④

空から見た百舌鳥古墳群。最も巨大な前方後円墳が仁徳天皇陵とされてきた大仙古墳です。当時、この付近には大陸からの船がやってくる難波津があり、倭の大王の力を見せつける役割も担っていました。

世界最大級の古墳に埋葬されているのは誰？

大阪平野の百舌鳥地区と古市地区には、巨大な前方後円墳のほか、小さな円墳や方墳など、49基の古墳が集中しています。これらの古墳が築かれたのは4世紀後半から6世紀前半にかけて、大きな力を持つ為政者が出現した時代でした。その象徴が、全長486m、前方部の幅が305mにも及ぶ、世界最大級の大きさの仁徳天皇陵です。

ただし仁徳天皇陵については、葬られているのが仁徳天皇ではなく、別の人物であるという説が有力になっています。そもそも仁徳天皇陵とされてきたのは、『古事記』や『日本書紀』に「仁徳天皇がここを自分の墓と定めた」という意味の記述があるからです。ところが近年の調査では、仁徳天皇が崩御したのは4世紀末にもかかわらず、仁徳天皇陵が築かれたのが5世紀中頃と判明しています。

では、仁徳天皇陵に埋葬されているのは誰なのでしょうか。墓の規模から天皇以外には考えられず、時代が合致する仁徳天皇の息子の允恭天皇、あるいは孫の雄略天皇ではないかと考えられています。

もっと知りたい！　近年、仁徳天皇陵はその地名から「大山古墳」あるいは「大仙古墳」と呼ばれるようになりました。

ブラジリア

所在地 ブラジル連邦共和国ブラジリア連邦直轄区

登録基準 文化遺産／1987年／①④

オスカー・ニーマイヤー設計のブラジリア大聖堂。

機能性を重視するニーマイヤーのパイロット・プラン

ブラジルの首都ブラジリアは、1960年に不毛の大地であるブラジル高原にゼロから築かれた人工的な都市です。

国土の中央部に新首都を建設するという計画に沿って、建築家ルシオ・コスタの「パイロット・プラン」が採用され、それに沿ってブラジル人建築家オスカー・ニーマイヤーが中心となって設計が行われました。その前衛的な機能美が未来都市として評価され、完成後わずか27年で世界遺産に登録されました。

都市全体は飛行機のような形をしており、飛行機の機首の部分に国会議事堂や大統領府などの政府の主要機関が集中し、胴体部分に商業施設、翼部分に集合住宅が整然と建ち並んでいます。街の建築物のデザインは前衛的で、とくにブラジリア大聖堂の天井はガラス張りで王冠のような独特な形状をしており、半地下構造になっています。交通網も、鉄道がなくバスによる交通網が発達しており、道路網は立体交差で信号が少なくなっています。

もっと知りたい！ 新しく完成したブラジリアですが、スラム問題を抱えています。当初は新首都に移住を希望する人が少なく、代わりに街の建設に従事した労働者たちがそのまま住みついて周辺では治安の悪化が叫ばれるようになりました。ブラジル政府は積極的な移住政策と住宅環境やインフラの整備を行い解消に努めましたが、現在もスラム問題は解決していません。

本日のテーマ ドラマを味わう!

アラブ - ノルマン様式のパレルモおよびチェファルとモンレアーレの大聖堂

362

所在地 イタリア共和国シチリア州

登録基準 文化遺産／2015年／②④

モザイク装飾とアラブ様式の天井が特徴的なノルマン王宮。王宮のほか、アラブ - ノルマン様式の建物9つが、世界遺産として登録されています。

イスラーム文化とキリスト教文化が混在するシチリアの歴史

地中海のほぼ中央に位置するシチリア島には、古代から多くの民族がやって来ました。9世紀にはアラブ人が都のパレルモを陥落させ、およそ300年にわたってこの島を支配。11世紀には北フランスのノルマンディからノルマン人がやってきてノルマン王国を建てました。

ノルマン王国は寛容な文化政策をとったため、異なる宗教を持つ多くの民族が共存し、ギリシャ語、ラテン語、アラビア語のいずれもが、公用語として認められていました。

多民族の共存は建築にも反映されました。アラブ―ノルマン様式は、四角の立方体の本体の上にドーム形の円屋根を載せるイスラーム建築風の形が特徴。ノルマン王宮とパラティーナ礼拝堂は、アラブ時代の城を拡張して宮殿にしたもので、モザイク装飾の床や鍾乳石模様の天井はイスラーム文化の技術です。

パレルモ大聖堂は、教会がモスクに改築されましたが、ノルマン王国時代に再び教会になったものです。

もっと知りたい! ノルマン人がシチリアを統治していた1130年から1194年にかけて、パレルモは繁栄を謳歌して「世界でもっとも美しい都市」と呼ばれていました。

本日のテーマ ゆかりの人物に出会う！

12月28日

サヴォア邸
（ル・コルビュジエの建築作品　近代建築運動への顕著な貢献）

363

所在地 フランス共和国

登録基準 文化遺産／2016年／①②⑥

ル・コルビュジエの代表作サヴォア邸。彼が提案した近代建築の5原則を体現する住宅建築です。

ル・コルビュジエの建築に対する貢献とは何か？

日本の国立西洋美術館を建築したことでも知られる建築家のル・コルビュジエは、モダニズム建築を提唱した20世紀最大の建築家です。スイスに生まれてパリで活躍し、フランスやドイツなど、ヨーロッパを中心に依頼をこなす一方、インドや日本などでも建築を手がけました。

ル・コルビュジエは「住宅は住むための機械」として機能美を追求し、30代で「近代建築の5原則（ピロティ、屋上庭園、自由な立面、水平連続窓、自由な平面）」をまとめ、直線的な立方体で装飾を廃したモダニズム建築の条件を確立しました。

第2次世界大戦後は、彫刻的な「ブルータリズム」に移行し、フランスのロンシャン礼拝堂などの傑作を残しています。

そうしたル・コルビュジエの代表作が、モダニズム建築の傑作であるフランスのサヴォア邸宅です。正方形を基本とし、1階のピロティや水平連続窓で空間を大胆に使った明るく機能的な住まいとなっています。

もっと知りたい！ ブルータリズムは、主に1950年以降にみられる建築様式です。いわばコンクリート打ち放しのような素材や設備をそのまま活かした彫刻的なスタイル。代表的な作品がフランスのロンシャンの礼拝堂で、大胆な形と重厚で荒々しい壁面が特徴です。日本の国立西洋美術館にもこの様式が用いられています。

本日のテーマ　暮らし・文化に触れる！

12月29日

ポンペイ、エルコラーノおよびトッレ・アヌンツィアータの遺跡地域

364

所在地　イタリア共和国カンパーニャ州

登録基準　文化遺産／1997年／③④⑤

ヴェスヴィオ火山とポンペイの遺跡。パン屋や宿屋などが軒を連ね、竈に残ったパンなど、大惨事の跡を垣間見ることができます。

火山灰に埋もれた街から浮かび上がる古代ローマ人の暮らし

ナポリ湾を望むポンペイは、豊かで気候も温暖な都市で、人々は活気ある暮らしを享受していました。しかし紀元79年、大災害に襲われます。街のすぐ近くにそびえるヴェスヴィオ火山が突如噴火し、噴煙を巻き上げたのです。

街に大量の火山灰や火山礫が降り注ぎ、真昼だというのにあたりは闇に閉ざされました。逃げ遅れた人々は高熱ガスと灰の混ざった熱風に襲われて倒れました。ポンペイの人口約1万2000人のうち、2000人余りが犠牲になったと推測されています。

火山灰は4日間降り続き、街はすっかり埋まってしまいました。この惨状にはローマ帝国といえどもなすすべがなく、ポンペイは放棄され忘れ去られました。

ポンペイの発掘が始まったのは19世紀になってから。調査が進むにつれて当時の一般市民の住宅や商店、職人の家などが当時のまま、時を止めたような状態で発掘されました。

ローマの遺跡に神殿や劇場は多いのですが、市民生活に関するものは珍しいため、ポンペイは貴重な遺跡でもあるのです。

もっと知りたい！　ポンペイでは、犠牲者たちが最期にどんな姿勢でいたか生々しく再現されています。これは遺体が火山灰に埋もれたため、肉体が腐敗し微生物によって分解されても、その部分が空洞になっていたからです。発掘隊は空洞に石膏を流し込み、最期の姿を復元したのです。

モスタル旧市街の古橋地区

365

所在地 ボスニア・ヘルツェゴビナ連邦ヘルツェゴビナ・ネレトヴァ

登録基準 文化遺産／2005年／⑥

ネレトヴァ川に架かるスタリ・モスト。修復された橋は民族共存のシンボルとなっています。

ユーゴ内戦の民族浄化の恐怖を刻む石橋

先史時代からの遺跡が残るモスタルは、15世紀にオスマン帝国の統治拠点として発展した街です。

オスマン帝国は、ネトレヴァ川に架かっていた木製の吊り橋を、アーチ型の石橋「スタリ・モスト」に架け替えました。モスタルとその周辺は、19世紀後半にはオーストリア＝ハンガリー二重帝国の領土になり、第2次世界大戦後はユーゴスラビアの一部になるという複雑な歴史をたどりました。それでもここでは、多くの民族がそれぞれの宗教を守りつつ、平和のうちに共存して暮らしていたのです。

ところが1992年に勃発し、民族浄化が行なわれたユーゴスラビア内戦によって、街のシンボルだったスタリ・モストは破壊されて川に崩れ落ち、街も廃墟となっていました。

現在あるスタリ・モストと建物の多くは、ユネスコと各国の援助によって復元されたもので、東側の旧市街にはトルコの影響を残す建物が、西側には西欧風の建築物が多く見られます。モスタルは「共存」のシンボルでもあるのです。

もっと知りたい！ スタリ・モストとは「古い橋」という意味で、オスマン帝国でもっとも高名な建築家シナンの弟子ハイルッディンによって築かれました。高さ20mのアーチは、空に舞い上がる虹のようだと讃えられ、街の名も「橋の番人」を意味する、「モスタリ」から来ています。

本日のテーマ　伝説に浸る！

12月31日

ヘラクレスの塔

所在地　スペイン王国ガリシア州ラ・コルーニャ県

登録基準　文化遺産／2009年／③

現在も灯台として活躍するヘラクレスの塔。

現役最古の灯台はヘラクレスとは何の関係もない？

大西洋に向けてスペインのラ・コルーニャ港沿岸にそびえる「ヘラクレスの塔」は、世界で最も古い現役灯台です。この塔はケルト人たちが海沿いに建てた見張り台の跡に、2世紀のローマ時代に灯台を築いたもので、「死の海岸」と呼ばれた海を見守り続けてきました。18世紀頃に現在の姿になっています。

この名称の「ヘラクレス」とは、ギリシア神話最大の英雄神のこと。全能の神ゼウスの子であるヘラクレスは、ミュケナイ王から命じられた通り、怪物ゲーリューオーンの牛の群れを奪って逃げます。しかし、追ってきたゲーリューオーンと3日3晩戦い、毒矢で射殺しました。その舞台となったのがこの地で、首を埋葬した所に塔を建立したと伝えられています。

ほかにも、かつてこの地を支配していたケルト人が、息子たちに世界の果てを見せるために高い塔を築いたという伝承もあります。

そのためローマ時代はケルト人王にちなんで「ブリガンティウムの塔」と名付けられましたが、のちに「ヘラクレスの塔」に改名されました。

もっと知りたい！　ラ・コルーニャ港は1588年のスペインのフェリペ2世とイギリスのエリザベス1世の軍勢が争ったアルマダの海戦で、無敵艦隊の出港地にもなりました。ここから出港したスペインの無敵艦隊はイギリスに大敗してしまいます。翌年には、この地域にイギリスが侵略してきましたが、街は必死で対抗しイギリス勢を追い返しました。

366日の世界遺産の旅、
いかがでしたか？

ヴァル・ドルチャ（イタリア）

さくいん

小林克己　こばやし・かつみ

1975年、早稲田大学教育学部地理歴史専修卒業。旅行ライター。海外旅行地理博士、日本旅行記者クラブ個人会員、綜合旅行業務取扱管理者。世界遺産、グルメ、鉄道などのテーマを中心に執筆活動を行なっており、取材旅行の延べ日数は海外約6年間、国内約5年間に及ぶ。主な著書に、『世界遺産一度は行きたい100選ヨーロッパ』『世界遺産一度は行きたい100選アジア・アフリカ』『世界遺産一度は行きたい100選南北アメリカ・オセアニア』（JTBパブリッシング）など多数。監修に『見たい! 知りたい! 世界遺産100』（宝島社）などがある。

★主な参考文献（順不同）

『詳説世界史研究改訂版』木下康彦、吉田寅、木村靖二編、『西アジア史IIイラン・トルコ―新版世界各国史9』永田雄三編、『ドイツ史―新版世界各国史13』木村靖二、『イタリア史―新版世界各国史15』北原敦編、『スペイン・ポルトガル史―新版世界各国史16』立石博高編、『ドナウ・ヨーロッパ史―新版世界各国史19』南塚信吾編（以上、山川出版社）／『図説 中国文明史〈4〉秦漢―雄偉なる文明』劉煒編著、稲畑耕一郎監修、伊藤晋太郎訳、『アレクサンダー大王―未完の世界帝国』ピエール・ブリアン著、福田素子訳、桜井万里子監訳、『ヴァイキング―海の王とその神話』イヴ・コア著、久保実訳、『ストーンヘンジ―巨石文明の謎を解く』ロビン・ヒース（以上、創元社）／『オスマン帝国500年の平和―興亡の世界史10』林佳世子、『ビジュアル版 イスラーム歴史物語』後藤明、『モンゴル帝国の興亡（上）―軍事拡大の時代』杉山正明、『秦漢帝国』西嶋定生、『隋唐帝国』布目潮渢、栗原益男、『大清帝国』増井経夫、『世界の歴史―ビジュアル版〈7〉ヨーロッパの出現』樺山紘一、『戦うハプスブルク家―近代の序章としての三十年戦争』菊池良生、『古代ギリシアの歴史―ポリスの興隆と衰退』伊藤貞夫、『ユネスコ世界遺産（3）西アジア』、『ユネスコ世界遺産（5）インド亜大陸』、『ユネスコ世界遺産（7）北・中央ヨーロッパ』、『ユネスコ世界遺産（9）東南ヨーロッパ』、『ユネスコ世界遺産（10）南ヨーロッパ』、『ユネスコ世界遺産（11）北・西アフリカ』（以上、講談社）／『ハプスブルク三都物語―ウィーン、プラハ、ブダペスト』河野純一、『マリー・アントワネットの生涯』藤本ひとみ、『人類の起源と古代オリエント―世界の歴史1』大貫良夫、渡辺和子、前川和也、屋形禎亮、『イスラーム世界の興隆―世界の歴史8』佐藤次高、『西ヨーロッパ世界の形成―世界の歴史10』佐藤彰一、池上俊一、『ムガル帝国から英領インドへ―世界の歴史14』佐藤正哲、中里成章、水島司、『ルネサンスと地中海―世界の歴史16』樺山紘一、『ラテンアメリカ文明の興亡―世界の歴史18』高橋均、網野徹哉、『近代イスラームの挑戦―世界の歴史20』山内昌之、『近代ヨーロッパの情熱と苦悩―世界の歴史22』谷川稔、鈴木健夫、村岡健次、北原敦、『鄭和の南海大遠征―永楽帝の世界秩序再編』宮崎正勝（以上、中央公論新社）／『古代ローマ人の24時間―よみがえる帝都ローマの民衆生活』アルベルト・アンジェラ著、関口英子訳、『図説ギリシア―エーゲ海文明の歴史を訪ねて』周藤芳幸、『ハプスブルク夜話―古き良きウィーン』ゲオルク・マルクス著、江村洋訳、『図説 海賊』増田義郎、『図説 メソポタミア文明』前川和也編著、『図説 ヨーロッパの王朝』加藤雅彦（以上、河出書房新社）／『ヨーロッパの古城と宮殿―戦乱・悲劇・繁栄の記憶を伝える76城』藤井信行、『ハプスブルク帝国―ヨーロッパに君臨した七〇〇年王朝』(以上、新人物往来社)/『図説 古代ギリシア』ジョン・キャンプ、エリザベス・フィッシャー著、吉岡晶子訳、『図説 世界の七不思議』ラッセル・アッシュ著、吉岡晶子訳、『古代世界70の不思議―過去の文明の謎を解く』ブライアン・M・フェイガン著、北代晋一訳(以上、東京書籍)/『謎の古代遺跡―古代エジプトからマヤ文明への旅』フィリップ・ウィルキンソン、『知られざる伝説の世界―幻か―それとも事実か―』、『世界遺産謎多き16の大遺跡―遺跡に秘められた古代の記憶を解読する』(以上、ニュートンプレス)/『古代ギリシアの旅―創造の源をたずねて』高野義郎、『旅する人びと―ヨーロッパの中世4』関哲行、『マヤ文明―密林に栄えた石器文化』青山和夫、『インカの世界を知る』木村秀雄(以上、岩波書店)/『ギリシアを知る事典』周藤芳幸、村田奈々子、『キリスト教を知る事典』高尾利数(以上、東京堂出版)/『図説 海賊大全』デイヴィッド・コーディングリ編、増田義郎監修、増田義郎・竹内和世訳、『図説 西洋騎士道大全』アンドレア・ホプキンズ著、松田英・都留久夫・山口惠里子訳(以上、東洋書林)/『キリスト教』S.F.ブラウン著、秦剛平訳(青土社)/『世界の古代帝国歴史図鑑―大国の覇権と人々の暮らし』トマス・ハリソン編、本村凌二日本語版監修、藤井留美訳(柊風舎)/『キリスト教の本[下]―聖母・天使・聖人と全宗派の儀礼』(学習研究社)/『スペインの歴史』立石博高、中川功、関哲行、中塚次郎編(昭和堂)/『図説 王家の谷百科―ファラオたちの栄華と墓と財宝』ニコラス・リーヴス、リチャード・H・ウィルキンソン著、近藤二郎訳(原書房)/『ファラオのエジプト』吉成薫(廣済堂出版)/『すべてがわかる世界遺産大事典<上・下>世界遺産検定1級公式テキスト』世界遺産検定事務局編著(マイナビ出版)/『イスラーム』ポール・ランディ著、小杉泰監訳(ネコ・パブリッシング)/『イスラームの歴史〈2〉拡大する帝国』ジョン・L.エスポジト編、坂井定雄監修、小田切勝子訳(共同通信社)/『イスラーム世界の二千年―文明の十字路 中東全史』バーナード・ルイス著、白須英子訳(草思社)/『イスラム世界を知る』中屋雅之(ヒルサイド・パブリッシング)/『アフリカで誕生した人類が日本人になるまで』溝口優司(ソフトバンククリエイティブ)/『早わかり中東&イスラーム世界史 』宮崎正勝(日本実業出版社)/『海からの世界史』宮崎正勝(角川学芸出版)/『世界遺産 年報2013』日本ユネスコ協会連盟編(朝日新聞出版)/『アレクサンドロス大王』ピエール・ブリアン著、田村孝訳(白水社)/『世界遺産建築の不思議』天井勝海監修(ナツメ社)

1日1ページでたどる地球と人類の奇跡

366日の世界遺産

2020年4月15日　第1刷発行
2021年10月1日　第6刷発行
定価(本体2,400円+税)

監修　小林克己
編集・文　ロム・インターナショナル
写真協力　アフロ／123RF／
Adobe stock／Pixta
装丁　公平恵美
本文デザイン　伊藤知広(美創)

発行人　塩見正孝
編集人　神浦高志
販売営業　小川仙丈
中村崇
神浦絢子

印刷・製本　図書印刷株式会社

発行　株式会社三才ブックス
〒101-0041
東京都千代田区神田須田町2-6-5 OS'85ビル 3F
TEL：03-3255-7995
FAX：03-5298-3520
http://www.sansaibooks.co.jp/

デルフィ（ギリシャ）